Illuminate
Publishing

CBAC
Cemeg
UG

Canllaw Astudio ac Adolygu

Peter Blake

Elfed Charles

Kathryn Foster

CBAC Cemeg UG: Canllaw Astudio ac Adolygu

Addasiad Cymraeg o *WJEC Chemistry AS Level: Study and Revision Guide* a gyhoeddwyd yn 2016 gan Illuminate Publishing Ltd, P.O. Box 1160, Cheltenham, Swydd Gaerloyw GL50 9RW

Ariennir yn Rhannol gan **Lywodraeth Cymru**

Part Funded by **Welsh Government**

Cyhoeddwyd dan nawdd Cynllun Adnoddau Addysgu a Dysgu CBAC

Archebion: Ewch i www.illuminatepublishing.com neu anfonwch e-bost at sales@illuminatepublishing.com

© Peter Blake, Elfed Charles, Kathryn Foster (Yr argraffiad Saesneg)

Mae'r awduron wedi datgan eu hawliau moesol i gael eu cydnabod yn awduron y gyfrol hon.

© CBAC (Yr argraffiad Cymraeg hwn)

Cedwir pob hawl. Ni cheir ailargraffu, atgynhyrchu na defnyddio unrhyw ran o'r llyfr hwn ar unrhyw ffurf nac mewn unrhyw fodd electronig, mecanyddol neu arall, sy'n hysbys heddiw neu a ddyfeisir wedi hyn, gan gynnwys llungopio a recordio nac mewn unrhyw system storio ac adalw gwybodaeth, heb ganiatâd ysgrifenedig gan y cyhoeddwyr.

Data Catalogio drwy Gyhoeddi'r Llyfrgell Brydeinig

Mae cofnod catalog ar gyfer y llyfr hwn ar gael gan y Llyfrgell Brydeinig

ISBN 978-1-911208-17-4

Argraffwyd gan 4edge Limited, Hockley, Essex

10.16

Polisi'r cyhoeddwr yw defnyddio papurau sy'n gynhyrchion naturiol, adnewyddadwy ac ailgylchadwy o goed a dyfwyd mewn coedwigoedd cynaliadwy. Disgwylir i'r prosesau torri coed a chynhyrchu papur gydymffurfio â rheoliadau amgylcheddol y wlad y mae'r cynnyrch yn tarddu ohoni.

Gwnaed pob ymdrech i gysylltu â deiliaid hawlfraint y deunydd a atgynhyrchir yn y llyfr. Os cânt eu hysbysu, bydd y cyhoeddwyr yn falch o gywiro unrhyw wallau neu bethau a adawyd allan ar y cyfle cyntaf.

Mae'r deunydd hwn wedi'i gymeradwyo gan CBAC, ac mae'n cynnig cefnogaeth o ansawdd uchel ar gyfer cyflwyno cymwysterau CBAC. Er bod y deunydd wedi mynd drwy broses sicrhau ansawdd CBAC, mae'r cyhoeddwr yn dal yn llwyr gyfrifol am y cynnwys.

Atgynhyrchir cwestiynau arholiad CBAC a'r Tabl Cyfnodol drwy ganiatâd CBAC.

Dyluniad: Nigel Harriss

Testun a'i osodiad: EMC Design Ltd, Bedford

Cydnabyddiaeth

Mae'r awduron yn ddiolchgar iawn i'r tîm yn Illuminate Publishing am eu proffesiynoldeb, eu cefnogaeth a'u harweiniad drwy gydol y project hwn. Bu'n bleser cydweithio mor agos â hwy.

Hoffai'r awduron a'r cyhoeddwr ddiolch i:

Judith Bonello am adolygu'r llyfr yn drwyadl ac am ei mewnweliadau a'i sylwadau arbenigol.

Cynnwys

Gwybodaeth a Dealltwriaeth

Uned 1 Iaith Cemeg, Adeiledd Mater ac Adweithiau Syml

Uned 2 Egni, Cyfradd a Chemeg Cyfansoddion Carbon

Arfer a thechneg arholiad

Sut i ddefnyddio'r llyfr hwn

Fel prif arholwyr profiadol ar gyfer y fanyleb, rydym wedi ysgrifennu'r canllawiau astudio hyn fel eich bod yn ymwybodol o beth sy'n ofynnol. Rydym wedi trefnu'r cynnwys fel y bydd yn eich arwain i lwyddo yn arholiad Cemeg UG CBAC.

Gwybodaeth a Dealltwriaeth

Mae **adran gyntaf** y llyfr yn cynnwys y wybodaeth a'r ddealltwriaeth sydd eu hangen ar gyfer yr arholiad ac yn cynnig nodiadau ar gyfer y ddau bapur theori yn yr arholiad, sef

Uned 1 Iaith Cemeg, Adeiledd Mater ac Adweithiau Syml

Uned 2 Egni, Cyfradd a Chemeg Cyfansoddion Carbon

Rydym hefyd wedi ceisio rhoi awgrymiadau ychwanegol i chi fel y gallwch chi ddatblygu eich gwaith:

- Gall unrhyw derm yn y fanyleb fod yn sail i gwestiwn, ac felly mae'r termau hynny'n cael eu diffinio a'u hamlygu.
- Mae 'Cwestiynau cyflym' i brofi eich gwybodaeth a'ch dealltwriaeth o'r deunydd.
- Mae 'Awgrymiadau' yn nodi pethau a allai helpu wrth ateb cwestiynau.
- Mae nodiadau 'Gwella gradd' yn cynnig ffyrdd y gall ymgeiswyr greu argraff dda ar yr arholwyr gyda'u gwybodaeth a'u dealltwriaeth.
- Mae 'Ychwanegol' yn fath o gwestiwn cyflym sy'n fwy anodd.
- Mae set gynhwysfawr o atebion gan ymgeiswyr i gwestiynau ym mhob adran, sy'n cynnwys dull marcio, dadansoddiad, ac esboniad gan yr arholwyr ar yr atebion hyn.

Arfer a Thechneg Arholiad

Mae **ail adran** y llyfr yn trafod y sgiliau allweddol ar gyfer llwyddo mewn arholiad ac yn cynnig enghreifftiau i chi ar sail atebion go iawn i gwestiynau arholiad. Yn gyntaf byddwn ni'n esbonio sut mae'r system arholiadau'n gweithio ac yna byddwn ni'n rhoi awgrymiadau i chi ar sut i lwyddo.

Mae'r adran hon yn cynnwys amrywiaeth o gwestiynau strwythuredig a chwestiynau traethawd. Mae pob traethawd yn cynnwys y pwyntiau disgwyliedig i gael marciau ac wedyn mae enghreifftiau go iawn o atebion ymgeiswyr. Mae amrywiaeth o gwestiynau strwythuredig yma hefyd, a hefyd atebion nodweddiadol a sylwadau. Maen nhw'n rhoi syniad i chi o'r safon sydd ei hangen, a bydd y sylwadau'n esbonio pam enillodd yr atebion y marciau a ddyfarnwyd.

Yn bwysicach na dim, rydym ni'n eich cynghori i dderbyn cyfrifoldeb dros eich dysgu eich hun a pheidio â dibynnu ar eich athrawon i roi nodiadau i chi neu i ddweud wrthych sut i gael y graddau sydd eu hangen arnoch chi. Dylech chi chwilio am nodiadau ychwanegol i'ch cefnogi wrth i chi astudio Cemeg UG.

Cofiwch edrych ar wefan CBAC, sef www.cbac.co.uk. Yn arbennig, mae angen i chi fod yn ymwybodol o'r fanyleb. Chwiliwch am bapurau arholiad enghreifftiol a chynlluniau marcio. Efallai y bydd cyn-bapurau'n ddefnyddiol i chi hefyd.

Pob lwc wrth adolygu.

Peter Blake, Elfed Charles a Kathryn Foster

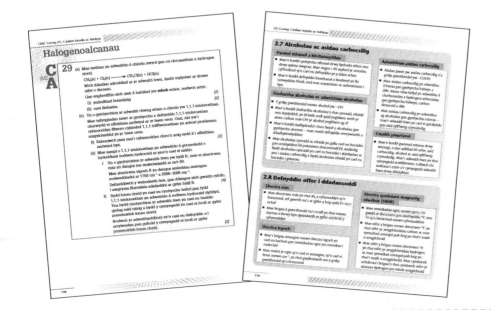

U1 Gwybodaeth a Dealltwriaeth

Iaith Cemeg, Adeiledd Mater ac Adweithiau Syml

Mae'r uned hon yn dechrau â chyflwyniad i iaith cemeg ac wedyn yn cyflwyno rhai syniadau sylfaenol pwysig am atomau a sut mae'r cysyniad o'r môl yn cael ei ddefnyddio mewn cyfrifiadau.

Mae pa mor ddefnyddiol yw defnydd yn dibynnu ar ei briodweddau, a'r priodweddau yn eu tro'n dibynnu ar adeiledd mewnol y defnydd a'r bondio. Drwy ddeall y berthynas rhwng y pethau hyn, mae cemegwyr yn gallu dylunio defnyddiau newydd defnyddiol. Byddwn ni'n astudio'r mathau o rymoedd sydd rhwng gronynnau, a hefyd yn astudio sawl math o adeiledd solid i ddangos sut mae'r rhain yn dylanwadu ar briodweddau. Blociau adeiladu defnyddiau yw'r elfennau a byddwn ni'n gweld y berthynas rhwng eu priodweddau a'u safle yn y Tabl Cyfnodol drwy astudio elfennau bloc s a Grŵp 7.

Byddwn ni'n ystyried yr egwyddorion allweddol sy'n rheoli'r safle ecwilibriwm rhwng adweithyddion a chynhyrchion ac yn eu cymhwyso i faes pwysig adweithiau asid–bas.

Wedi'i adolygu!

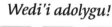

Nodiadau sylfaenol | Dealltwriaeth dda | Wedi adolygu'n llawn

1.1 Fformiwlâu a hafaliadau

Mae'r gallu i ddangos adweithiau gan ddefnyddio hafaliadau cemegol (ac ïonig) cytbwys yn hanfodol mewn cemeg. Mae defnyddio fformiwlâu cemegol yn ein galluogi i ysgrifennu hafaliadau. Gallwn ni ddefnyddio rhif ocsidiad i fynegi pŵer elfennau i gyfuno i ffurfio cyfansoddion.

→ tt. 8–10 →

1.2 Syniadau sylfaenol ynghylch atomau

Mae gan atomau adeiledd mewnol sy'n cynnwys protonau, niwtronau ac electronau. Mae rhai atomau'n ansefydlog ac mae'r niwclews yn ymhollti gan ffurfio gronynnau llai – yr enw ar hyn yw dadfeiliad ymbelydrol. Mae allyriad ymbelydrol yn gallu bod yn niweidiol neu mae'n gallu cael ei ddefnyddio i wneud lles. Mae egnïon ïoneiddiad a sbectra allyrru ac amsugno'n rhoi tystiolaeth ar gyfer trefniant electronau mewn atom.

→ tt. 11–20 →

1.3 Cyfrifiadau cemegol

Rydym ni'n mynegi masau atomau drwy eu cymharu â'r isotop carbon-12. Rydym ni'n mesur masau atomig cymharol drwy sbectromedreg màs. Gallwn ni ddefnyddio'r môl i gyfrifo masau solidau, crynodiadau hydoddiannau neu gyfeintiau nwyon sy'n adweithio neu sy'n cael eu ffurfio. Gallwn ni ddarganfod crynodiad hydoddiant anhysbys drwy ddefnyddio titradiad asid–bas a gallwn ni gyfrifo'r cyfeiliornad canrannol mewn mesuriadau.

→ tt. 21–33 →

1.4 Bondio

Mae atomau'n bondio â'i gilydd gan ffurfio moleciwlau drwy rymoedd trydanol, naill ai drwy gofalens gan rannu parau electron neu drwy drosglwyddo electronau o'r naill atom i'r llall gan ffurfio bondiau ïonig. Mae'r math o fond yn dibynnu ar y gwahaniaeth mewn electronegatifedd rhwng yr atomau. Mae bondio rhwng moleciwlau'n wannach (grymoedd van der Waals), er bod bondiau hydrogen yn gryfach. Mae nifer y parau electron o amgylch atom canolog yn pennu siapiau moleciwlau, yn ôl y ddamcaniaeth gwrthyriad parau electron plisgyn falens. (VSEPR).

1.5 Adeileddau solidau

Gall solidau fod yn adeileddau enfawr neu'n foleciwlau syml. Mae solidau ïonig a metelig yn adeileddau enfawr bob tro sy'n cynnwys miliynau o unedau. Mae adeileddau cofalent yn foleciwlau enfawr fel diemwnt neu'n foleciwlau syml fel I_2, sy'n cael eu dal at ei gilydd yn y cyflwr solet gan rymoedd van der Waals gwan. Mae priodweddau ffisegol y solidau, fel tymheredd ymdoddi a dargludedd trydanol, yn gysylltiedig ag adeiledd sylfaenol y solid.

1.6 Y Tabl Cyfnodol

Mae trefnu'r elfennau yn ôl eu hadeileddau electronig, fel yn y Tabl Cyfnodol, yn ddull pwerus iawn o esbonio a deall ymddygiad cemegol. Mae tueddiadau systematig mewn priodweddau ffisegol a chemegol yn dod yn amlwg, yn enwedig falensau nodweddiadol y grwpiau a'u priodweddau rhydocs. Mae enghreifftiau manwl yma ar gyfer elfennau bloc s – sy'n rhydwythyddion ac yn fetelau – a'r halogenau, sef Grŵp 7 – sy'n ocsidyddion ac yn anfetelau.

1.7 Ecwilibria cemegol ac adweithiau asid–bas

Mae llawer o adweithiau'n gildroadwy a phan fydd y blaenadwaith a'r ôl-adwaith yn digwydd ar yr un gyfradd, bydd yr adwaith wedi cyrraedd ecwilibriwm. Bydd y safle ecwilibriwm yn newid os bydd amodau adwaith yn newid. Mae'n bosibl mynegi cymhareb crynodiadau'r cynhyrchion i'r adweithyddion yn fathemategol drwy ddefnyddio'r cysonyn ecwilibriwm. Mae pob asid yn gyfrannydd protonau; mae rhai'n gryf ac eraill yn wan. Mae cryfder asidau'n cael ei fesur gan ddefnyddio'r raddfa pH. Mae titradiadau asid–bas yn rhoi cyfleoedd i gysylltu gwaith ymarferol â chyfrifiadau cemegol.

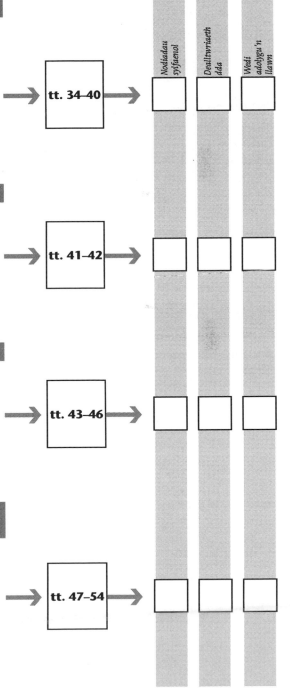

tt. 34–40

tt. 41–42

tt. 43–46

tt. 47–54

Nodiadau sylfaenol

Dealltwriaeth dda

Wedi adolygu'n llawn

1.1 Fformiwlâu a hafaliadau

Gwella gradd

Dysgwch fformiwla'r asidau cyffredin a'r nwyon cyffredin.

cwestiwn cyflym

① Beth yw fformiwla:
   a) asid hydroclorig
   b) asid sylffwrig
   c) amonia
   ch) methan?

cwestiwn cyflym

② Sawl atom o bob elfen sy'n bresennol mewn $2CH_3CO_2H$?

cwestiwn cyflym

③ Sawl atom ocsigen sy'n bresennol mewn $Ca(HCO_3)_2$?

≫ Cofiwch

Does dim angen i chi ddysgu'r fformiwla ar gyfer cyfansoddion ïonig.

Gwella gradd

Dysgwch y fformiwlâu ar gyfer ïonau Grwpiau 1, 2, 6 a 7.

cwestiwn cyflym

④ Ysgrifennwch y fformiwlâu ar gyfer:
   a) sodiwm carbonad
   b) bariwm sylffad
   c) amoniwm sylffad.

Fformiwlâu cyfansoddion ac ïonau

Set o symbolau a rhifau yw fformiwla cyfansoddyn. Mae'r symbolau'n nodi pa elfennau sy'n bresennol ac mae'r rhifau'n rhoi cymhareb nifer atomau'r gwahanol elfennau yn y cyfansoddyn.

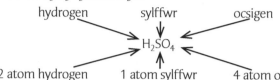

E.e.   hydrogen   sylffwr   ocsigen

H_2SO_4

2 atom hydrogen   1 atom sylffwr   4 atom ocsigen

Mae llawer o gyfansoddion yn cynnwys moleciwlau lle mae'r atomau'n cael eu bondio'n gofalent. I ddangos bod nifer o foleciwlau, rydych chi'n ysgrifennu'r nifer hwnnw o flaen y fformiwla. Mae'r rhif hwn yn lluosi popeth ar ei ôl.

Er enghraifft, mewn $3HNO_3$,   nifer yr atomau hydrogen = 3 × 1 = 3
                                nifer yr atomau nitrogen = 3 × 1 = 3
                                nifer yr atomau ocsigen = 3 × 3 = 9

Mae llawer o gyfansoddion yn cynnwys ïonau, nid moleciwlau, ac maen nhw'n ffurfio drwy fondio ïonig. Ar gyfer cyfansoddyn ïonig, mae'n rhaid i gyfanswm nifer y gwefrau positif fod yn hafal i gyfanswm nifer y gwefrau negatif mewn un uned fformiwla ar gyfer y cyfansoddyn.

Gallwn ni gyfrifo'r fformiwla ar gyfer cyfansoddion ïonig drwy ddilyn y camau hyn:

1 Ysgrifennwch symbolau'r ïonau sydd yn y cyfansoddyn.

2 Cydbwyswch yr ïonau er mwyn i gyfanswm gwefr yr ïonau positif a'r ïonau negatif fod yn sero. (Mae'n rhaid i'r cyfansoddyn fod yn niwtral.)

3 Ysgrifennwch y fformiwla heb y gwefrau a nodwch nifer yr ïonau o bob elfen fel is-nod, sef rhif bach o dan y llinell ar ôl symbol yr elfen. (Defnyddiwch gromfachau os oes mwy nag un ïon cyfansawdd.)

Enghraifft 1 Sodiwm ocsid

1 Mae sodiwm yng Ngrŵp 1, mae ocsigen yng Ngrŵp 6, ac felly yr ïonau yw Na^+ ac O^{2-}.

2 Mae angen dau ïon Na^+ i gydbwyso'r wefr ar un ïon O^{2-} er mwyn gwneud cyfanswm y gwefrau'n sero. (+1 +1 −2 = 0).

3 Y fformiwla yw Na_2O. (Does dim angen ysgrifennu'r '1'.)

Enghraifft 2 Calsiwm hydrocsid

1 Mae calsiwm yng Ngrŵp 2, mae hydrocsid yn ïon cyfansawdd; yr ïonau yw Ca^{2+} ac OH^-.

2 Mae angen dau ïon OH^- i gydbwyso'r wefr ar un ïon Ca^{2+} er mwyn gwneud cyfanswm y gwefrau'n sero. (−1 −1 +2 = 0).

3 Y fformiwla yw $Ca(OH)_2$. (Sylwch ar y cromfachau o amgylch yr OH cyn ysgrifennu'r 2.)

Rhifau ocsidiad

Dull o fynegi sut mae elfennau'n cyfuno yw'r rhif ocsidiad. Rhif ocsidiad elfen yw nifer yr electronau mae angen eu hychwanegu at yr elfen (neu eu tynnu oddi arni) i'w gwneud yn niwtral.

Er enghraifft, bydd yr ïon magnesiwm, Mg^{2+}, yn ffurfio pan fydd magnesiwm yn colli dau electron. Felly mae angen ychwanegu dau electron i wneud atom niwtral, a'i rif ocsidiad yw +2. Mae angen i'r ïon clorid, Cl^-, golli electron i wneud atom niwtral, ac felly ei rif ocsidiad yw −1.

Mae'r tabl canlynol yn rhoi'r rheolau ar gyfer pennu rhifau ocsidiad:

Rheol	Enghraifft
Rhif ocsidiad elfen sydd ddim mewn cyfansoddyn yw sero.	Copr metelig, Cu: rhif ocsidiad 0. Nwy ocsigen, O_2: rhif ocsidiad 0.
Cyfanswm y rhifau ocsidiad mewn cyfansoddyn yw sero. Mewn ïon, mae'r cyfanswm yn hafal i gwefr yr ïon.	Mewn CO_2, cyfanswm rhifau ocsidiad carbon ac ocsigen yw 0. Mewn NO_3^-, cyfanswm rhifau ocsidiad nitrogen ac ocsigen yw −1.
Mewn cyfansoddion, rhif ocsidiad metelau Grŵp 1 yw +1 a rhif ocsidiad metelau Grŵp 2 yw +2.	Mewn $MgBr_2$, rhif ocsidiad magnesiwm yw +2 (rhif ocsidiad pob bromin yw −1).
Rhif ocsidiad ocsigen mewn cyfansoddion yw −2 ac eithrio gyda fflworin neu mewn perocsidau (ac uwchocsidau).	Mewn SO_2, rhif ocsidiad pob ocsigen yw −2 (rhif ocsidiad sylffwr yw +4). Mewn H_2O_2, rhif ocsidiad ocsigen yw −1 (rhif ocsidiad hydrogen yw +1).
Rhif ocsidiad hydrogen yw +1 mewn cyfansoddion ac eithrio mewn hydridau metelau.	Mewn HCl, rhif ocsidiad hydrogen yw +1 (rhif ocsidiad clorin yw −1). Mewn NaH, rhif ocsidiad hydrogen yw −1 (rhif ocsidiad sodiwm yw +1).
Mewn rhywogaethau cemegol sydd ag atomau mwy nag un elfen, rydym ni'n rhoi'r rhif ocsidiad negatif i'r elfen fwyaf electronegatif.	Mewn CCl_4, mae clorin yn fwy electronegatif na charbon, ac felly rhif ocsidiad pob clorin yw −1 (rhif ocsidiad carbon yw +4).

Enghraifft

Beth yw rhif ocsidiad manganîs mewn MnO_4^-?

Rhif ocsidiad pob ocsigen yw −2, ac felly y cyfanswm ar gyfer ocsigen yw $-2 \times 4 = -8$

Cyfanswm y wefr ar yr ïon yw −1, sy'n hafal i rif ocsidiad Mn + cyfanswm rhifau ocsidiad O.

Felly −1 = rhif ocsidiad Mn + (−8)

Rhif ocsidiad Mn = +7.

Cofiwch

Does dim angen i chi wybod diffiniad rhif ocsidiad.

Gwella gradd

Dysgwch y rheolau ar gyfer rhoi rhifau ocsidiad.

cwestiwn cyflym

⑤ Beth yw rhif ocsidiad:
  a) carbon mewn CH_4
  b) ffosfforws mewn Na_3PO_4
  c) nitrogen mewn KNO_2?

Gwella gradd

Cofiwch fod pob elfen yn y cofair HOFBrINCl yn bodoli ar ffurf moleciwlau deuatomig.

Cofiwch

Gall y symbolau cyflwr hyn gael eu cynnwys mewn hafaliad: (s) solid; (h) hylif; (n) nwy; (d) dyfrllyd.

cwestiwn cyflym

⑥ Ysgrifennwch hafaliad cemegol cytbwys ar gyfer yr adwaith rhwng:

a) sodiwm carbonad ac asid hydroclorig

b) nitrogen deuocsid (NO_2) a dŵr gan roi nitrig ocsid (NO) ac asid nitrig.

cwestiwn cyflym

⑦ Ysgrifennwch hafaliad ïonig, gan gynnwys symbolau cyflwr, ar gyfer yr adweithiau canlynol:

a) ychwanegu magnesiwm at asid hydroclorig

b) ychwanegu hydoddiant plwm(II) nitrad at hydoddiant potasiwm ïodid gan ffurfio gwaddod melyn o blwm(II) ïodid.

Hafaliadau cemegol ac ïonig

Rydym ni'n ysgrifennu hafaliadau cemegol i grynhoi beth sy'n digwydd mewn adwaith cemegol, gan ddefnyddio fformiwlâu cemegol. Ond, gan na fydd atomau'n cael eu creu na'u dileu mewn adwaith cemegol, mae'n rhaid cael yr un nifer o atomau o bob elfen ar bob ochr i'r hafaliad cemegol. Er mwyn cydbwyso hafaliad cemegol, y cyfan y gallwch chi ei wneud yw lluosi fformiwla yn yr hafaliad drwy roi rhif o flaen y fformiwla.

Er enghraifft, mae hydrogen yn llosgi mewn ocsigen gan ffurfio dŵr

$$H_2 + O_2 \longrightarrow H_2O$$

Mae cyfrif nifer yr atomau ar bob ochr yn rhoi:

Ochr chwith: hydrogen, 2 atom; ocsigen 2 atom

Ochr dde: hydrogen, 2 atom; ocsigen 1 atom

Er mwyn cydbwyso'r hafaliad, mae angen 2 atom ocsigen ar yr ochr dde.

Ateb syml fyddai ysgrifennu $H_2 + O_2 \longrightarrow H_2O_2$

Ond mae'n amlwg bod hyn yn anghywir gan mai hydrogen perocsid yw H_2O_2, nid dŵr. Allwch chi ddim newid fformiwla, dim ond rhoi rhif o flaen y fformiwla i'w lluosi. Gan fod angen 2 atom ocsigen ar yr ochr dde, rydym ni'n lluosi'r dŵr â 2.

$$H_2 + O_2 \longrightarrow 2H_2O$$

Ond, dyma beth sydd gennym ni nawr:

Ochr chwith: hydrogen, 2 atom; ocsigen 2 atom

Ochr dde: hydrogen, 4 atom; ocsigen 2 atom

Felly rydym ni'n lluosi'r hydrogen ar y chwith â 2

$$2H_2 + O_2 \longrightarrow 2H_2O$$

ac mae'r hafaliad yn gytbwys.

Mae llawer o adweithiau'n cynnwys ïonau mewn hydoddiannau. Ond, yn yr adweithiau hyn, nid yw pob ïon yn cymryd rhan mewn newid cemegol. Gall hafaliad ïonig helpu i ddangos beth sy'n digwydd. Mae'n rhoi hafaliad byrrach sy'n canolbwyntio ar y newidiadau sy'n digwydd. Mae unrhyw ïonau sydd ddim yn newid yn ystod adwaith yn cael eu gadael allan o'r hafaliad ïonig. Rydym ni'n galw'r ïonau hyn yn ïonau segur.

Mae hafaliadau ïonig yn cael eu defnyddio'n aml ar gyfer adweithiau dadleoli ac adweithiau gwaddod.

Er enghraifft, mae bariwm sylffad yn anhydawdd mewn dŵr. Pan fydd hydoddiant bariwm clorid yn cael ei ychwanegu at hydoddiant sodiwm sylffad, bydd gwaddod gwyn yn ffurfio. Ysgrifennwch hafaliad ïonig, gan gynnwys symbolau cyflwr, ar gyfer yr adwaith.

Yr hafaliad cemegol ar gyfer yr adwaith yw:

$$BaCl_2(d) + Na_2SO_4(d) \longrightarrow BaSO_4(s) + 2NaCl(d)$$

Mae ysgrifennu'r holl ïonau'n rhoi:

$$Ba^{2+}(d) + 2Cl^-(d) + 2Na^+(d) + SO_4{}^{2-}(d) \longrightarrow$$
$$BaSO_4(s) + 2Na^+(d) + 2Cl^-(d)$$

Nid yw'r ïonau $Na^+(d)$ a'r ïonau $Cl^-(d)$ yn newid yn ystod yr adwaith. Maen nhw'n ïonau segur ac yn cael eu gadael allan, gan roi'r hafaliad ïonig:

$$Ba^{2+}(d) + SO_4{}^{2-}(d) \longrightarrow BaSO_4(s)$$

1.2 Syniadau sylfaenol ynghylch atomau

Adeiledd atomig

Mae atomau'n cynnwys niwclews. Mae niwclews yn cynnwys protonau â gwefr bositif a niwtronau heb wefr ac mae wedi'i amgylchynu gan blisg yn cynnwys electronau â gwefr negatif sy'n symud drwy'r amser. Mae màs yr atom, bron i gyd, yn y niwclews. Mae'r un nifer o brotonau ac electronau gan atom.

Elfennau

Mae gan bob elfen ei **rhif atomig** ei hun.

Rydym ni'n aml yn cynnwys y rhif atomig a'r **rhif màs** yn symbol yr elfen. Er enghraifft, y symbol llawn ar gyfer fflworin yw $^{19}_{9}F$.

9 yw'r rhif atomig ac 19 yw'r rhif màs.

Mae'r rhan fwyaf o elfennau'n digwydd yn naturiol fel cymysgedd o atomau, a'r unig wahaniaeth rhyngddyn nhw yw eu rhifau màs. Yr enw ar yr atomau hyn yw **isotopau**. Er enghraifft, mae clorin sydd i'w gael yn naturiol yn cynnwys dau isotop, y naill â rhif màs 35 a'r llall â rhif màs 37, sef $^{35}_{17}Cl$ a $^{37}_{17}Cl$.

Ïonau

Mae **ïonau** positif (catïonau) yn ffurfio pan fydd atom yn colli un neu fwy o electronau, e.e. $K \longrightarrow K^+ + e^-$.

Mae **ïonau** negatif (anionau) yn ffurfio pan fydd atom yn ennill un neu fwy o electronau, e.e. $F + e^- \longrightarrow F^-$.

Yn y ddwy enghraifft, nid yw nifer y protonau wedi newid.

>> **Cofiwch**

Er nad yw'r fanyleb yn sôn am adeiledd atomig yn benodol, mae disgwyl eich bod yn gwybod amdano'n barod, ar ôl gwneud TGAU.

Termau Allweddol

Rhif atomig yw nifer y protonau yn niwclews atom.

Rhif màs yw nifer y protonau + nifer y niwtronau yn niwclews atom.

Isotopau yw atomau sydd â'r un nifer o brotonau ond niferoedd gwahanol o niwtronau.

Gwella gradd

Cofiwch, mewn unrhyw atom:
Y rhif atomig – nifer y protonau
Nifer y protonau = nifer yr electronau
Nifer y niwtronau = y rhif màs – y rhif atomig

---

ychwanegol

a. Nodwch nifer y protonau, y niwtronau a'r electronau yn nau (2) brif isotop sinc, sef Zn-64 a Zn-66.

b. Nodwch nifer y protonau a'r electronau mewn

(i) $^{16}O^{2-}$ (ii) $^{207}Pb^{2+}$

c. Nodwch y gwahaniaeth, os oes gwahaniaeth, rhwng priodweddau cemegol Zn-64 a Zn-66, gan roi rheswm dros eich ateb.

Ymbelydredd

Mathau o allyriad ymbelydrol a'u hymddygiad

Pelydriad	Natur	Effaith maes trydanol	Effaith maes magnetig	Pŵer treiddio
Gronynnau α	clystyrau o 2 broton a 2 niwtron	yn cael eu hatynnu at blât negatif	yn cael eu gwyro i gyfeiriad penodol	y lleiaf treiddiol: mae dalen o bapur yn eu rhwystro
Gronynnau β	electronau	yn cael eu hatynnu at blât positif	yn cael eu gwyro i'r cyfeiriad dirgroes	mae dalen denau o fetel (e.e. 0.5 cm o alwminiwm) yn eu rhwystro
Pelydrau γ	pelydriad electromagnetig ag egni uchel	dim effaith	dim effaith	y mwyaf treiddiol: gall fod angen mwy na 2 cm o blwm i'w rhwystro

Termau Allweddol

Gronynnau α = clwstwr o 2 broton a 2 niwtron; felly mae gwefr bositif ganddyn nhw.

Gronynnau β = electronau sy'n symud yn gyflym; felly mae gwefr negatif ganddyn nhw.

Pelydrau γ = pelydriad electromagnetig ag egni uchel; felly dim gwefr.

Gwella gradd

Gallwn ni ystyried bod gronynnau β yn cael eu ffurfio pan fydd niwtron yn newid yn broton. Hynny yw,
$$_0^1n \rightarrow {}_1^1p + {}_{-1}\beta$$

Cofiwch

Math o ronyn β yw positron. Mae ganddo'r un màs ag electron a gwefr sydd yr un faint ond ei fod yn bositif.

cwestiwn cyflym

① Pam mae person sy'n cael ei ladd gan lygredd ymbelydrol yn cael ei gladdu mewn arch plwm?

cwestiwn cyflym

② Nodwch rif màs a symbol yr isotop sy'n ffurfio pan fydd ${}^{18}F$ yn dadfeilio drwy allyrru positron.

Effaith ar rif màs a rhif atomig

Mae allyrru gronynnau α a β yn achosi i niwclews newydd gael ei ffurfio. Mae rhif atomig gwahanol ganddo, ac felly mae'r cynnyrch yn elfen wahanol.

Pan fydd elfen yn allyrru gronyn α, bydd ei rhif màs 4 yn llai a'i rhif atomig 2 yn llai.
$$_{92}^{238}U \longrightarrow {}_{90}^{234}Th + {}_2^4\alpha$$
Mae'r cynnyrch ddau le i'r chwith yn y Tabl Cyfnodol.

Pan fydd elfen yn allyrru gronyn β, fydd ei rhif màs ddim yn newid a bydd ei rhif atomig yn cynyddu o 1.
$$_6^{14}C \longrightarrow {}_7^{14}N + {}_{-1}\beta$$
Mae'r cynnyrch un lle i'r dde yn y Tabl Cyfnodol.

Yn y broses dal electronau, mae'r rhif màs heb newid ac mae'r rhif atomig yn lleihau o 1.
$$_{28}^{59}Ni + e^- \longrightarrow {}_{27}^{59}Co$$
Mae'r cynnyrch un lle i'r chwith yn y Tabl Cyfnodol.

Yn y broses allyrru positron, mae'r rhif màs heb newid ac mae'r rhif atomig yn lleihau o 1.
$$_6^{12}C \longrightarrow {}_5^{12}B + \beta^+$$
Mae'r cynnyrch un lle i'r chwith yn y Tabl Cyfnodol.

Hanner oes

Mae'r niwclysau mewn sylweddau ymbelydrol gwahanol yn dadfeilio ar gyfraddau gwahanol. Yr enw ar yr amser mae'n ei gymryd i hanner yr holl niwclysau mewn radioisotop ddadfeilio yw ei **hanner oes**. Mae'r hanner oes yn dibynnu yn unig ar ba isotop sy'n dadfeilio, nid ar faint ohono sy'n bresennol.

Gall yr arholiad ofyn i chi wneud cyfrifiadau i ddarganfod:

- yr amser mae'n ei gymryd i ymbelydredd sampl ddisgyn i ffracsiwn penodol o'i werth cychwynnol
- màs radioisotop sy'n weddill ar ôl cyfnod penodol o amser, o wybod y màs cychwynnol
- hanner oes radioisotop, o wybod yr amser mae'n ei gymryd i ymbelydredd sampl ddisgyn i ffracsiwn penodol o'i werth cychwynnol.

Enghraifft 1

Hanner oes tritiwm yw 13 blynedd. Faint o niwclysau ymbelydrol fydd yn weddill o sampl gwreiddiol oedd yn cynnwys 16 miliwn o niwclysau ar ôl 52 o flynyddoedd?

52 o flynyddoedd = 4 hanner oes

16 miliwn $\xrightarrow{13}$ 8 miliwn $\xrightarrow{13}$ 4 miliwn $\xrightarrow{13}$ 2 filiwn $\xrightarrow{13}$ 1 filiwn

Enghraifft 2

Mae un o isotopau ffosfforws, ^{32}P, yn ymbelydrol ac mae ei ymbelydredd yn disgyn i 1/8fed o'i werth cychwynnol mewn 42.9 diwrnod. Cyfrifwch hanner oes ^{32}P.

1 $\longrightarrow$ 1/2 $\longrightarrow$ 1/4 $\longrightarrow$ 1/8, sef 3 hanner oes

Hanner oes = $\dfrac{42.9}{3}$ = 14.3 diwrnod

Canlyniadau ar gyfer celloedd byw

Mae allyriadau ymbelydrol yn gallu bod yn niweidiol. Ond, rydym i gyd yn derbyn rhywfaint o belydriad, sef y pelydriad cefndir naturiol sy'n digwydd ym mhobman. Mae gweithwyr mewn diwydiannau lle maen nhw'n agored i belydriad gan radioisotopau yn cael eu monitro'n ofalus. Mae hyn yn sicrhau nad ydyn nhw'n derbyn mwy o belydriad nag sy'n cael ei ganiatáu o dan gyfyngiadau a gytunwyd yn rhyngwladol.

Mae allyriadau ymbelydrol egni uchel yn torri bondiau cemegol ym moleciwlau celloedd gan achosi newidiadau mewn DNA. Ar ddos isel, gall hyn achosi mwtaniadau a ffurfio celloedd canseraidd; ar ddos uwch, gall ladd celloedd.

Pan fydd isotopau sy'n allyrru gronynnau α yn cael eu hamlyncu, maen nhw'n fwy peryglus o lawer nag isotopau sy'n allyrru β neu γ sydd â'r un actifedd, ond yn ffodus nid yw gronynnau α o'r tu allan yn gallu treiddio'r croen.

Term Allweddol

Hanner oes yw'r amser mae'n ei gymryd i hanner yr atomau mewn radioisotop ddadfeilio neu'r amser mae'n ei gymryd i ymbelydredd radioisotop ddisgyn i hanner ei werth cychwynnol.

>> *Cofiwch*

Y mwyaf yw hanner oes radioisotop, y mwyaf o bryder sydd, oherwydd mae ymbelydredd yr isotop yn parhau am amser hirach.

cwestiwn cyflym

③ Bydd ^{60}Co yn cael ei ddefnyddio mewn radiotherapi a'i hanner oes yw 5.3 mlynedd. Cyfrifwch faint o amser y byddai'n ei gymryd i ymbelydredd yr isotop ddadfeilio i 1/16 o'i werth cychwynnol.

ychwanegol

a. Amlinellwch pam gall ymbelydredd fod yn beryglus i iechyd.

b. Pam mai ymbelydredd α yw'r un mwyaf peryglus o gael ei amlyncu ond yr un lleiaf peryglus y tu allan i'r corff?

cwestiwn cyflym

④ Mae ïodin ymbelydrol, ^{131}I, yn cael ei ddefnyddio mewn meddygaeth fel olinydd. Enwch radioisotop arall sy'n cael ei ddefnyddio y tu allan i feddygaeth a nodwch sut mae'n cael ei ddefnyddio.

cwestiwn cyflym

④ Mae ïodin ymbelydrol, ^{131}I, yn cael ei ddefnyddio mewn meddygaeth fel olinydd. Enwch radioisotop arall sy'n cael ei ddefnyddio y tu allan i feddygaeth a nodwch sut mae'n cael ei ddefnyddio.

cwestiwn cyflym

⑤ Esboniwch pam bydd isotopau sy'n allyrru gronynnau β yn cael eu defnyddio i fesur trwch stribedi metel.

Sut mae ymbelydredd yn gallu bod yn ddefnyddiol

Dyma rai enghreifftiau. Dylai ymgeiswyr allu rhoi enghraifft ym mhob maes.

Meddygaeth

- Cobalt-60 mewn radiotherapi i drin canser. Mae egni uchel pelydriad γ yn cael ei ddefnyddio i ladd celloedd canseraidd ac i atal y tyfiant niweidiol rhag datblygu.
- Ïodin-131 ar gyfer cleifion sydd â chwarennau thyroid diffygiol. Mae'r ïodin-131 yn gweithio fel olinydd i astudio mewnlifiad ïodin i'r chwarren.
- Technetiwm-99m yw'r radioisotop sy'n cael ei ddefnyddio amlaf mewn meddygaeth. Mae'n cael ei ddefnyddio fel olinydd, fel arfer i labelu moleciwl sydd wedyn yn cael ei amsugno'n ffafriol gan y feinwe dan sylw.

Dyddio ymbelydrol

- Mae carbon-14 (hanner oes 5570 mlynedd) yn cael ei ddefnyddio i gyfrifo oed gweddillion planhigion ac anifeiliaid. Mae pob organeb fyw'n amsugno carbon, sy'n cynnwys cyfran fach o garbon-14 ymbelydrol. Pan fydd organeb yn marw, nid yw'n amsugno mwy o garbon-14 ac mae'r carbon-14 sy'n bresennol yn barod yn dadfeilio. Mae cyfradd y dadfeiliad yn lleihau dros y blynyddoedd ac mae'n bosibl defnyddio'r actifedd sy'n weddill i gyfrifo oed organebau.
- Mae potasiwm-40 (hanner oes 1300 miliwn o flynyddoedd) yn cael ei ddefnyddio i amcangyfrif oed daearegol creigiau. Gall potasiwm-40 newid yn argon-40 wrth i'r niwclews ennill electron mewnol. Mae mesur cymhareb potasiwm-40 i argon-40 mewn craig yn rhoi amcangyfrif o'i hoed.

Dadansoddi

- Dadansoddi gwanediad, sef defnyddio sylweddau sydd wedi'u labelu'n isotopig i ddarganfod màs sylwedd mewn cymysgedd. Mae hyn yn ddefnyddiol pan fydd yn bosibl ynysu cydran o gymysgedd cymhleth yn bur o'r cymysgedd, ond ddim yn bosibl ei hechdynnu'n feintiol.
- Monitro trwch stribedi metel neu ffoil. Mae'r metel yn cael ei osod rhwng dau roler i gael y trwch cywir. Bydd ffynhonnell ymbelydrol (allyrrydd β) yn cael ei gosod ar un ochr i'r metel gyda chanfodydd ar yr ochr arall. Os bydd swm yr ymbelydredd sy'n cyrraedd y canfodydd yn cynyddu, bydd y canfodydd yn gweithio mecanwaith i symud y rholeri oddi wrth ei gilydd; os bydd yn lleihau, bydd yn eu symud yn nes at ei gilydd.

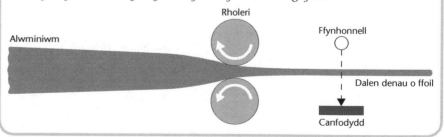

Adeiledd electronig

Mae electronau mewn atomau'n llenwi lefelau egni sefydlog neu blisg. Rydym ni'n rhifo plisgyn yn 1, 2, 3, 4, ac ati. Yr enw ar y rhifau hyn yw'r prif rifau cwantwm, n. Y lleiaf yw gwerth n, yr agosaf yw'r plisgyn at y niwclews a'r isaf yw'r lefel egni.

Is-blisg electronau neu orbitalau

Mewn plisgyn, mae rhanbarthau o ofod o amgylch y niwclews lle mae darganfod electron sydd ag egni penodol yn debygol iawn. Yr enw ar y rhanbarthau hyn yw **orbitalau atomig**. Mae grŵp o orbitalau o'r un math yn cael ei alw'n is-blisgyn. Gall pob orbital gynnwys dau electron. Yn ogystal â gwefr, mae gan electronau briodwedd o'r enw sbin, sy'n lleihau effaith gwrthyriad. Er mwyn i ddau electron, y ddau a gwefr negatif, allu bodoli yn yr un orbital, mae angen i'w sbiniau fod yn ddirgroes. Mae pedwar math gwahanol o orbital, sef s, p, d ac f.

Mae orbital s yn sfferig ac yn gallu cynnwys dau electron.

Mae'r ffin yn dangos rhanbarth lle mae'r electron yn bodoli 90% o'i amser.

Mae orbital p yn cynnwys tair llabed siâp dymbel ar ongl sgwâr i'w gilydd. Mae'r diagram isod yn eu dangos wedi'u gwahanu.

orbital p_x orbital p_y orbital p_z

Gan fod pob orbital p yn gallu dal dau electron, mae is-blisgyn p yn gallu dal cyfanswm o 6 electron.

Mae pum orbital d; felly mae cyfanswm o 10 electron mewn is-blisgyn d.

Dyma sut mae'r Tabl Cyfnodol yn edrych yn nhermau electronau s, p a d.

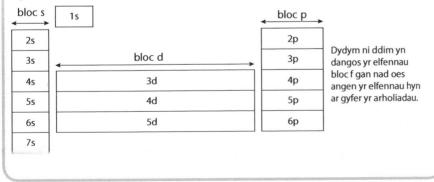

Dydym ni ddim yn dangos yr elfennau bloc f gan nad oes angen yr elfennau hyn ar gyfer yr arholiadau.

Term Allweddol

Orbital atomig yw rhanbarth o atom sy'n gallu dal hyd at ddau electron oydd â obiniau dirgroes i'w gilydd.

>> **Cofiwch**

Mae'r is-blisgyn s yn gallu dal 2 electron. Mae'r is-blisgyn p yn gallu dal 6 electron. Mae'r is-blisgyn d yn gallu dal 10 electron.

Gwella gradd

Elfen bloc s yw sodiwm oherwydd bod ei electron allanol mewn orbital s. Elfen bloc p yw clorin oherwydd bod ei electron allanol mewn orbital p.

Term Allweddol

Adeiledd electronig yw trefniant yr electronau mewn atom.

Gwella gradd

Mae'r orbitalau 4s yn cael eu llenwi cyn yr orbitalau 3d. Nid yw'r ffurfweddau ar gyfer cromiwm a chopr yr hyn byddech chi'n ei ddisgwyl; mae'r ddwy'n gorffen â $4s^1$.

Cofiwch

Mae angen i chi wybod yr adeiledd electronig ar gyfer y 36 elfen gyntaf.

cwestiwn cyflym

⑥ a) Ysgrifennwch yr adeiledd electronig, yn nhermau is-blisg, ar gyfer atom copr.

b) Defnyddiwch electronau mewn blychau i ysgrifennu adeiledd electronig:
(i) atom silicon
(ii) ïon ocsid, O^{2-}.

Llenwi plisg ac orbitalau ag electronau

Yr enw ar y ffordd y mae electronau'n cael eu trefnu yw'r **adeiledd** neu'r **ffurfwedd electronig**. Mae'n bosibl ei gweithio allan drwy ddefnyddio tair rheol sylfaenol, sef:

1 Mae electronau'n llenwi orbitalau atomig yn nhrefn egni cynyddol.

2 Gall uchafswm o ddau electron, sef rhai â sbiniau dirgroes, lenwi unrhyw orbital.

3 Bydd pob orbital mewn is-blisgyn yn llenwi ag un electron cyn i'r electronau baru.

Y ffordd fwyaf cyffredin o ddangos adeiledd electronig yw drwy ysgrifennu rhif y plisgyn yn gyntaf, wedyn llythyren yr orbital ac yna nifer yr electronau sydd yn yr orbital, gan ysgrifennu'r nifer fel uwchysgrif.

Er enghraifft, mae gan nitrogen:

2 electron yn yr orbital s yn y plisgyn cyntaf

2 electron yn yr orbital s yn yr ail blisgyn

3 electron yn yr orbital p yn yr ail blisgyn

ac felly ei adeiledd electronig yw $1s^2 2s^2 2p^3$.

Mae 20 electron gan galsiwm; ei adeiledd electronig yw $1s^2 2s^2 2p^6 3s^2 3p^6 4s^2$.

Ffordd arall yw defnyddio 'electronau mewn blychau'. Mae pob blwch yn cynrychioli orbital ac mae'r saethau yn y blychau'n cynrychioli electronau. Rydym ni'n dangos sbiniau dirgroes pâr o electronau drwy ddefnyddio saethau'n pwyntio i fyny ac i lawr.

Er enghraifft, mae gan nitrogen 7 electron

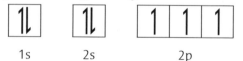

| 1s | 2s | 2p |

Rydym ni'n ysgrifennu adeiledd electronig ïonau yn yr un ffordd ag ar gyfer atomau.

Mae ïonau positif yn cael eu ffurfio drwy golli electronau o'r orbitalau sydd â'r egni uchaf. Felly mae llai o electronau gan yr ïonau hyn nag sydd gan yr atom sy'n eu ffurfio.

Mae ïonau negatif yn cael eu ffurfio drwy ychwanegu electronau at yr orbitalau sydd â'r egni uchaf. Felly mae gan yr ïonau hyn fwy o electronau nag sydd gan yr atom sy'n eu ffurfio.

E.e.　Na $1s^2 2s^2 2p^6 3s^1$　　　Na^+ $1s^2 2s^2 2p^6$

　　Cl $1s^2 2s^2 2p^6 3s^2 3p^5$　　Cl^- $1s^2 2s^2 2p^6 3s^2 3p^6$

Egnïon ïoneiddiad

Yr enw ar y broses o dynnu electronau oddi ar atom yw ïoneiddiad. Mae'r hafaliad isod yn crynhoi'r broses ar gyfer **egni ïoneiddiad cyntaf** elfen:

$$X(n) \longrightarrow X^+(n) + e^-$$

Bydd electronau'n cael eu dal yn eu plisg gan eu hatyniad at y niwclews positif. Felly y mwyaf yw'r atyniad, y mwyaf yw'r egni ïoneiddiad. Mae'r atyniad hwn yn dibynnu ar dair ffactor:

- **Gwefr niwclear** – y mwyaf yw'r wefr niwclear, y mwyaf yw'r grym atynnol ar yr electron allanol.
- **Cysgodi electronau** – y mwyaf yw nifer y plisg neu'r is-blisg mewnol sydd wedi'u llenwi, y lleiaf yw'r grym atynnol ar yr electron allanol.
- **Pellter yr electron allanol o'r niwclews** – y mwyaf yw'r pellter, y lleiaf yw'r grym atynnol ar yr electron allanol.

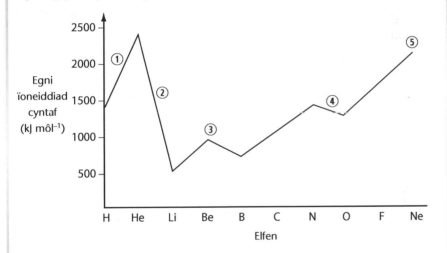

Mae plotio'r egni ïoneiddiad cyntaf yn erbyn deg elfen gyntaf y Tabl Cyfnodol yn cynnig tystiolaeth dros fodolaeth plisg ac is-blisg:

1 He > H gan fod gan heliwm fwy o wefr niwclear gyda'r electronau yn yr un is-blisgyn, ac felly does dim llawer o gysgodi ychwanegol.

2 He > Li gan fod electron allanol lithiwm mewn plisgyn newydd sydd â mwy o gysgodi ac sy'n bellach o'r niwclews.

3 Be > B gan fod electron allanol boron mewn is-blisgyn newydd sydd â lefel egni ychydig uwch ac sy'n cael ei gysgodi'n rhannol gan yr electronau 2s.

4 N > O gan fod y gwrthyriad electron–electron rhwng y pâr o electronau mewn un orbital p mewn ocsigen yn ei gwneud yn haws tynnu un o'r electronau. Does gan nitrogen ddim pâr o electronau yn ei orbital p.

5 He > Ne gan fod electronau mewnol yn cysgodi mwy ar electron allanol neon, sy'n bellach o'r niwclews.

Termau Allweddol

Egni ïoneiddiad cyntaf molar elfen yw'r egni sydd ei angen i dynnu un electron oddi ar bob atom yn un môl o'i atomau nwyol.

Cysgodi neu **sgrinio electronau** yw'r gwrthyriad rhwng electronau mewn plisg gwahanol. Mae electronau mewn plisg mewnol yn gwrthyrru electronau mewn plisg allanol.

≫ Cofiwch

Os yw'r amodau ar gyfer egni ïoneiddiad yn 298 K ac 1 atm, yna rydym ni'n galw'r broses yn egni ïoneiddiad safonol.

cwestiwn cyflym

⑦ Nodwch ac esboniwch y duedd gyffredinol mewn egni ïoneiddiad:

a) ar draws cyfnod

b) i lawr grŵp.

Egnïon ïoneiddiad olynol

Mae egnïon ïoneiddiad olynol yn fesur o'r egni sydd ei angen i dynnu pob electron yn ei dro nes bod yr holl electronau wedi'u tynnu oddi ar atom.

Mae nifer yr egnïon ïoneiddiad a nifer yr electronau sydd mewn elfen yr un peth. Mae gan sodiwm 11 electron, ac felly mae ganddo 11 egni ïoneiddiad olynol.

Er enghraifft, mae'r trydydd egni ïoneiddiad yn fesur o ba mor hawdd y mae ïon 2⁺ yn colli electron i ffurfio ïon 3⁺. Dyma hafaliad i ddangos trydydd egni ïoneiddiad sodiwm:

$$Na^{2+}(n) \longrightarrow Na^{3+}(n) + e^-$$

Mae egnïon ïoneiddiad olynol bob amser yn cynyddu oherwydd:

- Mae effaith y wefr niwclear yn fwy gan fod yr un nifer o brotonau'n dal llai a llai o electronau.
- Wrth i bob electron gael ei dynnu, mae llai o wrthyriad rhwng electronau a bydd pob plisgyn yn cael ei dynnu ychydig yn nes at y niwclews.
- Wrth i bellter pob electron o'r niwclews leihau, mae eu hatyniad at y niwclews yn cynyddu.

Mae'r graff isod yn dangos sut mae egnïon ïoneiddiad olynol sodiwm yn cynnig mwy o dystiolaeth dros fodolaeth plisg gwahanol.

Gwella gradd

Mae cynnydd mawr mewn egnïon ïoneiddiad olynol yn dangos bod electron wedi cael ei dynnu o blisgyn newydd yn nes at y niwclews. Mae hyn yn dangos i ba grŵp y mae'r elfen yn perthyn.

Mae cynnydd mawr rhwng egni ïoneiddiad cyntaf Li a'i ail egni ïoneiddiad. Felly mae Li yng Ngrŵp 1.

Mae cynnydd mawr rhwng 3ydd egni ïoneiddiad Al a'i 4ydd egni ïoneiddiad. Felly mae Al yng Ngrŵp 3.

cwestiwn cyflym

⑧ Ysgrifennwch hafaliad i ddangos ail egni ïoneiddiad magnesiwm.

cwestiwn cyflym

⑨ Y pedwar egni ïoneiddiad cyntaf (mewn kJ môl⁻¹) ar gyfer elfen yw: 590, 1150, 4940 a 6480.

Nodwch ac esboniwch i ba grŵp yn y Tabl Cyfnodol y mae'r elfen yn perthyn.

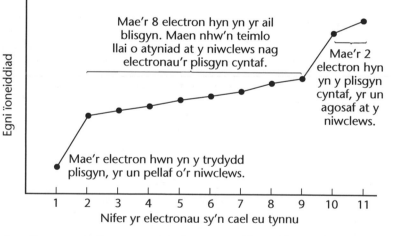

Ar gyfer atom sodiwm, mae un electron ar ei ben ei hun a dyma'r un hawsaf ei dynnu. Yna mae wyth electron arall, pob un yn fwy anodd ei dynnu na'r un blaenorol. Yn olaf, mae dau electron; y rhain yw'r rhai mwyaf anodd eu tynnu.

Sylwch ar y cynnydd mawr mewn egni ïoneiddiad wrth dynnu'r ail electron a'r 10fed. Petai'r electronau i gyd yn yr un plisgyn, fyddai dim cynnydd mawr fel hyn i'w weld.

Sbectra allyrru ac amsugno

Golau a phelydriad electromagnetig

Ffurf ar belydriad electromagnetig yw golau. Mae'r hafaliad isod yn cysylltu amledd a thonfedd golau:

$$c = f\lambda \text{ (c yw buanedd golau)}$$

Mae'r hafaliad isod yn cysylltu amledd pelydriad electromagnetig a'i egni (E):

$$E = hf \text{ (h yw cysonyn Planck)}$$

Felly, $f \propto E$, ac os bydd yr amledd yn cynyddu, bydd yr egni'n cynyddu.

$f \propto 1/\lambda$ ac os bydd yr amledd yn cynyddu bydd y donfedd yn lleihau.

Yr enw ar holl ystod amleddau pelydriad electromagnetig yw'r sbectrwm electromagnetig. Mae'r diagram hwn yn dangos rhannau uwchfioled, gweladwy ac isgoch y sbectrwm.

						Amledd (Hz)
10^{11}	10^{12}	10^{13}	10^{14}	10^{15}	10^{16}	10^{17}

Isgoch pell	Isgoch	Uwchfioled	Uwchfioled pell

GWELADWY

Coch	Oren	Melyn	Gwyrdd	Glas	Fioled
700	620	580	540	480	400

Tonfedd (nm)

Sbectra amsugno

Yr enw ar olau sy'n cynnwys yr holl donfeddi gweladwy yw golau gwyn. Mae pob atom a moleciwl yn amsugno golau â thonfeddi arbennig. Felly, pan fydd golau gwyn yn cael ei ddisgleirio drwy anwedd elfen, bydd yr atomau'n amsugno rhai tonfeddi arbennig a'u tynnu o'r golau. Wrth edrych drwy sbectromedr, byddwn ni'n gweld llinellau du yn y sbectrwm lle mae golau â rhai tonfeddi wedi cael ei amsugno. Mae tonfeddi'r llinellau hyn yn cyfateb i'r egni y mae'r atomau'n ei gymryd i ddyrchafu electronau o lefelau egni is i lefelau egni uwch.

Sbectra allyrru

Pan fyddwn ni'n rhoi egni i atomau drwy eu gwresogi neu drwy gyfrwng maes trydanol, bydd yr electronau'n symud o lefel egni is i lefel egni uwch. Pan fydd ffynhonnell yr egni'n cael ei thynnu, bydd yr electronau'n disgyn o'r lefel egni uwch i lefel egni is a bydd yr egni y maen nhw'n ei golli'n cael ei ryddhau fel pecyn o egni o'r enw cwantwm o egni. Mae hyn yn cyfateb i belydriad electromagnetig ag amledd penodol. Mae'r sbectrwm rydym ni'n ei weld yn cynnwys nifer o linellau lliw ar gefndir tywyll.

Gwella gradd

Gan fod $f \propto E$ ac $f \propto 1/\lambda$, y lleiaf yw'r donfedd, yr uchaf yw'r amledd a'r mwyaf yw'r egni.

» Cofiwch

Golau yw pelydriad electromagnetig yn yr ystod o donfeddi sy'n cyfateb i ranbarth gweladwy'r sbectrwm electromagnetig.

cwestiwn cyflym

(10) Tonfedd y llinell gyntaf yn sbectrwm allyrru gweladwy hydrogen yw 656 nm. Mae sbectrwm allyrru gweladwy neon yn dangos llinell amlwg ar 585 nm. Nodwch ac esboniwch pa linell a) sydd â'r amledd uchaf, b) sydd â'r egni uchaf.

cwestiwn cyflym

(11) Nodwch yn fyr y gwahaniaeth rhwng sbectra amsugno a sbectra allyrru.

≫ Cofiwch

Trosiad electronig yw pan fydd electron yn symud o un lefel egni i'r llall.

⟰ Gwella gradd

Mae'n bosibl dangos egni ïoneiddiad atom hydrogen ar ddiagram o'i lefelau egni electronol drwy lunio saeth tuag i fyny o lefel $n = 1$ i lefel $n = \infty$.

≫ Cofiwch

Y derfan cydgyfeiriant yw lle mae llinellau'r sbectrwm yn dod mor agos at ei gilydd fel bod ganddyn nhw fand di-dor o belydriad ac nid yw'n bosibl gweld y llinellau ar wahân.

cwestiwn cyflym

⑫ Amlinellwch yn fyr sut mae'n bosibl defnyddio sbectrwm atomig hydrogen i fesur egni ïoneiddiad cyntaf molar hydrogen.

cwestiwn cyflym

⑬ Gwerth yr amledd ar ddechrau'r continwwm yn sbectrwm allyrru lithiwm yw 1.30×10^{15} Hz. Cyfrifwch egni ïoneiddiad cyntaf lithiwm.

Sbectrwm hydrogen

Mae gan atom hydrogen un electron yn unig, ac felly dyma'r elfen sy'n rhoi'r sbectrwm allyrru symlaf. Mae sbectrwm atomig hydrogen yn cynnwys nifer o gyfresi o linellau, yn bennaf yn rhanbarthau uwchfioled, gweladwy ac isgoch y sbectrwm electromagnetig.

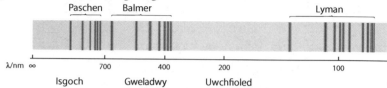

Pan fydd atom yn cael ei gynhyrfu drwy amsugno egni, bydd electron yn neidio i fyny i lefel egni uwch. Wrth i'r electron ddisgyn i lawr i lefel egni is, mae'n allyrru egni ar ffurf pelydriad electromagnetig. Gallwn ni weld yr egni sy'n cael ei allyrru fel llinell yn y sbectrwm oherwydd ei fod yn hafal i'r gwahaniaeth rhwng y ddwy lefel egni, ΔE, yn y trosiad electronig hwn; hynny yw, mae'n swm neu'n gwantwm sefydlog.

Gan fod $\Delta E = hf$, mae trosiadau electronig rhwng y lefelau egni gwahanol yn achosi allyrru pelydriad ar amleddau gwahanol. Mae'r rhain yn cynhyrchu llinellau gwahanol yn y sbectrwm.

Wrth i'r amledd gynyddu, mae'r llinellau'n dod yn nes ac yn nes at ei gilydd oherwydd bod y gwahaniaeth egni rhwng y plisg yn lleihau. Mae pob llinell yng nghyfres Lyman (rhanbarth uwchfioled) yn cael ei hachosi gan electronau'n dychwelyd i'r plisgyn cyntaf, neu lefel egni $n = 1$. Mae cyfres Balmer (rhanbarth gweladwy) yn cael ei hachosi gan electronau'n dychwelyd i lefel egni $n = 2$.

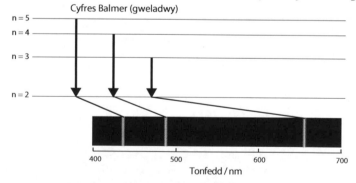

Ïoneiddiad yr atom hydrogen

Mae llinellau'r sbectrwm yn dod yn nes ac yn nes at ei gilydd wrth i amledd y pelydriad gynyddu nes eu bod yn cydgyfeirio at derfan. Mae'r derfan cydgyfeiriant yn cyfateb i'r pwynt lle nad yw egni electron yn gwanteiddiedig mwyach. Erbyn hyn mae'r niwclews wedi colli pob dylanwad dros yr electron; mae'r atom wedi cael ei ïoneiddio.

Mae mesur amledd cydgyfeiriant cyfres Lyman (sef y gwahaniaeth o $n = 1$ i $n = \infty$) a defnyddio $\Delta E = hf$ yn ein galluogi i gyfrifo'r egni ïoneiddiad. Rydym ni'n lluosi gwerth ΔE â chysonyn Avogadro i roi'r egni ïoneiddiad cyntaf ar gyfer môl o atomau.

1.3 Cyfrifiadau cemegol

Termau màs cymharol

Masau atomau

Mae masau atomau'n rhy fach i'w defnyddio mewn cyfrifiadau mewn adweithiau cemegol, ac felly yn lle hynny rydym ni'n mynegi màs atom drwy ei gymharu â màs atomig safonol sydd wedi'i ddewis. Rydym ni'n cymryd isotop carbon-12 fel y safonyn hwn.

Mae'r rhan fwyaf o elfennau'n bodoli'n naturiol ar ffurf dau neu fwy o isotopau gwahanol. Mae màs elfen yn dibynnu felly ar gyflenwad cymharol yr holl isotopau sy'n bresennol yn y sampl. I oresgyn y broblem hon, mae cemegwyr yn defnyddio màs cyfartalog yr holl atomau a'r enw ar hwn yw'r **màs atomig cymharol, A_r**.

Does dim unedau gan fàs atomig cymharol, gan mai un màs yn cael ei gymharu â màs arall yw e.

Os ydym ni'n cyfeirio at fàs isotop penodol, rydym ni'n defnyddio'r term **màs isotopig cymharol**.

Masau cyfansoddion

Gan fod fformiwla cyfansoddyn yn dangos cymhareb cyfuno'r atomau, mae'n bosibl estyn y syniad o fàs atomig cymharol i gyfansoddion. Rydym yn defnyddio'r term **màs fformiwla cymharol, M_r**.

Er enghraifft, màs fformiwla cymharol copr(II) sylffad, $CuSO_4$, yw:

$(1 \times 63.5) + (1 \times 32) + (4 \times 16) = 159.5$

Termau Allweddol

Màs atomig cymharol
yw màs cyfartalog un atom o'r elfen o'i gymharu ag un deuddegfed ($\frac{1}{12}$fed) màs un atom o garbon-12.

Màs isotopig cymharol
yw màs un atom o isotop o'i gymharu ag un deuddegfed ($\frac{1}{12}$fed) màs un atom o garbon-12.

Màs fformiwla cymharol
cyfansoddyn yw swm masau atomig cymharol yr holl atomau sy'n bresennol yn ei fformiwla.

≫ Cofiwch

Yr hen enw ar fàs fformiwla cymharol oedd màs moleciwlaidd cymharol ond mewn gwirionedd cyfeirio at gyfansoddion sy'n cynnwys moleciwlau yn unig y mae màs moleciwlaidd cymharol.

cwestiwn cyflym

① Beth yw màs fformiwla cymharol, M_r
a) $Pb(NO_3)_2$
b) $MgSO_4.7H_2O$?

>> *Cofiwch*

Does dim angen i chi allu llunio diagram o sbectromedr màs, ond efallai y bydd gofyn i chi labelu diagram ohono.

Y sbectromedr màs

I gyfrifo màs cyfartalog atom o elfen, mae'n rhaid i ni wybod masau isotopau'r elfen a hefyd eu cyflenwadau cymharol. Rydym ni'n defnyddio **sbectromedr màs** i ddarganfod y gwerthoedd hyn.

Gallwn ni grynhoi'r prosesau mewn sbectromedr màs fel hyn:

- Anweddiad – mae sampl yn cael ei wresogi cyn mynd i mewn i sbectromedr màs.
- Ïoneiddiad – mae sampl nwyol yn cael ei beledu gan electronau egni uchel gan ffurfio ïonau positif.
- Cyflymiad – mae maes trydanol yn cyflymu'r ïonau positif i fuanedd uchel.
- Gwyriad – mae maes magnetig yn gwyro'r ïonau yn ôl eu cymhareb màs/gwefr. (Bydd ïonau trwm yn cael eu gwyro'n llai nag ïonau ysgafn.)
- Canfod – mae ïonau sydd â'r gymhareb màs/gwefr gywir yn mynd drwy hollt ac yn cael eu canfod gan offeryn fel electromedr. Yna bydd y signal yn cael ei fwyhau a'i gofnodi.

Mae'r prosesau'n digwydd mewn gwactod uchel i osgoi gwrthdaro â moleciwlau aer.

ychwanegol

a. Nodwch pam mae'r gofod y tu mewn i sbectromedr màs yn cael ei gysylltu â phwmp gwactod.

b. Mae sampl o strontiwm yn dangos tri brig. Roedd y brig cyntaf ar m/z 86 a'i gyflenwad oedd 10%; roedd yr ail frig ar m/z 87 a'i gyflenwad oedd 7%; roedd y trydydd brig ar m/z 88 a'i gyflenwad oedd 83%. Cyfrifwch y màs atomig cymharol i dri ffigur ystyrlon.

c. Màs atomig cymharol clorin yw 35.5. Mae'n cynnwys dau isotop; mae cyflenwad o 75% a màs 35.0 gan un. Dangoswch mai màs yr ail isotop yw 37.0

Cyfrifo masau atomig cymharol

Dyma sbectrwm màs magnesiwm:

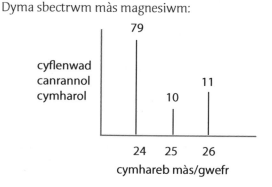

Mae tri brig i'w gweld yn y sbectrwm, ac felly mae tri isotop gan fagnesiwm. Mae uchder y brigau'n rhoi cyflenwadau cymharol yr isotopau, sy'n cael eu mynegi fel canrannau yn y sbectrwm.

Cyfartaledd pwysol masau'r holl atomau yn y cymysgedd isotopig yw'r màs atomig cymharol, felly:

$$\text{Màs atomig cymharol} = \frac{(79 \times 24) + (10 \times 25) + (11 \times 26)}{100} = 24.32$$

Mae'n bosibl defnyddio sbectrosgopeg màs i bwrpasau eraill, gan gynnwys:

- adnabod cyfansoddion anhysbys, e.e. profi athletwyr ar gyfer cyffuriau gwaharddedig
- adnabod cyfansoddion hybrin mewn gwyddoniaeth fforensig
- dadansoddi moleciwlau yn y gofod.

Sbectrwm màs clorin

Mae dau isotop gan glorin, sef ^{35}Cl a ^{37}Cl. Ond, mae nwy clorin yn cynnwys moleciwlau, nid atomau unigol, a dyma sbectrwm màs clorin:

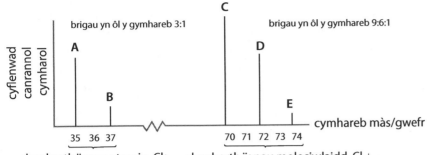

Sbectrwm màs clorin

Pan fydd clorin yn cael ei yrru i'r siambr ïoneiddio, mae electron yn cael ei fwrw allan o'r moleciwl gan roi ïon moleciwlaidd, Cl_2^+. Fydd yr ïonau hyn ddim yn sefydlog iawn, a bydd rhai'n torri'n ddarnau gan roi atom clorin ac ïon Cl^+. (Yr enw ar hyn yw darniad.)

Felly mae brig A yn cael ei achosi gan $^{35}Cl^+$ ac mae brig B yn cael ei achosi gan $^{37}Cl^+$.

Gan fod isotop ^{35}Cl dair gwaith yn fwy cyffredin nag isotop ^{37}Cl, mae uchderau'r brigau yn ôl y gymhareb 3:1.

Yn rhanbarth yr ïonau molcciwlaidd, meddyliwch am y cyfuniadau posibl o atomau ^{35}Cl a ^{37}Cl mewn ïon Cl_2^+. Gallai'r ddau atom fod yn ^{35}Cl, gallai'r ddau fod yn ^{37}Cl, neu gallech chi gael un o bob un.

Felly mae brig C (m/z 70) yn cael ei achosi gan $(^{35}Cl-^{35}Cl)^+$.

Mae brig D (m/z 72) yn cael ei achosi gan $(^{35}Cl-^{37}Cl)^+$ neu gan $(^{37}Cl-^{35}Cl)^+$.

Mae brig E (m/z 74) yn cael ei achosi gan $(^{37}Cl-^{37}Cl)+$.

Gan fod y tebygolrwydd bod atom yn ^{35}Cl yn ¾ a'r tebygolrwydd ei fod yn ^{37}Cl yn ¼, yna

moleciwl	$^{35}Cl-^{35}Cl$	$^{35}Cl-^{37}Cl$ neu $^{37}Cl-^{35}Cl$	$^{37}Cl-^{37}Cl$
tebygolrwydd	¾ × ¾	¾ × ¼ neu ¼ × ¾	¼ × ¼
	9/16	6/16	1/16

a chymhareb brigau C : D : E yw 9 : 6 : 1.

>> *Cofiwch*
Ïon moleciwlaidd, M^+, yw'r ïon positif sy'n cael ei ffurfio mewn sbectrosgopeg màs pan fydd moleciwl yn colli electron. Mae ei fàs yn rhoi màs fformiwla cymharol y cyfansoddyn.

>> *Cofiwch*
Ar gyfer sbectrwm clorin, allwch chi ddim gwneud rhagfynegiadau am uchderau cymharol y llinellau ar m/z 35/37 o'u cymharu â'r rhai ar 70/72/74. Mae'n dibynnu ar ba gyfran o'r ïonau moleciwlaidd sy'n torri'n ddarnau.

cwestiwn cyflym

(2) Yn sbectrwm màs clorin, esboniwch pam mae brigau wedi'u hachosi gan atomau clorin yn bresennol, er bod nwy clorin yn cynnwys moleciwlau Cl_2 yn unig.

>> *Cofiwch*
Bydd disgwyl i chi ddefnyddio gwybodaeth am ïonau moleciwlaidd i ddiddwytho gwybodaeth am isotopau, ac fel arall ar gyfer sylweddau eraill heblaw am clorin.

Termau Allweddol

Un môl yw'r swm o unrhyw sylwedd sy'n cynnwys yr un nifer o ronynnau â'r nifer o atomau sydd mewn 12 g yn union o garbon-12.

Cysonyn Avogadro yw nifer yr atomau mewn un môl.

Màs molar yw màs un môl o sylwedd.

≫ Cofiwch

Does dim angen i chi gofio gwerth cysonyn Avogadro.

Gwella gradd

Dysgwch yr hafaliadau sy'n cysylltu swm sylwedd a'i fàs ar gyfer solid:

$n = \dfrac{m}{M}$ neu $m = nM$ neu $M = \dfrac{m}{n}$

cwestiwn cyflym

③ a) Cyfrifwch faint o folau yw 1.86 g o sodiwm hydrocsid.

b) Màs 0.020 môl o gyfansoddyn yw 1.48 g. Cyfrifwch fàs molar y cyfansoddyn.

Swm sylwedd

Mewn adweithiau cemegol, mae'r atomau yn yr adweithyddion yn ad-drefnu i ffurfio'r cynhyrchion. Er mwyn i'r holl adweithyddion newid yn gynhyrchion, mae'n rhaid defnyddio'r swm cywir o bob adweithydd. Gan fod atomau'n rhy fach i gael eu cyfrif yn unigol, mae cemegwyr yn cyfrif atomau drwy bwyso nifer ohonyn nhw, lle mae màs nifer sefydlog penodol o atomau'n hysbys.

Unwaith eto rydym ni'n dewis carbon-12 fel y safonyn, a'r enw ar nifer yr atomau mewn 12 g yn union o garbon-12 yw **môl**. Mae'r nifer hwn yn fawr, sef 6.02×10^{23}, a'i enw yw **cysonyn Avogadro, L**.

Wrth ddefnyddio môl i ddisgrifio swm sylwedd, mae'n bwysig nodi'r gronynnau sydd dan sylw. Mae un môl o atomau ocsigen yn wahanol i un môl o foleciwlau ocsigen.

Yr enw ar fàs un môl o elfen neu gyfansoddyn yw'r **màs molar, M**. Mae'r un gwerth rhifiadol ganddo ag A_r neu M_r ond mae uned ganddo, sef $g\ môl^{-1}$.

Mae swm y sylwedd a'i fàs yn cael eu cysylltu gan yr hafaliad:

$$\text{nifer y molau (n)} = \frac{\text{màs y sylwedd (m)}}{\text{màs molar (M)}}$$

Enghraifft

Os oes angen 0.20 môl o sodiwm carbonad arnoch chi, Na_2CO_3, pa fàs o'r sylwedd y mae angen i chi ei bwyso?

Màs molar $Na_2CO_3 = 106\ g\ môl^{-1}$

Màs y sampl = $n \times M = 0.20 \times 106 = 21.2\ g$

Fformiwlâu empirig a moleciwlaidd

Fformiwla empirig yw'r fformiwla symlaf sy'n dangos y gymhareb rhifau cyfan symlaf o swm yr elfennau sy'n bresennol.

Mae **fformiwla foleciwlaidd** yn dangos gwir nifer yr atomau o bob elfen sy'n bresennol yn y moleciwl. Mae'n lluosrif syml o'r fformiwla empirig. Fel arfer, mae angen gwybod y màs fformiwla cymharol i gyfrifo'r fformiwla foleciwlaidd.

Enghraifft

Màs fformiwla cymharol cyfansoddyn sy'n cynnwys carbon, hydrogen ac ocsigen yw 180. Ei gyfansoddiad canrannol yn ôl màs yw C 40.0%; H 6.70%; O 53.3%. Beth yw (a) y fformiwla empirig a (b) y fformiwla foleciwlaidd?

(a)

	C	:	H	:	O
Cymhareb folar yr atomau	$\frac{40}{12}$		$\frac{6.7}{1.01}$		$\frac{53.3}{16}$
	= 3.33		6.63		3.33
Rhannu â'r rhif lleiaf	1		2		1
Y fformiwla empirig yw			CH_2O		

(b) Màs y fformiwla empirig = 12 + 2.02 + 16 = 30.02

Nifer yr unedau CH_2O mewn moleciwl = $\frac{180}{30.02}$ = 6

Y fformiwla foleciwlaidd yw $C_6H_{12}O_6$

Mae rhai halwynau'n cynnwys moleciwlau dŵr yn eu hadeiledd. Yr enw ar y rhain yw halwynau hydradol, a'r enw ar y dŵr yw dŵr grisialu. Os ydym ni'n gwybod màs yr halwyn anhydrus a màs y dŵr yn yr halwyn hydradol, gallwn ni gyfrifo nifer y molau o ddŵr yn yr halwyn hydradol.

Enghraifft

Pan gafodd 6.04 g o galsiwm nitrad hydradol, $Ca(NO_3)_2.xH_2O$, ei wresogi, roedd 4.20 g o'r halwyn anhydrus, $Ca(NO_3)_2$, ar ôl. Beth yw gwerth x?

Màs y dŵr yn yr hydrad = 6.04 − 4.20 = 1.84 g

Molau $Ca(NO_3)_2$ = $\frac{4.20}{164.1}$ = 0.0256

Molau H_2O = $\frac{1.84}{18.02}$ = 0.102

Cymhareb folar	H_2O	:	$Ca(NO_3)_2$
	0.102	:	0.0256
Rhannu â'r rhif lleiaf	3.98	:	1

Gwerth x = 4

Termau Allweddol

Fformiwla empirig yw'r fformiwla symlaf sy'n dangos cymhareb rhifau symlaf nifer yr atomau o bob elfen sy'n bresennol.

Mae fformiwla foleciwlaidd yn dangos gwir nifer yr atomau o bob elfen sy'n bresennol yn y moleciwl. Mae'n lluosrif syml o'r fformiwla empirig.

Gwella gradd

Pan fyddwch chi'n rhannu'r canrannau â'r masau atomig perthnasol, peidiwch â byrhau'r atebion, e.e. 1.25 i 1. Dylai'r ffigurau sydd yn y cwestiwn roi cymarebau eithaf syml i chi ar gyfer y fformiwla empirig.

cwestiwn cyflym

④ Mae 1.07 g o fanadiwm yn adweithio â chlorin gan ffurfio 2.56 g o fanadiwm clorid. Darganfyddwch fformiwla empirig y cyfansoddyn hwn.

≫ Cofiwch

Stoichiometreg yw'r berthynas folar rhwng symiau'r adweithyddion a'r cynhyrchion mewn adwaith cemegol.

Cyfrifo masau mewn adweithiau

Mae hafaliad yn dweud wrthym nid yn unig pa sylweddau sy'n adweithio â'i gilydd, ond hefyd faint o'r sylweddau sy'n adweithio â'i gilydd. Yr enw ar y gymhareb rhwng symiau mewn molau o adweithyddion a chynhyrchion yw cymhareb stoichiometrig (cymhareb folar). Gallwn ni ddefnyddio eu masau i gyfrifo nifer y molau o solidau, ac felly os byddwn ni'n gwybod màs yr adweithyddion, gallwn ni gyfrifo màs y cynhyrchion sy'n ffurfio ac os byddwn ni'n gwybod màs y cynhyrchion, gallwn ni gyfrifo màs yr adweithyddion.

Enghraifft

Mae'n bosibl ffurfio un o ocsidau plwm, Pb_3O_4, sy'n cael ei ddefnyddio mewn paentiau gwrthgyrydiad, drwy ocsidio plwm(II) ocsid, PbO, ag ocsigen.

$$6PbO + O_2 \longrightarrow 2Pb_3O_4$$

Cyfrifwch fàs y Pb_3O_4 y mae'n bosibl ei ffurfio o 134 g o PbO.

Cam 1 Cyfrifwch faint o PbO sydd, mewn molau

$$n = \frac{m}{M} = \frac{134}{223} = 0.600$$

Cam 2 Defnyddiwch yr hafaliad i gyfrifo faint o Pb_3O_4, mewn molau, sy'n cael ei ffurfio

Mae 6 môl o PbO yn rhoi 2 fôl o Pb_3O_4

Mae 0.600 môl o PbO yn rhoi 0.200 môl o Pb_3O_4

Cam 3 Cyfrifwch fàs y Pb_3O_4

$0.200 \times 685 = 137$ g

cwestiwn cyflym

⑤ Yn yr adwaith $6PbO + O_2 \longrightarrow 2Pb_3O_4$, cyfrifwch gyfaint yr ocsigen, ar 0°C ac 1 atm, sydd ei angen i adweithio'n gyflawn â 2.23 g o PbO.

≫ Cofiwch

Cyfaint molar nwy, v_m, yw cyfaint môl o nwy. Does dim angen cofio gwerthoedd ar gyfer v_m.

Cyfrifo cyfeintiau nwyon

Ar gyfer adweithiau nwyon, byddwn ni fel arfer yn ystyried cyfeintiau'r adweithyddion a'r cynhyrchion yn lle eu masau. Rydym ni'n cyfrifo niferoedd y molau o nwyon o'u cyfeintiau, gan ddefnyddio cyfaint un môl, v_m.

Enghraifft

Ym mhresenoldeb catalydd, mae potasiwm clorad(V) yn dadelfennu wrth gael ei wresogi gan roi potasiwm clorid ac ocsigen yn ôl yr hafaliad:

$$2KClO_3(s) \longrightarrow 2KCl(s) + 3O_2(n)$$

Mae 1.226 g o $KClO_3$ yn cael ei wresogi nes iddo ddadelfennu'n gyfan gwbl.

Cyfrifwch gyfaint yr ocsigen sy'n cael ei gynhyrchu ar 0 °C ac 1 atm.

(Mae 1 môl o ocsigen yn llenwi 22.4 dm^3 ar 0 °C ac 1 atm.)

Cam 1 Cyfrifwch faint o folau yw 1.226 g o $KClO_3$.

$$n = \frac{m}{M} = \frac{1.226}{122.6} = 0.0100$$

Cam 2 Cyfrifwch faint o O_2 sy'n cael ei gynhyrchu.

Mae 2 fôl o $KClO_3$ yn rhoi 3 môl o O_2.

Mae 0.01 môl o $KClO_3$ yn rhoi 0.015 môl o O_2.

Cam 3 Cyfrifwch gyfaint yr O_2 sy'n cael ei gynhyrchu.

Cyfaint yr O_2 = $n \times 22.4 = 0.015 \times 22.4 = 0.336$ dm^3 neu 336 cm^3.

▲ Gwella gradd

Dysgwch yr hafaliadau sy'n cysylltu swm sylwedd a'i gyfaint ar gyfer nwy.

$n = \dfrac{v}{v_m}$ neu $v = n \times v_m$

Mae'r cyfaint mae nwy'n ei lenwi'n dibynnu ar y tymheredd a'r gwasgedd; e.e. mae 1 môl o ocsigen yn llenwi 22.4 dm³ ar 0 °C ac 1 atm ond 24.0 dm³ ar 25 °C. I gyfrifo'r cyfaint y byddai nwy'n ei lenwi ar dymereddau a gwasgeddau heblaw'r rhai lle y cafodd ei fesur, rydym ni'n defnyddio'r hafaliad cyflwr ar gyfer nwy delfrydol:

$$\frac{P_1 V_1}{T_1} = \frac{P_2 V_2}{T_2}$$

lle 1 yw'r amodau arbrofol a 2 yw'r amodau newydd.

Gallwn ni ddefnyddio unrhyw unedau ar gyfer gwasgedd a chyfaint ond mae'n rhaid defnyddio'r un unedau ar gyfer y ddau amod. Ond, mae'n rhaid i ni ddefnyddio uned celfin, K, ar gyfer tymheredd (K = °C + 273).

Enghraifft

Cyfaint sampl o nwy a gafodd ei gasglu ar 20 °C a gwasgedd o 1 atm oedd 56.0 cm³. Beth yw ei gyfaint ar 50 °C a gwasgedd o 1 atm?

$$\frac{P_1 V_1}{T_1} = \frac{P_2 V_2}{T_2}$$

$$\frac{1 \times 56}{293} = \frac{1 \times V_2}{323}$$ (Mae'n rhaid i'r tymheredd fod mewn celfin)

$$V_2 = \frac{1 \times 56 \times 323}{293 \times 1} = 61.7 \text{ cm}^3$$

Yr hafaliad nwy delfrydol

Cafodd yr hafaliad nwy delfrydol ei ddeillio o ddeddfau nwy ac egwyddor Avogadro, ac mae'n cael ei nodi fel PV = nRT.

Mewn cyfrifiadau sy'n defnyddio'r hafaliad nwy delfrydol, mae'n rhaid defnyddio unedau SI, hynny yw:

Mae'n rhaid i'r gwasgedd fod mewn Pa (pascal) sef Nm⁻² (Newton y metr sgwâr)

Rhaid i'r cyfaint fod mewn m³

Rhaid i'r tymheredd fod mewn K (celfin)

Enghraifft

Mae nwy delfrydol yn llenwi cyfaint o 250 cm³ ar 25 °C a gwasgedd o 1.01×10^5 Nm⁻². Cyfrifwch faint o folau o nwy sydd yn y sampl hwn.

$$PV = nRT$$

Felly $$n = \frac{PV}{RT}$$

Mae'n rhaid defnyddio unedau SI:

$P = 1.01 \times 10^5$ Nm⁻²

$V = 2.50 \times 10^{-4}$ m³   (250 / 1 000 000)

$T = 298$ K   (25 + 273)

$$n = \frac{1.01 \times 10^5 \times 2.50 \times 10^{-4}}{8.31 \times 298}$$

$$n = 0.0102 \text{ mol}$$

Gwella gradd

I gyfrifo cyfeintiau nwy oherwydd newidiadau mewn tymheredd neu wasgedd, defnyddiwch

$$\frac{P_1 V_1}{T_1} = \frac{P_2 V_2}{T_2}$$ Cofiwch newid y tymheredd yn gelfin.

cwestiwn cyflym

(6) Ar ôl i 25.0 cm³ o nwy gael ei gasglu ar 70 °C ac 8.65×10^4 Nm⁻², cafodd yr amodau eu newid i 25 °C ac 1.20×10^5 Nm⁻². Beth oedd y cyfaint newydd?

Gwella gradd

Dysgwch yr hafaliad nwy delfrydol PV = nRT. Does dim angen i chi gofio gwerth R.

Cofiwch

I newid o °C i K, adiwch 273. I newid o cm³ i m³, rhannwch â 10⁶ (1 000 000).

cwestiwn cyflym

(7) Cyfrifwch y cyfaint, mewn dm³, mae 0.65 môl o nwy delfrydol yn ei lenwi ar 1.01×10^5 Pa a 20 °C.

Gwella gradd

Dysgwch yr hafaliadau sy'n cysylltu swm sylwedd a'i grynodiad ar gyfer hydoddiant:

$$n = cv \quad \text{or} \quad c = \frac{n}{v} \quad \text{or} \quad v = \frac{n}{c}$$

Cofiwch, os yw v yn cael ei roi mewn cm^3, rhannwch ef â 1000 er mwyn ei gael mewn dm^3.

cwestiwn cyflym

⑧ Pa fàs o sodiwm carbonad sydd ei angen i baratoi 250 cm^3 o hydoddiant â chrynodiad 0.400 môl dm^{-3}?

cwestiwn cyflym

⑨ Hydoddedd sodiwm clorid ar 20 °C yw 36 g/100 cm^3 o ddŵr. Beth yw'r crynodiad mewn môl dm^{-3}?

Crynodiadau hydoddiannau

Mae crynodiad hydoddiant yn mesur faint o sylwedd hydoddedig sy'n bresennol fesul uned o gyfaint yr hydoddiant. Mae llawer o ffyrdd o nodi crynodiad hydoddiant, ond y ffordd fwyaf cyfleus yw nodi nifer y molau o solid sy'n bresennol mewn 1 dm^3 o hydoddiant.

h.y. crynodiad (c) = $\dfrac{\text{nifer y molau o hydoddyn (n)}}{\text{cyfaint hydoddiant (v)}}$

a'r uned yw môl dm^{-3}.

Yn y labordy, rydym ni fel arfer yn mesur cyfeintiau mewn cm^3, ac felly mae'n rhaid eu rhannu â 1000 er mwyn eu newid yn dm^3.

Enghraifft

Mae 4.65 g o botasiwm nitrad, KNO_3, yn cael ei hydoddi mewn 200 cm^3 o ddŵr. Beth yw crynodiad yr hydoddiant mewn môl dm^{-3}?

$$\text{Molau } KNO_3 = \frac{4.65}{101.1} = 0.0460$$

$$\text{Crynodiad} = \frac{0.0460}{0.200} = 0.230 \text{ môl } dm^{-3}$$

Cyfrifiadau titradiadau asid–bas

Mewn titradiadau asid–bas, gan fod cyfeintiau'r hydoddiannau sy'n adweithio yn hysbys, os yw crynodiad un o'r hydoddiannau'n hysbys a chymarebau stoichiometrig yr hydoddiannau'n hysbys, yna mae'n bosibl cyfrifo crynodiad yr hydoddiant anhysbys. Os yw'r ddau grynodiad yn hysbys, mae'n bosibl cyfrifo'r gymhareb stoichiometrig.

Enghreifftiau

1 Cafodd 20.0 cm^3 o asid sylffwrig ei niwtralu'n union gan 24.0 cm^3 o sodiwm hydrocsid dyfrllyd â chrynodiad 0.950 môl dm^{-3}. Cyfrifwch grynodiad yr asid.

$$H_2SO_4 + 2NaOH \longrightarrow Na_2SO_4 + 2H_2O$$

Cam 1   Cyfrifwch faint, mewn molau, o NaOH sydd wedi adweithio

$n = c \times v = 0.95 \times 0.024 = 0.0228 \ (2.28 \times 10^{-2})$

(Cofiwch rannu 24 â 1000 i'w newid yn dm^3)

Cam 2   Defnyddiwch yr hafaliad i ddiddwytho faint, mewn molau, o H_2SO_4 a ddefnyddiwyd

O'r hafaliad, ar gyfer 2 fôl NaOH, mae angen 1 môl H_2SO_4

Felly ar gyfer 0.0228 môl NaOH, mae angen 0.0114 môl H_2SO_4

Cam 3   Cyfrifwch grynodiad H_2SO_4, mewn môl dm^{-3}

$$c = \frac{n}{v} = \frac{0.0114}{0.020} = 0.570 \text{ môl } dm^{-3}$$

 Gwella gradd

Mae dadansoddi canlyniadau titradiadau'n dilyn patrwm sefydlog:
Cyfrifwch nifer y molau yn yr hydoddiant lle mae'r cyfaint a'r crynodiad wedi'u rhoi.
Defnyddiwch y gymhareb folar yn yr hafaliad i gyfrifo nifer y molau yn yr hydoddiant arall.
Troswch nifer y molau i gael yr ateb sydd ei angen (crynodiad, màs molar a.y.b.).

2 Cafodd 500 cm³ o asid ($M_r = 90$) ei wneud drwy hydoddi 2.81 g mewn dŵr. Mewn titradiad, cafodd 20.0 cm³ o'r hydoddiant hwn ei niwtralu'n union gan 25.0 cm³ o sodiwm hydrocsid dyfrllyd â chrynodiad 0.100 môl dm⁻³. Cyfrifwch gymhareb stoichiometrig asid : sodiwm hydrocsid.

Molau asid = $\dfrac{2.81}{90}$ = 0.0312

Crynodiad = $\dfrac{0.0312}{0.500}$ = 0.0624 môl dm⁻³

Molau asid mewn 20.0 cm³ = $0.0624 \times 0.0200 = 1.248 \times 10^{-3}$

Molau sodiwm hydrocsid = $0.100 \times 0.0250 = 2.50 \times 10^{-3}$

Molau asid	:	molau sodiwm hydrocsid
1.248×10^{-3}	:	2.50×10^{-3}
1	:	2

3 Dyma enghraifft o ditradiad am yn ôl, lle mae'r bas yn halwyn anhydawdd. Cafodd sampl amhur o galsiwm hydrocsid â màs 0.716 g ei ychwanegu at 50.0 cm³ o hydoddiant asid hydroclorig â chrynodiad 0.400 môl dm⁻³. Pan gafodd y gormodedd o asid ei ditradu yn erbyn hydoddiant sodiwm hydrocsid â chrynodiad 0.225 môl dm⁻³, roedd angen 12.4 cm³ o hydoddiant sodiwm hydrocsid i niwtralu'r asid. Cyfrifwch ganran puredd y sampl o galsiwm hydrocsid.

Cam 1 Cyfrifwch, mewn molau, swm yr NaOH a gafodd ei ddefnyddio yn y niwtraliad. Bydd hyn yn rhoi swm yr HCl, mewn molau, oedd heb adweithio yn yr adwaith gwreiddiol.

Yr hafaliad ar gyfer yr adwaith niwtraliad yw

$NaOH + HCl \longrightarrow NaCl + H_2O$

Molau NaOH = $0.225 \times 0.0124 = 2.79 \times 10^{-3}$

Felly gormodedd HCl, mewn molau = 2.79×10^{-3}

Cam 2 Cyfrifwch faint, mewn molau, o HCl oedd wedi adweithio â'r sampl amhur o $Ca(OH)_2$.

Molau gwreiddiol HCl = $0.400 \times 0.0500 = 2.00 \times 10^{-2}$

Molau HCl a adweithiodd â'r sampl = $2.00 \times 10^{-2} - 2.79 \times 10^{-3}$
$= 1.71 \times 10^{-2}$

Cam 3 Cyfrifwch faint o $Ca(OH)_2$ sydd wedi adweithio â'r HCl

Yr hafaliad ar gyfer yr adwaith yw

$Ca(OH)_2 + 2HCl \longrightarrow CaCl_2 + 2H_2O$

Cymhareb folar HCl : $Ca(OH)_2$ yw 2 : 1

Felly molau $Ca(OH)_2$ sydd wedi adweithio = 1.71×10^{-2} / 2
$= 8.61 \times 10^{-3}$

Cam 4 Cyfrifwch ganran y $Ca(OH)_2$ yn y sampl.

Màs $Ca(OH)_2$ = $8.61 \times 10^{-3} \times 74.12 = 0.638$ g

% $Ca(OH)_2$ yn y sampl = $\dfrac{0.638}{0.716} \times 100 = 89.1\%$

ychwanegol

a. Cafodd 20.0 cm³ o sodiwm hydrocsid dyfrllyd ei niwtralu'n union gan 16.0 cm³ o hydoddiant asid hydroclorig dyfrllyd â chrynodiad 0.250 môl dm⁻³. Cyfrifwch grynodiad y sodiwm hydrocsid.

b. Cafodd 4.76 g o soda golchi, sef sodiwm carbonad hydradol, ei hydoddi mewn dŵr ac fe gafodd yr hydoddiant ei wneud i fyny at 250 cm³. Roedd angen 33.2 cm³ o hydoddiant asid hydroclorig dyfrllyd â chrynodiad 0.100 môl dm⁻³ i niwtralu sampl o 25.0 cm³ o'r hydoddiant hwn. Cyfrifwch ganran y sodiwm carbonad mewn soda golchi yn ôl màs.

c. Cafodd sampl 0.400 g o amoniwm clorid amhur ei gynhesu â gormodedd o hydoddiant sodiwm hydrocsid. Ar ôl i'r amonia a gafodd ei gynhyrchu adweithio â 25.0 cm³ o asid sylffwrig â chrynodiad 0.150 môl dm⁻³, roedd angen 11.40 cm³ o hydoddiant sodiwm hydrocsid â chrynodiad 0.100 môl dm⁻³ i niwtralu'r gormodedd o asid sylffwrig. Cyfrifwch ganran yr amoniwm clorid yn y sampl gwreiddiol.

Yr adweithiau sy'n digwydd yw

$NH_4Cl + NaOH \longrightarrow$
$NH_3 + NaCl + H_2O$
$2NH_3 + H_2SO_4 \longrightarrow$
$(NH_4)_2SO_4$
$H_2SO_4 + 2NaOH \longrightarrow$
$Na_2SO_4 + H_2O$

4 Dyma enghraifft o ditradiad dwbl lle mae hydoddiant yn cynnwys cymysgedd o ddau fas â chryfderau gwahanol.

Roedd angen 16.50 cm³ o hydoddiant asid hydroclorig â chrynodiad 0.200 môl dm⁻³ ar 25.00 cm³ o hydoddiant oedd yn cynnwys sodiwm carbonad a sodiwm hydrogencarbonad i ddadliwio ffenolffthalein. Pan gafodd methyl oren ei ychwanegu, roedd angen 28.50 cm³ pellach o'r asid i droi'r dangosydd yn oren.

Yr hafaliadau ar gyfer yr adweithiau sy'n digwydd yw

$$CO_3^{2-} + H^+ \longrightarrow HCO_3^- \qquad \text{yn y cam ffenolffthalein}$$

$$\left.\begin{array}{l} CO_3^{2-} + H^+ \longrightarrow HCO_3^- \\ HCO_3^- + H^+ \longrightarrow CO_2 + H_2O \end{array}\right\} \text{yn y cam methyl oren}$$

Cyfrifwch grynodiadau'r sodiwm carbonad a'r sodiwm hydrogencarbonad yn yr hydoddiant.

Mae'r cam cyntaf yn ymwneud â swm y carbonad, mewn molau, yn unig.

Mae'r ail gam yn ymwneud â symiau'r carbonad + hydrocarbonad, mewn molau.

Molau asid yn y cam cyntaf = $0.200 \times 0.0165 = 3.30 \times 10^{-3}$

Felly molau CO_3^{2-} = 3.30×10^{-3}

Molau asid yn yr ail gam = $0.200 \times 0.0285 = 5.70 \times 10^{-3}$

Felly cyfanswm molau $CO_3^{2-} + HCO_3^-$ = 5.70×10^{-3}

a molau HCO_3^- = 2.40×10^{-3}

Crynodiad Na_2CO_3 = $\dfrac{3.30 \times 10^{-3}}{0.0250}$ = 0.132 môl dm⁻³

Crynodiad $NaHCO_3$ = $\dfrac{2.40 \times 10^{-3}}{0.0250}$ = 0.0960 môl dm⁻³

Economi atom a chynnyrch canrannol

Pan fydd adwaith yn digwydd, mae'r cyfansoddion sy'n cael eu ffurfio, heblaw'r cynnyrch sydd ei angen, yn wastraff. Gallwn ni fynegi effeithiolrwydd adwaith yn nhermau ei **economi atom**, neu ei **gynnyrch canrannol**. Y mwyaf yw'r economi atom, y mwyaf effeithiol yw'r broses.

Enghraifft

Mae'n bosibl ffurfio asid bensencarbocsilig, C_6H_5COOH, o ethylbensencarbocsilad, $C_6H_5COOC_2H_5$, yn ôl yr hafaliad canlynol:

$$C_6H_5COOC_2H_5 + H_2O \longrightarrow C_6H_5COOH + C_6H_5OH$$

Os cafodd 1.95 g o'r asid ei ffurfio o 3.00 g o ethylbensencarbocsilad, cyfrifwch:

a) y cynnyrch canrannol

b) yr economi atom ar gyfer yr adwaith

a) $\text{cynnyrch canrannol} = \dfrac{\text{màs y cynnyrch a gawn}}{\text{uchafswm y màs damcaniaethol}} \times 100\%$

I gyfrifo uchafswm y màs, mae'n rhaid i ni ddilyn y tri cham ar dudalen 26:

Cam 1   Cyfrifwch faint o folau yw 3.00 g o $C_6H_5COOC_2H_5$.

$$n = \frac{m}{M} = \frac{3.00}{150.1} = 0.0200$$

Cam 2   Defnyddiwch yr hafaliad i gyfrifo faint o folau o C_6H_5COOH sy'n cael eu ffurfio.

Mae 1 môl o $C_6H_5COOC_2H_5$ yn rhoi 1 môl o C_6H_5COOH.

Mae 0.02 môl o $C_6H_5COOC_2H_5$ yn rhoi 0.02 môl o C_6H_5COOH.

Cam 3   Cyfrifwch fàs y C_6H_5COOH

$$m = nM = 0.02 \times 122.06 = 2.44 \text{ g}$$

$$\text{cynnyrch canrannol} = \frac{1.95}{2.44} \times 100 = 79.9\%$$

b) $\text{economi atom} = \dfrac{\text{màs y cynnyrch sydd ei angen}}{\text{cyfanswm màs yr adweithyddion}} \times 100\%$

$$= \frac{M(C_6H_5COOH)}{M(C_6H_5COOC_2H_5) + M(H_2O)} \times 100 = \frac{122.06}{(150.1 + 18.02)} \times 100 = 72.6\%$$

Gwella gradd

Mae economi atom yn cael ei gyfrifo o'r hafaliad cemegol ar gyfer yr adwaith:

Economi atom = $\dfrac{\text{màs y cynnyrch sydd ei angen}}{\text{cyfanswm màs yr adweithyddion}} \times 100\%$

Gwella gradd

Mae cynnyrch canrannol yn cael ei gyfrifo o fàs y cynnyrch sy'n cael ei gynhyrchu mewn gwir arbrawf:

Cynnyrch canrannol = $\dfrac{\text{màs (neu folau) y cynnyrch a gawn}}{\text{uchafswm y màs (neu folau) damcaniaethol}} \times 100\%$

cwestiwn cyflym

⑩ Cyfrifwch yr economi atom ar gyfer cynhyrchu nitrig ocsid drwy ocsidio amonia.

$$4NH_3 + 5O_2 \longrightarrow 4NO + 6H_2O$$

Cyfeiliornad canrannol

Fel arfer mewn Cemeg UG byddwn ni'n amcangyfrif cyfeiliornad o'r ansicrwydd yn yr offer sy'n cael eu defnyddio, fel bwred, pibed, clorian a thermomedr.

Fel arfer byddwn ni'n tybio mai hanner y rhaniad lleiaf ar yr offer yw'r cyfeiliornad, er enghraifft 0.05 cm^3 ar fwred, 0.1° ar thermomedr sydd â rhaniadau 0.2° a 0.0005 g (0.5 mg) ar glorian sy'n darllen i dri lle degol. Cofiwch, gan fod angen mesur y gwahaniaeth rhwng y darlleniad cychwynnol a'r darlleniad terfynol ar gyfer y rhan fwyaf o offer, byddwn ni'n cymryd dau ddarlleniad, ac felly y cyfeiliornad fydd 0.1 cm^3 ar gyfer bwred, 0.2° ar thermomedr 0.2° a 0.001 g ar gyfer clorian tri lle degol. Y cyfeiliornad ar gyfer pibed safonol 25.0 cm^3 yw 0.06 cm^3.

Mae'r cyfeiliornadau hyn yn cael eu mynegi nawr fel cyfeiliornad canrannol drwy rannu â'r swm sy'n cael ei fesur, gan roi, er enghraifft

bwred – cyfaint sy'n cael ei ddefnyddio = 24.20 cm^3 (cyfeiliornad 0.1 cm^3)

cyfeiliornad canrannol = $\dfrac{0.10}{24.20} \times 100 = 0.413\%$

thermomedr $-\Delta T = 7°$ (cyfeiliornad 0.2°)

cyfeiliornad canrannol = $\dfrac{0.20}{7.0} \times 100 = 2.86\%$

clorian – 3.610 g (cyfeiliornad 0.001 g)

cyfeiliornad canrannol = $\dfrac{0.001}{3.610} \times 100 = 0.0277\%$

pibed – cyfaint sy'n cael ei ddefnyddio = 25.00 cm^3

cyfeiliornad canrannol = $\dfrac{0.06}{25.0} \times 100 = 0.240\%$

Enghraifft

Cynhaliodd Frances arbrawf titradiad i ddarganfod crynodiad sodiwm hydrocsid dyfrllyd. Defnyddiodd bibed i roi 25.0 cm^3 o sodiwm hydrocsid dyfrllyd mewn fflasg gonigol ac roedd angen 28.65 cm^3 o asid hydroclorig â chrynodiad 0.1250 môl dm^{-3} ar gyfer niwtraliad llwyr. Cyfrifodd fod y crynodiad yn 0.14325 môl dm^{-3}.

Cyfrifwch y cyfeiliornad canrannol sy'n cael ei achosi gan yr offer, a nodwch y crynodiad i nifer synhwyrol o ffigurau ystyrlon.

Cyfeiliornad canrannol y bibed = $\dfrac{0.06}{25.0} \times 100 = 0.24\%$

Cyfeiliornad canrannol y fwred = $\dfrac{0.10}{28.65} \times 100 = 0.35\%$

Cyfanswm y cyfeiliornad = 0.59%

Felly mae'r crynodiad rhwng 0.1424 a 0.1441 môl dm^{-3} ac ateb synhwyrol yw 0.143 môl dm^{-3}, h.y. tri ffigur ystyrlon.

Gwella gradd

Os yw cyfeiliornad tua thair gwaith yn fwy nag unrhyw gyfeiliornad arall, does dim angen ystyried y lleill ar gyfer UG.

Gwella gradd

Os yw cyfeiliornad rhwng 0.1% ac 1%, nifer y ffigurau ystyrlon dylech chi eu defnyddio yw 3.

Ffigurau ystyrlon, talgrynnu i fyny a byrhau

Bydd y rhan fwyaf o'r camgymeriadau mewn gwaith cwrs tuag 1%, sy'n awgrymu y dylech chi ddefnyddio tri ffigur ystyrlon, ond does dim gwahaniaeth os ychwanegwch chi bedwerydd digid.

Mae'n bosibl defnyddio gwerthoedd llawn y cyfrifiannell ar gamau rhyngol mewn cyfrifiad; eto i gyd, mae'n bwysig iawn bod y gwerthoedd llawn ddim yn cael eu cofnodi fel ateb terfynol. Pan fydd y cyfrifiannell yn rhoi mwy na'r nifer o ffigurau ystyrlon – er enghraifft, tri – dim ond os yw'r pedwerydd ffigur yn 5 neu'n fwy mae modd talgrynnu'r trydydd ffigur i fyny. Felly, mae modd talgrynnu 4.268 i fyny i 4.27, sy'n fwy manwl gywir na 4.26.

Camgymeriad mwy difrifol yw colli gwybodaeth sydd yn yr arbrawf drwy fyrhau'r canlyniad yn ormodol, e.e. cofnodi crynodiad o 0.0946 môl dm^{-3} fel 0.09 neu hyd yn oed 0.1!

Dyma'r rheolau ar gyfer gweithio allan ffigurau ystyrlon:

- Nid yw seroau i'r chwith i'r digid ansero cyntaf yn ystyrlon, e.e. mae gan 0.0003 un ffigur ystyrlon.

- Mae seroau rhwng digidau yn ystyrlon, e.e. mae pedwar ffigur ystyrlon gan 3007.

- Mae seroau i'r dde i bwynt degol sydd â rhif o'u blaen yn ystyrlon, e.e. mae gan 3.0050 bum ffigur ystyrlon.

Defnyddiwch ffigurau ystyrlon bob tro, ac nid pwyntiau degol, wrth ystyried cyfeiliornad. Mae tri lle degol gan 0.044, ond dim ond dau ffigur ystyrlon. Byddai nodi'r gwerth i ddau le degol yn rhoi gwerth gwahanol (0.04) i'r nifer cywir o ffigurau ystyrlon (0.044).

Rydym ni'n aml yn defnyddio'r ffurf safonol a'r ffurf gyffredin mewn cyfrifiadau. Mae'r ffurf safonol yn ddefnyddiol pan fyddwn ni'n trin rhifau mawr a rhifau bach. Er enghraifft, mae'n haws o lawer ysgrifennu 1.25×10^7 nag 12 500 000, ac yn haws ysgrifennu 6.2×10^{-6} na 0.0000062. Eto i gyd, mae'n bwysig defnyddio'r un nifer o ffigurau ystyrlon yn y ddwy ffurf, e.e. 2.63×10^{-3} ar ffurf safonol a 0.00263 ar ffurf gyffredin; mae tri ffigur ystyrlon yn y ddwy ffurf.

cwestiwn cyflym

(11) Nodwch nifer y ffigurau ystyrlon ar gyfer y rhifau canlynol:

a) 0.00625

b) 5010

c) 0.06250.

1.4 Bondio

Termau Allweddol

Mewn **bond cofalent** mae pâr o electronau â sbiniau dirgroes yn cael ei rannu rhwng dau atom.

Bond cyd-drefnol yw bond cofalent lle mae'r ddau electron yn dod o'r un atom.

Bydd **bond ïonig** yn cael ei ffurfio gan atyniadau rhwng ïonau positif (catïonau) ac ïonau negatif (anionau).

Gwella gradd

Wrth lunio diagramau 'dot a chroes', gwnewch yn siŵr eich bod yn cynnwys yr holl electronau; yn gwahaniaethu rhwng electronau o'r atomau gwahanol; yn cynnwys unrhyw wefrau. Efallai y bydd gofyn i chi adael allan unrhyw electronau mewnol.

cwestiwn cyflym

① Lluniwch un enghraifft syml o bob un o'r tri math o fond a restrir uchod.

Bondio cemegol

Dim ond y nwyon anadweithiol sy'n bodoli ar ffurf atomau unigol ar y Ddaear. Mae atomau pob elfen arall wedi'u bondio â'i gilydd gan rymoedd trydanol gan ffurfio moleciwlau. Bydd egni'n cael ei ryddhau yn y broses. Mae tri phrif fath o fondio, sef **ïonig**, **cofalent** a **metelig**.

Mae'n bosibl cynrychioli bondiau â diagramau 'dot a chroes' gan ddangos electronau allanol un o'r atomau sy'n ffurfio'r bond â dotiau neu gylchoedd agored, ac electronau allanol yr atom arall â chroesau.

Bondio cofalent – mae pob atom yn rhoi un electron i'r pâr bondio (sengl) ac mae gan yr electronau sbiniau dirgroes.

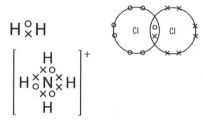

Bondio cyd-drefnol – bond cofalent lle mae'r ddau electron yn dod o'r un atom, er enghraifft mewn NH_4^+.

Bondio ïonig – mae un atom yn rhoi un neu fwy o electronau i'r llall, ac mae'r catïon a'r anion a ffurfir o ganlyniad yn atynnu ei gilydd yn electrostatig. Fel arfer, mae llawer o ïonau'n dod at ei gilydd mewn dellten solet.

Mae angen egni i ffurfio ïonau o atomau ond mae'r atyniad trydanol cryf rhwng catïon ac anion yn drech na hyn.

Mae bondio metelig yn cael ei drafod o dan Solidau ar dudalen 41.

Grymoedd atynnol a grymoedd gwrthyrru

Mae pob math o fondio'n digwydd o ganlyniad i atyniadau a gwrthyriadau electrostatig rhwng y protonau a'r electronau, gyda'r atyniadau'n drech na'r gwrthyriadau.

↔ gwrthyriad
✕ atyniad

Mewn bondiau cofalent, mae'r electronau yn y pâr rhwng yr atomau'n gwrthyrru ei gilydd, ond mae hyn yn cael ei oresgyn gan eu hatyniadau at y DDAU niwclews. Os bydd yr atomau'n dod yn rhy agos at ei gilydd, bydd y niwclysau a'u helectronau mewnol yn gwrthyrru niwclews ac electronau mewnol yr atom arall, ac felly mae hyd penodol gan y bond. Hefyd, mae'n rhaid i sbiniau'r electronau fod yn ddirgroes er mwyn i'r bondiau ffurfio.

Mewn bondiau ïonig, mae catïonau ac anionau wedi'u trefnu fel bod pob catïon yn cael ei amgylchynu gan nifer o anionau, ac fel arall. Mae hyn yn creu'r atyniad mwyaf posibl ac yn lleihau'r gwrthyriad.

Electronegatifedd a pholaredd bondiau

Mewn bond cofalent, nid yw'r pâr o electronau'n cael ei rhannu'n hollol gyfartal fel arfer rhwng y ddau atom, oni bai mai'r un elfen ydynt. Felly bydd gan y naill atom wefr ychydig yn negatif a'r llall ychydig yn bositif ac rydym ni'n galw'r bond hwn yn **bolar**. Rydym ni'n ysgrifennu'r gwefrau bach hyn uwchben yr atomau gan ddefnyddio'r symbolau δ+ a δ−, isod.

$$\overset{\delta+}{H} \text{———} \overset{\delta-}{F}$$

Mae bondiau cyd-drefnol bob amser yn bolar, gan nad yw'r atom sy'n rhoi'r ddau electron yn colli ei ddylanwad dros un electron yn llwyr.

Yr hyn sy'n rheoli polaredd bond yw'r gwahaniaeth mewn **electronegatifedd** rhwng y ddau atom sy'n ffurfio'r bond. Mesur o allu atom mewn bond cofalent i atynnu'r pâr electron yw electronegatifedd ac ar un raddfa mae'n ymestyn o 0.7 mewn Cs i 4.0 mewn F; mae Cs yn electropositif ac mae F yn electronegatif iawn.

Felly bydd bron pob bond sy'n cysylltu atomau sydd ddim yn unfath yn bolar i ryw raddau. Ar ben arall y raddfa, mae gan y rhan fwyaf o fondiau ïonig rywfaint o nodweddion cofalent, ond y ffordd symlaf yw ystyried bondiau ïonig fel rhai sy'n hollol ïonig a nodi bod gan fondiau cofalent wahanol raddau o bolaredd.

Mae'r diagramau canlynol yn dangos y dosraniad dwysedd electron ar gyfer rhai bondiau gwahanol.

Bond	Na–F	H–Cl	H–H
Gwahaniaeth electronegatifedd	3.1	0.9	0.0
Dosraniad electron			

Mae'r bond mewn hydrogen clorid, er enghraifft, tua 19% yn ïonig.

Term Allweddol

Electronegatifedd yw mesur o allu atom mewn bond cofalent i atynnu'r pâr bondio o electronau.

Gwella gradd

Fel y gwelwch chi yn y cwestiwn cyflym, y gwahaniaeth rhwng gwerthoedd electronegatifedd sy'n bwysig ac nid y gwerthoedd eu hunain.

Cofiwch

Sylwch ein bod yn nodi gwefrau rhannol drwy ddefnyddio'r llythyren fach Groeg delta, δ.

cwestiwn cyflym

② Defnyddiwch y gwerthoedd electronegatifedd sy'n cael eu rhoi i drefnu'r bondiau isod yn nhrefn polaredd CYNYDDOL.

Gwerthoedd: H 2.1, Be 1.5, O 3.5, I 2.5, Cl 3.0

Bondiau: I-Cl, H-Cl, Cl-Cl, Be-O

Grymoedd rhwng moleciwlau

Termau Allweddol

Deupol yw gwahaniad gwefr mewn moleciwl. Nid yw gwefrau trydanol yn gytbwys, ac felly mae gwefr negatif rannol mewn un rhan a gwefr bositif gyfartal mewn rhan arall.

Grymoedd van der Waals yw grymoedd rhyngfoleciwlaidd gwan sy'n cael eu hachosi gan rymoedd atynnu deupol–deupol a deupol anwythol–deupol anwythol.

Gwella gradd

Ffordd dda o ennill marciau yn yr adran hon a'r un nesaf ar fondio hydrogen yw llunio diagramau gofalus a manwl gywir.

cwestiwn cyflym

③ Esboniwch pam mae nitrogen hylifol yn berwi ar 77 K er bod y bond rhwng atomau nitrogen yn y moleciwl yn gryf iawn.

Mae'n bwysig dros ben gwahaniaethu rhwng bondio **RHWNG** moleciwlau – bondio **RHYNGFOLECIWLAIDD** – a bondio **MEWN** moleciwlau – bondio **MEWNFOLECIWLAIDD**.

Mae bondio rhyngfoleciwlaidd yn wan ac mae'n rheoli priodweddau ffisegol, fel tymheredd berwi; mae bondio mewn moleciwlau'n gryf ac mae'n rheoli adweithedd cemegol. Mewn methan, er enghraifft, mae'r grymoedd rhwng y moleciwlau'n wan iawn ac mae'r moleciwlau'n gwahanu, hynny yw mae'r hylif yn berwi ar −162 gradd ond mae'r bondiau C–H yn gryf iawn ac mae angen tymheredd o ryw 600 gradd cyn iddyn nhw dorri.

Mae bondio rhyngfoleciwlaidd yn cael ei achosi gan atyniad electrostatig rhwng gwefrau dirgroes. Er y gall y moleciwl cyfan fod yn niwtral, mae'n cynnwys gwefrau negatif a phositif (electronau a phrotonau), ac os nad yw electronegatifeddau'r atomau yn y moleciwl yn hafal, bydd gan y moleciwl **ddeupol**, gyda rhannau sy'n gymharol bositif a negatif eu gwefr. Os bydd y deupolau hyn yn eu trefnu eu hunain fel bod rhanbarth negatif un moleciwl yn agos i ranbarth positif moleciwl arall, bydd atyniad net rhyngddyn nhw.

$$\delta+ \longrightarrow \delta- \qquad \delta+ \longrightarrow \delta-$$
$$\delta- \longrightarrow \delta+ \qquad \delta- \longrightarrow \delta+$$

gwefr rannol barhaol yw δ

Mae hyd yn oed moleciwlau heb ddeupol yn dangos bondio rhyngfoleciwlaidd; er enghraifft, mae atomau heliwm yn dod at ei gilydd i ffurfio hylif ar 4K. Mae hyn oherwydd bod yr electronau'n symud o amgylch y niwclysau drwy'r amser fel nad yw canolau'r gwefrau positif a negatif yn yr un lle bob amser; mae hyn yn creu deupol newidiol. Mae'r rhain yn rhyngweithio â'i gilydd wrth i un deupol anwytho deupol dirgroes mewn moleciwl cyfagos gan greu atyniad rhyngddyn nhw.

$$\delta\delta+ \longrightarrow \delta\delta- \qquad \delta\delta+ \longrightarrow \delta\delta-$$
$$\delta\delta- \longrightarrow \delta\delta+ \qquad \delta\delta- \longrightarrow \delta\delta+$$

gwefr anwythol newidiol yw $\delta\delta$

I grynhoi, mae gennym ni ddau fath o fondio rhyngfoleciwlaidd yma, sef bondio deupol–deupol i ddechrau ac wedyn bondio deupol anwythol–deupol anwythol. Yr enw ar y ddau hyn yw **grymoedd van der Waals**.

Cryfder

Mae bondio mewn moleciwlau tua 100 gwaith yn gryfach na'r bondio rhyngddyn nhw ac mae cryfder grymoedd van der Waals tua 3 kJ y môl.

Bondio hydrogen

Grym bondio rhyngfoleciwlaidd arbennig yw hwn. Mae ond yn bodoli rhwng moleciwlau sy'n cynnwys atomau hydrogen sydd wedi'u bondio ag elfennau electronegatif iawn â pharau unig, fel fflworin, ocsigen a nitrogen. Er eu bod yn wan o'u cymharu â bondiau mewn moleciwlau, maen nhw'n gryfach o lawer na grymoedd van der Waals. Cryfderau nodweddiadol bondiau hydrogen yw 30 kJ y môl o'u cymharu â 3 kJ y môl ar gyfer grymoedd van der Waals a 300 kJ y môl ar gyfer bondiau mewn moleciwlau.

Mae bondio hydrogen yn gryfach na grymoedd van der Waals gan fod yr atom hydrogen bach rhwng dwy elfen electronegatif ac mae'n galluogi'r atomau i ddod yn agos at ei gilydd.

Rydym ni'n gweld bod yr atom hydrogen yn arbennig o δ+ gan ei fod ynghlwm wrth yr atom ocsigen electronegatif, ac felly mae'r pâr unig ar yr atom ocsigen yn y moleciwl arall yn cael ei atynnu'n gryf ato. Hefyd, mae'r bondio ar ei gryfaf pan fydd y tri atom mewn llinell syth. Gallwn ni weld fod y bond O–H mewnol yn y moleciwl yn fyrrach na'r bond hydrogen sy'n cael ei ddangos gan linell doredig ac sy'n cysylltu â'r moleciwl arall. Oherwydd bod gan ocsigen ddau bâr unig a dau atom hydrogen, mae adeiledd tetrahedrol sydd â bondiau hydrogen yn cael ei ffurfio.

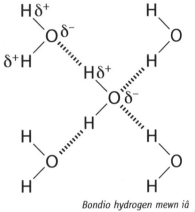

Bondio hydrogen mewn iâ

Term Allweddol

Bond rhyngfoleciwlaidd cymharol gryf yw'r **bond hydrogen** lle mae atom hydrogen wedi'i gysylltu ag elfen electronegatif iawn mewn moleciwl ac yn bondio ag elfen electronegatif arall mewn moleciwl arall.

Gwella gradd

1 Lluniwch ddiagram yn ofalus iawn o, er enghraifft, O–H---N, gan ddangos y gwefrau rhannol delta plws a delta minws a'r bond H hirach fel llinell doredig.
2 Nodwch yn glir iawn fod y bond hydrogen yn fond CYMHAROL gryf yn unig, o'i gymharu â bond van der Waals.

cwestiwn cyflym

④ Rhestrwch y mathau canlynol o fondiau yn nhrefn eu cryfder cynyddol: bond cofalent mewn moleciwl, bond van der Waals, bond hydrogen.

cwestiwn cyflym

⑤ Lluniwch adeiledd posibl sy'n cynnwys bondiau hydrogen ar gyfer amonia hylifol.

Effaith bondio hydrogen ar dymheredd berwi a hydoddedd

Mae tymereddau ymdoddi, ac yn fwy fyth tymereddau berwi, yn cynyddu gyda chryfder y grymoedd rhyngfoleciwlaidd. Yn achos grymoedd van der Waals, mae cynnydd cyson gyda màs moleciwlaidd a hefyd wrth i ddeupolau ddod yn fwy.

Mae'r diagram tymheredd berwi isod yn dangos bod y bondiau hydrogen cryfach yn drech na'r duedd.

Mewn dŵr, mae'r moleciwlau'n ffurfio bondiau hydrogen yn rhwydd â'r moleciwlau cyfagos. Mae angen torri'r bondiau hyn cyn y gall y dŵr ferwi, ac felly mae angen mwy o egni, hynny yw tymheredd uwch. Mae llawer o enghreifftiau tebyg.

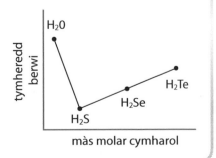

Siapiau moleciwlau

Termau Allweddol

Pâr bondio yw dau electron sydd â sbiniau dirgroes sy'n bondio dau atom mewn moleciwl drwy fond cofalent neu gyd-drefnol.

Pâr unig yw dau electron sydd â sbiniau dirgroes sy'n perthyn i un atom yn unig ac sydd ddim yn bondio ag atom arall.

Mae siapiau moleciwlau cofalent sydd â mwy na dau atom a'u hïonau yn cael eu rheoli gan y parau electron o amgylch yr atom canolog, fel C mewn CH_4. Gall y rhain fod yn **barau bondio** sy'n dal yr atomau at ei gilydd mewn bondiau cofalent, neu'n **barau unig** ar yr atom canolog nad ydyn nhw'n cymryd rhan fel arfer mewn bondio cofalent.

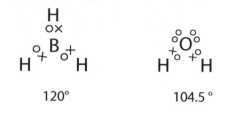

120°   104.5°

Gan fod y parau electron i gyd yn gwrthyrru ei gilydd, mae'r moleciwl yn ffurfio siâp sy'n galluogi'r parau i gadw mor bell oddi wrth ei gilydd â phosibl i leihau'r egni gwrthyrru. Mae parau bondio'n cael eu rhannu rhwng y ddau atom sy'n bondio yn y moleciwl, ond mae parau unig yn aros yn agos at yr atom canolog, ac felly maen nhw'n gwrthyrru'n fwy na pharau bondio, gan roi'r dilyniant gwrthyrru hwn:

pâr unig – pâr unig > pâr unig – pâr bondio > pâr bondio – pâr bondio.

Felly mewn NH_3, sydd ag un pâr unig a thri phâr bondio, mae'r gwrthyriad rhwng y pâr unig a'r parau bondio yn fwy na'r gwrthyriad rhwng y parau bondio eu hunain, ac felly mae'r ongl H–N–H yn cael ei leihau, o 109.5° i 107°.

107°

Mae'r syniadau hyn yn cael eu cymhwyso yn y Ddamcaniaeth Gwrthyriad Parau Electron Plisgyn Falens (VSEPR) sy'n dilyn.

cwestiwn cyflym

⑥ Nodwch y parau bondio a'r parau unig yn y moleciwl isod a'u labelu.

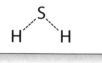

Damcaniaeth gwrthyriad parau electron plisgyn falens (VSEPR)

Mae damcaniaeth gwrthyriad parau electron plisgyn falens (VSEPR) yn ein galluogi i ragfynegi siâp moleciwlau syml lle mae atomau'n cael eu bondio o amgylch atom canolog. Y plisgyn falens yw'r plisgyn o electronau lle mae bondio'n digwydd. Wrth ddefnyddio VSEPR, rydym ni'n dechrau drwy gyfrif nifer y parau electron er mwyn darganfod siâp cyffredinol y moleciwl, gan fod y parau'n gwrthyrru a chadw mor bell oddi wrth ei gilydd â phosibl. Mae'n werth ailadrodd y dilyniant gwrthyrru ar siâp moleciwlau o dudalen 38:

pâr unig – pâr unig > pâr unig – pâr bondio > pâr bondio – pâr bondio

a gweld sut mae'n effeithio ar y ffigur ar yr un dudalen.

Mae'r siâp yn dilyn yn uniongyrchol o nifer y parau fel isod:

Nifer y parau	Siâp	Ongl y bond	Enghraifft
2	llinol	180°	$BeCl_2$
3	planar trigonol	120°	BF_3
4	tetrahedrol	109.5°	CH_4
5	deubyramid trigonol	90°/120°	PCl_5
6	octahedrol	90°	SF_6

Yn ail, bydd yr union ongl rhwng y bondiau'n newid rhyfaint gan ddibynnu ar y dilyniant gwrthyrru uchod. Felly mewn dŵr, lle mae dau bâr unig, mae'r ongl fondio detrahedrol o tua 109.5° ar gyfer H–O–H yn lleihau i 104.5° oherwydd y gwrthyriad rhwng y parau unig a'r parau bondio.

Dylech chi allu defnyddio VSEPR i ragfynegi siâp unrhyw foleciwl syml o wybod ei fformiwla. Sylwch fod yr un rheolau'n ddilys os yw'r moleciwl cofalent yn ïon fel NH_4^+, lle mae'r holl electronau nawr mewn parau bondio a'r onglau bond H–N–H i gyd yn 109.5°.

Sylwch hefyd y bydd angen i chi:

- wybod onglau'r bondiau sy'n gysylltiedig â moleciwlau ac ïonau llinol, planar trigonol, tetrahedrol ac octahedrol
- **gwybod** ac esbonio siapiau BF_3, CH_4, NH_4^+ ac SF_6
- rhagfynegi ac esbonio siapiau rhywogaethau syml eraill sydd â hyd at chwe phâr electron ym mhlisgyn falens yr atom canolog.

≫ Cofiwch

Dysgwch a deallwch y siapiau ar gyfer pob nifer o barau bondio.

▲ Gwella gradd

Cyfrifwch nifer y parau electron yn ofalus a chofiwch mai dim ond y parau o amgylch yr atom canolog sy'n effeithio ar y siâp. Felly mewn CF_4, er enghraifft, rydym ni'n anwybyddu'r holl barau unig ar yr atomau fflworin, gan adael y pedwar pâr bondio'n unig a siâp tetrahedrol.

cwestiwn cyflym

(7) Rhagfynegwch siapiau cyffredinol BH_4, CH_3I, PCl_5 a BeI_2.

Hydoddedd cyfansoddion mewn dŵr

Termau Allweddol

Hydoddyn yw'r sylwedd sy'n hydoddi yn yr hydoddydd (gall fod yn solid, yn hylif neu'n nwy).

Hydoddydd yw'r hylif mae'r hydoddyn yn hydoddi ynddo, dŵr yn aml.

Hydoddiant dirlawn yw hydoddiant na all hydoddi mwy o hydoddyn o dan yr amodau ar y pryd.

Polar yw moleciwl lle mae peth gwahaniad rhwng y wefr bositif ($\delta+$) a'r wefr negatif ($\delta-$),
e.e. $H^{\delta+}$ -----$Cl^{\delta-}$.

≫ Cofiwch

Mae'n ddefnyddiol cofio bod 'tebyg yn hydoddi ei debyg'.

Gwella gradd

Mae'n dda llunio diagramau clir lle mae'r gwefrau rhannol ($\delta+$ a $\delta-$) a'r gwefrau ïonig wedi'u nodi yn y mannau cywir.

Sylwch: mae'r fanyleb hon yn cyfeirio yma at hydoddedd mewn cysylltiad â bondio hydrogen ond mae'n gysyniad ansoddol a meintiol cyffredinol pwysig, ac felly rydym ni'n ei drafod yn llawnach.

Bydd sylwedd B yn hydawdd mewn C os yw'r atyniadau rhwng moleciwlau B ac C yn fwy na'r rhai rhwng moleciwlau B a B a rhwng moleciwlau C ac C.

Os yw B yn hydrocarbon ac C yn ddŵr, fydd hyn ddim yn wir; 'nid yw olew a dŵr yn cymysgu' ond maen nhw'n ffurfio haenau gwahanol. Mae'r moleciwlau dŵr yn atynnu ei gilydd drwy fondio hydrogen (gweler uchod) ac mae moleciwlau hydrocarbon yn rhyngweithio'n wannach drwy rymoedd van der Waals. Eto i gyd, mewn alcoholau mae bondiau O-H wedi cael eu hychwanegu at yr adeiledd hydrocarbon, ac felly mae bondio hydrogen yn digwydd nawr rhwng yr alcohol a'r dŵr ac mae'r alcohol yn hydoddi yn y dŵr os nad yw'r gadwyn hydrocarbon yn rhy hir.

Felly mae ethanol a'r alcoholau llai yn hydoddi mewn dŵr hyd at gadwyn garbon o ryw bedwar atom. Mae dŵr yn hydoddi llawer o halwynau anorganig fel NaCl oherwydd rhyngweithiad cryf rhwng yr ïonau yn yr halwyn a'r deupolau dŵr.

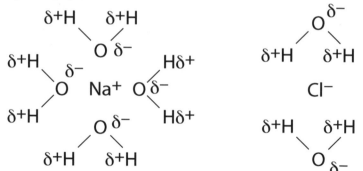

Mae moleciwl **polar** dŵr yn cynnwys atomau ocsigen $\delta-$ ac atomau hydrogen $\delta+$. Mae rhanbarthau ocsigen nifer o foleciwlau dŵr yn eu lleoli eu hunain o amgylch catïonau a'r rhanbarthau hydrogen o amgylch yr anïonau. Mae'r holl atyniadau hyn yn ddigon i dynnu'r ïonau o'r ddellten solet, ac felly mae'r halwyn yn hydoddi mewn dŵr.

Termau hydoddedd

Gallwn ni fynegi hydoddedd fel crynodiadau naill ai mewn gram/dm³ neu mewn môl/dm³ a gallwn ni fynegi hydoddedd mewn môl dm⁻³ = hydoddedd mewn g dm⁻³ wedi'i rannu â'r màs molar.

Hydoddiant dirlawn yw hydoddiant sydd â'r crynodiad mwyaf posibl o'r **hydoddyn** o dan yr amodau sy'n cael eu rhoi. Mae gwybod y gwir grynodiad yn rhan bwysig o bob proses gemegol.

Mae'n bosibl adennill halwynau hydawdd o hydoddiant dyfrllyd drwy, er enghraifft, anweddu dŵr o hydoddiant cynnes nes ei fod yn ddirlawn ac yna ei oeri i alluogi'r halwyn i grisialu allan.

1.5 Adeileddau solidau

Ïonig, cofalent a metelig

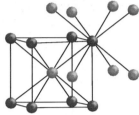

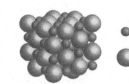

Na⁺

Cl⁻

Sylwch: mae anionau'n fwy na chationau, ac felly dim ond maint y cation sy'n rheoli'r rhif cyd-drefnol grisial.

Adeiledd CsCl   *NaCl*

Term Allweddol

Rhifau cyd-drefnol grisial yw nifer yr anionau o amgylch pob cation mewn dellten grisial ac fel arall.

Dylech chi *wybod* a gallu disgrifio adeileddau grisial ïonig NaCl a CsCl ac adeileddau cofalent diemwnt a graffit a gwybod bod ïodin yn ffurfio grisial moleciwlaidd; dylech chi wybod adeiledd ïodin ac adeiledd iâ yn fras.

Mewn halidau ïonig, mae ïonau sydd â gwefrau dirgroes yn pacio o amgylch ei gilydd mewn ffordd sy'n cynyddu'r egni bondio drwy fwyhau atyniad electrostatig a lleihau gwrthyriad. Felly mae pob cation yn cael ei amgylchynu gan chwech neu wyth o anionau ac fel arall. Mae'r nifer yn dibynnu ar faint cymharol y cloridau yn unig. Gall wyth anion clorid ffitio o amgylch yr ïon Cs⁺, sy'n fwy; lle i chwech yn unig sydd o amgylch yr ïon Na⁺, sy'n llai. Y **rhifau cyd-drefnol grisial** felly yw 8:8 mewn CsCl a 6:6 mewn NaCl.

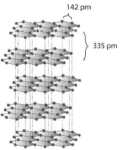

142 pm

335 pm

Yn achos diemwnt, dylech chi ddangos yr adeiledd cofalent tetrahedrol cryf a sut mae'n ffurfio adeiledd tri dimensiwn enfawr. Yn achos graffit, mae angen haenau o hecsagonau cofalent sy'n cael eu dal at ei gilydd gan rymoedd gwan.

Diemwnt (uchod)
Graffit (ar y dde)

Mewn ïodin solet, mae'n bwysig iawn gwahaniaethu rhwng y bondiau cofalent cryf sy'n dal atomau ïodin at ei gilydd yn y moleciwl I_2 a'r grymoedd rhyngfoleciwlaidd gwan sy'n dal yr unedau I_2 yn y grisial moleciwlaidd.

Metelau

Er nad oes angen i chi ddangos gwir adeileddau metelau, mae angen i chi ddeall y cysyniad cyffredinol bod atomau'r elfennau metelig i gyd yn rhoi un neu fwy o electronau gan ffurfio nwy neu fôr o electronau dadleoledig sy'n amgylchynu'r ïonau positif sydd wedi'u pacio at ei gilydd ac yn eu clymu drwy'r atyniad rhwng gwefrau dirgroes.

Gwella gradd

Er nad yw eich sgiliau celf yn bwysig wrth lunio'r adeileddau, mae'n rhaid i chi ddangos y gwefrau ar bob ïon ac mae'n rhaid i'r rhif cyd-drefnol grisial fod yn glir yn y diagramau.

Gwella gradd

Un camgymeriad sy'n digwydd yn aml yw peidio â nodi'n glir fod dau fath o fondio mewn ïodin solet; y bond cofalent eithaf cryf sy'n dal yr atomau I mewn I_2 a'r grymoedd van der Waals gwan sy'n dal yr unedau I_2 yn y grisial.

Gwella gradd

Does dim disgwyl i chi fod â gwybodaeth fanwl am adeileddau graffen neu nanotiwbiau carbon, ond bydd enghreifftiau diweddar o briodweddau a defnyddiau newydd sydd i'w gweld yn y llenyddiaeth neu ar lein yn helpu i wneud argraff dda ar yr arholwyr. Yn yr un modd, gallai enghreifftiau da o ddefnyddiau clyfar fod yn fuddiol.

» Cofiwch

Ychwanegwch at eich gwybodaeth gadarn o adeileddau NaCl, CsCl, diemwnt a graffit y ffaith bod dau fath o fond yn rheoli priodweddau ïodin a'r cysyniad ansoddol o fondio metelig. Yna bydd y priodweddau ffisegol cyffredinol yn cael eu rheoli gan y bondiau gwannaf yn y solidau a dargludedd trydanol gan yr angen i unrhyw wefrau – ïonau neu electronau – fod yn symudol. Dim ond mewn metelau mae electronau heb eu clymu wrth niwclysau, ac mae ïonau ond yn symudol pan fyddant yn dawdd, yn y cyflwr hylifol neu yn y cyflwr nwyol.

Gwella gradd

Byddwch yn glir sut mae priodweddau solidau'n gysylltiedig â'u hadeileddau moleciwlaidd a sicrhewch fod gennych chi enghreifftiau wrth law.

Carbon newydd, graffen, nanotiwbiau a *buckyballs*

Er nad ydyn nhw yn y fanyleb, mae ffurfiau newydd ar garbon yn denu llawer o sylw a gallai gwybod amdanyn nhw eich helpu i wella eich gradd. Haen unigol o graffit yw graffen, sydd â phriodweddau a phosibiliadau eithriadol; rholiau silindrog o graffen yw nanotiwbiau ac adeileddau C_{60}, siâp pêl-droed yw *buckyballs* (ffwleren Buckminster).

Adeiledd a phriodweddau ffisegol

Mae'n bwysig gallu esbonio priodweddau'r mathau uchod o solidau yn nhermau eu hadeileddau.

Fel arfer, mae'r adeileddau ïonig enfawr fel y cloridau'n galed a brau ac mae ganddyn nhw ymdoddbwynt uchel oherwydd y bondiau ïonig cryf. Nid ydyn nhw'n dargludo trydan yn y cyflwr solet oherwydd nad yw'r ïonau'n rhydd i symud yn y grisial, ond mae'r halwynau tawdd a'u hydoddiannau dyfrllyd yn dargludo gan fod yr ïonau erbyn hyn yn rhydd i symud pan fydd foltedd yn cael ei osod. Gall solidau ïonig fod yn hydawdd neu'n anhydawdd mewn dŵr, gan ddibynnu ar ffactorau egnïeg neu adweithiau cemegol, ond mae'r rhan fwyaf o'r cloridau ïonig yn hydawdd.

Mae ymdoddbwynt uchel iawn gan yr adeileddau cofalent enfawr, diemwnt a graffit, ac maen nhw'n anhydawdd mewn dŵr. Mae diemwnt yn galed iawn – mae pob atom carbon wedi'i fondio'n gofalent â phedwar arall, gan ffurfio adeiledd tri dimensiwn, ond mae'r adeiledd haenog gwannach mewn graffit yn ei wneud yn fwy meddal ac mae'n ddefnyddiol fel iraid. Hefyd, mae graffit yn dargludo trydan oherwydd dadleoliad electronau π ym mhlân y cylch; nid yw diemwnt ac ïodin yn dargludo trydan. Mae ïodin yn feddal ac anweddol gan mai dim ond grymoedd van der Waals gwan sy'n dal yr unedau I_2 at ei gilydd.

Nanotiwbiau carbon yw'r defnydd cryfaf a mwyaf anystwyth sy'n hysbys oherwydd eu hadeiledd haen graffen wedi'i rolio. Fel yn achos graffit, nid yw eu priodweddau yr un peth fel arfer mewn dimensiynau gwahanol oherwydd natur y bondio.

Mae dadleoliad electronau mewn metelau'n rhoi dargludedd trydanol a thermol da, ond mae eu tymereddau ymdoddi a'u caledwch yn cynyddu gyda nifer yr electronau o bob atom sy'n cymryd rhan yn y bondio, er enghraifft:

Metel	Na	Ca	V
nifer yr electronau sy'n bondio	1	2	5
tymheredd ymdoddi, °C	98	850	1900

Metel meddal yw sodiwm ac mae'n hawdd ei dorri â chyllell, ond mae fanadiwm yn galed iawn. Cofiwch fercwri hefyd – tymheredd ymdoddi minws 39 °C!

Yn ymarferol, mae priodweddau solid yn dibynnu nid yn unig ar y bondio ar y lefel atomig, ond hefyd ar y ffordd mae'r unedau'n cael eu dal at ei gilydd.

1.6 Y Tabl Cyfnodol

Adeiledd sylfaenol

Drwy ddeall tueddiadau cyffredinol mewn priodweddau a'u hymddygiad, rydym ni'n gallu rhagfynegi llawer o bethau. Mae cemeg yr elfennau'n cael ei reoli'n bennaf gan electronau allanol yr elfennau, ac felly mae trefnu elfennau mewn grwpiau yn ôl eu hadeiledd allanol yn symleiddio astudio eu hymddygiad.

Mae egni ïoneiddiad (EÏ) ac electronegatifedd (x) yn cynyddu'n lletraws ar draws y Tabl Cyfnodol (hynny yw ar draws cyfnod neu i fyny grŵp), er enghraifft, yr EÏ ar gyfer Cs yw 376 a'r EÏ ar gyfer F yw 1680 kJ.

Felly mae electronau'n cael eu colli'n rhwydd yn y bloc s, gan roi catïonau mewn cyfansoddion ïonig. Wrth gyrraedd y bloc p yng Ngrŵp 3, mae'r EÏ yn dod yn rhy fawr, ac felly mae rhannu electronau (cofalens) yn gyffredin; ond mae'r elfennau mwyaf electronegatif yng Ngrwpiau 6 a 7 yn gallu derbyn electronau gan ffurfio anionau mewn cyfansoddion ïonig.

Mae falens fel arfer yn cynyddu gyda rhif y grŵp hyd at uchafswm o bedwar ac yna'n disgyn (8 minws rhif y grŵp) i un yng Ngrŵp 7.

Mae'r elfennau fel arfer yn fetelau pan fydd yr EÏ yn isel (ar y chwith ac ar waelod y Tabl Cyfnodol a'r bloc d) ac yn anfetelau pan fydd yr EÏ yn uchel (ar yr ochr dde). Mae elfennau lled ddargludol, er enghraifft Si, rhwng y ddau ranbarth hyn.

Mae'r tueddiadau o ran tymheredd ymdoddi'n fwy cymhleth, gan ddibynnu ar fàs atomig, y math o adeiledd solid a'r math o fondio, ond maen nhw'n lleihau wrth fynd i lawr Grŵp 1, yn cynyddu wrth fynd i lawr Grŵp 7 ac yn cynyddu ar draws cyfnod hyd at grŵp 4 (C > 3500°C) ac yna'n disgyn yn sydyn wrth i elfennau ffurfio moleciwlau deuatomig sy'n cael eu bondio gan rymoedd rhyngfoleciwlaidd gwan.

	bloc s		bloc d	bloc p				
Grŵp	1	2	metelau trosiannol	3	4	5	6 7	8 nwy anadweithiol
Rhif ocsidiad	1	2					−2 −1	
Rhydocs	rhydwytho			ocsidio				
Ïonau	catïonau			anionau				
Ocsidau	basig			asidig				
Tymheredd ymdoddi (TY)	yn lleihau wrth fynd i lawr		yn cynyddu hyd at Grŵp 4	yn cynyddu wrth fynd i lawr				
Math o elfen	metelau			anfetelau				

Tueddiadau yn y Tabl Cyfnodol

≫ Cofiwch

Trowch hefyd at yr adrannau ar egnïon ïoneiddiad, adeileddau electronig a siapiau orbitalau.

cwestiwn cyflym

① Fyddwn ni ddim yn gweld dau o'r ïonau isod mewn cemeg arferol. Nodwch pa rai ydyn nhw a nodwch pam nad ydym ni'n eu gweld. Ca^{2+} B^{3+} C^{4+}.

cwestiwn cyflym

② Esboniwch pam mae egnïon ïoneiddiad yn cynyddu ar draws cyfnod ond yn lleihau i lawr grŵp.

Termau Allweddol

Mae **rhydwythydd** yn rhoi electron i rywogaeth arall, ac felly mae'n cael ei ocsidio drwy golli'r electron.

Mae **ocsidydd** yn tynnu electron oddi ar rywogaeth arall, ac felly mae'n cael ei rydwytho.

Rhydocs yw adwaith cemegol lle mae electron yn cael ei drosglwyddo o un rhywogaeth – y rhydwythydd – i rywogaeth arall, sy'n cael ei rydwytho drwy dderbyn yr electron.

Gwella gradd

Sylwch nad yw'r geiriau rhydocs ac ocsidiad o angenrheidrwydd yn ymwneud o gwbl ag ocsigen, dim ond â throsglwyddo electronau.

cwestiwn cyflym

③ a) Ysgrifennwch y rhifau ocsidiad ar gyfer y pedair rhywogaeth yn yr adwaith

$Na + \frac{1}{2}Cl_2 \rightarrow Na^+ + Cl^-$.

b) Pa un o'r canlynol sy'n rhoi cyflwr ocsidiad yr ïon clorid yn gywir?

1−, −1 0, I

c) Nodwch rifau ocsidiad yr elfennau yn y cyfansoddion canlynol: Na_2SO_4, NF_5, O_3, C_2H_6.

Rhydocs

Mae electronau'n cael eu colli neu eu hennill mewn llawer o adweithiau cemegol. Mae rhywogaeth yn cael ei **hocsidio** os yw'n colli electronau a'i **rhydwytho** os yw'n eu hennill. Gan nad yw electronau'n diflannu nac yn ymddangos o unman, mae electronau'n cael eu **trosglwyddo** yn yr holl adweithiau hyn, o'r rhywogaeth sy'n cael ei ocsidio i'r un sy'n cael ei rydwytho. Er enghraifft, yn yr adwaith

$Na + \frac{1}{2}Cl_2 \longrightarrow Na^+ + Cl^-$

mae'r Na yn cael ei ocsidio wrth golli electron ac mae'r Cl yn cael ei rydwytho wrth ennill electron.

Gall cofair Saesneg fod yn ddefnyddiol o'i ddefnyddio'n ofalus. Mae'r atom yn dweud 'OILRIG,' sef *Oxidised I lose electrons, reduced I gain electrons*. Mae'n hawdd iawn drysu.

Rhifau (cyflyrau) ocsidiad

Dyma system gyfrifo ddefnyddiol ar gyfer **rhydocs** gyda rheolau syml:

1 Rhif ocsidiad pob elfen yw sero.

2 Rhif ocsidiad hydrogen mewn cyfansoddion yw +1 neu I, fel arfer.

3 Ocsigen yw −2 neu −II, fel arfer.

4 Elfennau Grŵp 1 mewn cyfansoddion yw I ac elfennau Grŵp 2 yw II.

5 Elfennau grŵp 6 mewn cyfansoddion yw −II ac elfennau Grŵp 7 yw −I.

6 Mae elfen sy'n bondio â hi ei hun yn dal yn 0.

7 Mae'n rhaid i rifau ocsidiad yr elfennau mewn cyfansoddyn adio i sero ac i rifau ocsidiad yr elfennau mewn ïon adio i'r wefr ar yr ïon.

PWYSIG

Nid yw'r rhif ocsidiad yn awgrymu gwefr o reidrwydd. Er enghraifft, mewn MnO_4^-, y rhifau ocsidiad yw Mn (+7) O_4 (−2 × 4) gan roi gwefr gyffredinol o finws 1. **Nid** oes gwefr o 7+ ar y Mn.

Sylwch ar y camgymeriad cyffredin sy'n cael ei ddisgrifio yn y nodyn Gwella gradd.

ychwanegol

Enrhifwch rifau ocsidiad yr atomau a nodir yn y cyfansoddion canlynol:

a) H mewn H_2,

b) Cr mewn K_2CrO_4 ac mewn $K_2Cr_2O_7$,

c) S mewn $Na_2S_2O_3$ ac mewn $Na_2S_4O_6$,

ch) y ddau atom S yn yr ïon thiosylffad, sydd â'r adeiledd $S-SO_3^{2-}$.

Tueddiadau ym mhriodweddau elfennau bloc s Grwpiau 1 a 2

Elfennau bloc s

Metelau electropositif (electronegatifedd isel) adweithiol yw'r elfennau hyn i gyd. Maen nhw'n ffurfio catïonau â rhifau ocsidiad +1/I ar gyfer elfennau Grŵp 1, a +2/II ar gyfer Grŵp 2.

Maen nhw'n ffurfio ocsidau gydag ocsigen/aer, er enghraifft:

$$Ca^+ \ \tfrac{1}{2}O_2 \longrightarrow CaO.$$

Maen nhw'n rhyddhau hydrogen gyda dŵr gan ffurfio ocsid neu hydrocsid:

$$Na + H_2O \longrightarrow NaOH + \tfrac{1}{2}H_2.$$

Mae adwaith elfennau Grŵp 2 ag asidau'n debyg, heblaw am y ffaith bod halwyn yn cael ei ffurfio, er enghraifft $Mg + 2HCl \longrightarrow MgCl_2 + H_2$. Mae'r elfennau yn y ddau grŵp yn dangos eu hadwaith nodweddiadol fel rhydwythyddion, gan roi electron(au) i rydwytho'r asid neu'r dŵr i hydrogen a chael eu hocsidio eu hunain.

$$Mg \ + \ 2HCl \longrightarrow Mg^{2+} \ + \ H_2 \ + \ 2Cl^-$$

Rhif ocsidiad   0   2(+1)(−1)   +2   0   2(−1)

Ym mhob achos, mae adweithedd yn cynyddu i lawr y grŵp ac mae elfennau Grŵp 1 yn fwy adweithiol na Grŵp 2. Mae lithiwm yn adweithio'n araf â dŵr, ond mae potasiwm yn ffyrnig; mae magnesiwm yn adweithio'n araf, ond mae bariwm yn gyflymach. Mae pob metel bloc s yn adweithio'n rymus ag asidau, yn adweithio ag ocsigen ac yn llosgi mewn aer, ond mae cesiwm, ar y llaw arall, yn llosgi'n ddigymell.

Mae'r ocsidau a'r hydrocsidau i gyd yn fasig; hynny yw maen nhw'n adweithio ag asidau gan roi halwynau, er enghraifft $CaO + 2HCl \longrightarrow CaCl_2 + H_2O$.

Cofiwch mai fformiwlâu hydrocsidau elfennau Grŵp 2 yw $M(OH)_2$, gan fod rhif ocsidiad (OH) yn −1, hynny yw $[O(-2)H(+1)]^{-1}$.

Mae halwynau Grŵp 1 i gyd yn hydawdd, ond mae adweithiau ïonau Grŵp 2 ag OH^-, CO_3^{2-} ac SO_4^{2-} yn rhoi amrediad o ganlyniadau; mae'n rhaid i chi wybod y rhain. Mae $Mg(OH)_2$ yn anhydawdd mewn dŵr, ond mae hydoddedd yn cynyddu i *lawr* y grŵp. Mae $BaSO_4$ yn anhydawdd, ac mae hydoddedd yn cynyddu i *fyny'r* grŵp; mae'r gwahaniaethau hyn yn ffactorau o gannoedd. Mae'r holl garbonadau Grŵp 2 yn anhydawdd ac mae eu nitradau'n hydawdd.

Lliwiau fflam: mae'r holl elfennau cyffredin yng Ngrwpiau 1 a 2 heblaw Mg yn dangos lliwiau fflam nodweddiadol y mae angen i chi eu *gwybod*; mae'r rhain yn ddefnyddiol mewn dadansoddi ansoddol.

Dylech chi wybod bod calsiwm carbonad yn bwysig iawn mewn systemau byw, a hefyd mewn systemau anorganig, a bod mwynau calsiwm ffosffad yn bwysig mewn esgyrn byw a sgerbydau. Mae ïonau calsiwm a magnesiwm yn chwarae rhan allweddol ym miocemeg systemau byw – cloroffyl, gweithio'r cyhyrau, ac ati, ac mae llawer iawn o garbonadau mewn creigiau – sialc, calchfaen, dolomit.

» Cofiwch

Bydd dealltwriaeth drylwyr o'r cysyniadau a'r tueddiadau yn 1.6 yn gwneud y gwaith hwn yn haws o lawer.

Gwella gradd

Gwnewch yn siŵr eich bod yn ysgrifennu fformiwlâu cywir ar gyfer cyfansoddion Grwpiau 1 a 2, er enghraifft KOH, $Mg(OH)_2$, Na_2SO_4, $CaCO_3$ – mae camgymeriadau'n edrych yn wael.

cwestiwn cyflym

a) Cyfatebwch y lliwiau isod â'r elfen gywir.

Lliw: melyn, coch lliw bricsen, gwyrdd lliw afal, lelog

Elfen: Ba, Ca, K, Na

b) Ar gyfer pa gyfansoddion elfennau Grŵp 2 mae hydoddedd mewn dŵr:

(i) yn cynyddu

(ii) yn lleihau i lawr y grŵp?

Term Allweddol

Elfen electronegatif yw elfen ag affinedd cryf am electron ac sydd felly'n gweithio fel ocsidydd.

Yr halogenau

Mae'r **elfennau electronegatif** adweithiol hyn fel arfer yn ffurfio anionau â chyflwr ocsidiad −1, ac felly ocsidiad yw'r adwaith arferol, er enghraifft

$$Na(0) + \tfrac{1}{2}Cl_2(0) = Na^+(+I) + Cl^-(-I)$$

gyda'r Na yn cael ei ocsidio, a'r clorin, wrth ocsidio, yn cael ei rydwytho o 0 i −1.

Mae'r duedd i ffurfio anionau'n lleihau wrth fynd i lawr y grŵp o fflworin i ïodin a fflworin yw'r elfen fwyaf electronegatif.

Mae tymereddau ymdoddi'r elfennau'n cynyddu wrth fynd i lawr y grŵp o fflworin, sy'n nwy, i ïodin, sy'n solid, oherwydd y grymoedd rhyngfoleciwlaidd cynyddol sy'n dal yr elfennau deuatomig at ei gilydd mewn hylif neu solid. Mae'r tymereddau'n cynyddu oherwydd y nifer cynyddol o electronau yn y moleciwlau, sy'n cyfrannu at y grym rhyngfoleciwlaidd deupol anwythol– deupol anwythol. Am yr un rheswm, mae anweddolrwydd yn lleihau wrth fynd i lawr y grŵp.

Mae'r halogenau'n adweithio â'r rhan fwyaf o'r metelau gan ffurfio halidau, ac mae'r adweithedd yn lleihau wrth fynd i lawr y grŵp o fflworin i ïodin. Rydym ni'n gweld patrwm tebyg mewn adweithiau dadleoli lle mae halogen, sy'n uwch yn y grŵp, yn dadleoli un sy'n is yn y grŵp o halwyn, er enghraifft

$$Cl_2 + 2NaBr = Br_2 + 2NaCl$$

Yn y bôn, mae hyn yn adlewyrchu'r lleihad mewn grym ocsidio wrth fynd i lawr y grŵp, lle mae clorin yn ocsidio'r ïon bromid gan ffurfio bromin a hefyd yn cael ei rydwytho gan ffurfio clorid

$$Cl_2(0) + 2Br^-(-I) \longrightarrow 2Cl^-(-I) + Br_2(0)$$

Mae adwaith ïonau halid ag ïonau arian mewn asid nitrig gwanedig yn bwysig i ddadansoddwyr ansoddol mewn cemeg organig ac anorganig. Yr adwaith cyffredinol yw

$$Ag^+(d) + X^-(d) \longrightarrow AgX(s)$$

Lliwiau'r gwaddodion yw gwyn (clorid), hufen golau (bromid) a melyn golau (ïodid). Dim ond arian clorid sy'n hydoddi mewn amonia gwanedig. Mae hyn yn cynnig ffordd syml o ddarganfod pa halogen sy'n bresennol.

Gwella gradd

Dylech chi allu esbonio'n glir pam mae clorin yn dadleoli bromin o fromidau a bromin yn dadleoli ïodin o ïodidau o safbwynt y lleihad mewn pŵer ocsidio wrth fynd i lawr y grŵp.

cwestiwn cyflym

⑤ Ysgrifennwch hafaliad cytbwys sy'n rhoi cyflyrau ocsidiad ar gyfer adwaith clorin â hydoddiant o KBr.

Defnyddio clorin a fflworin i drin dŵr

Bydd dŵr yn cael ei drin â nwy clorin i'w wneud yn ddiogel i'w yfed drwy ladd bacteria sy'n achosi teiffoid a cholera.

Bydd fflworid yn cael ei ychwanegu at bast dannedd ac weithiau at ddŵr ar ffurf sodiwm fflworid neu fflworosilicad er mwyn atal pydredd dannedd a chryfhau esgyrn i leihau osteoporosis.

Mae'r ecwilibriwm canlynol yn cael ei sefydlu gyda chlorin mewn dŵr:

$$Cl_2 + H_2O \longrightarrow HOCl + HCl$$

Mae cwestiynau moesegol yn codi am ychwanegu cemegion fel hyn at gyflenwadau dŵr cyhoeddus, ond mae'r effeithiau'n ymddangos yn fuddiol ar y cyfan ar grynodiadau isel.

1.7 Ecwilibria syml ac adweithiau asid–bas

Adweithiau cildroadwy ac ecwilibriwm dynamig

Ni fydd pob adwaith cemegol yn mynd ymlaen nes ei fod wedi'i gwblhau, hynny yw nes bydd yr holl adweithyddion wedi newid gan ffurfio cynhyrchion. Nid yn unig mae adweithiau'n mynd ymlaen, mae rhai hefyd yn mynd yn ôl, ac mae cynhyrchion yn newid yn ôl gan ffurfio'r adweithyddion. Yr enw ar adweithiau fel hyn yw adweithiau **cildroadwy** ac mae'r arwydd ⇌ yn eu nodi.

Rydym ni'n defnyddio'r term ecwilibriwm i ddangos y cydbwysedd rhwng y blaenadwaith a'r ôl-adwaith. Ar ecwilibriwm, allwn ni ddim gweld unrhyw newid, ond mae'r system yn symud drwy'r amser. Cyn gynted ag y mae'r adweithyddion yn cael eu trawsnewid yn gynhyrchion, mae'r cynhyrchion yn cael eu trawsnewid yn ôl yn adweithyddion. Allwn ni ddim gweld unrhyw newidiadau ar raddfa facro (er enghraifft, mae crynodiadau'r adweithyddion a'r cynhyrchion yn gyson), ond mae'r adweithiau'n parhau ar raddfa foleciwlaidd. Yr enw ar hyn yw **ecwilibriwm dynamig**.

Egwyddor Le Chatelier

Dim ond tra bydd y system yn gaeedig y mae ecwilibriwm yn parhau. Mewn system gaeedig, does dim defnyddiau'n cael eu hychwanegu na'u tynnu, nac unrhyw amodau allanol yn cael eu newid.

Yr enw ar gymhareb y cynhyrchion i'r adweithyddion mewn cymysgedd ecwilibriwm yw'r **safle ecwilibriwm**.

Gallwn ni newid y safle ecwilibriwm drwy newid:

- crynodiad yr adweithyddion neu'r cynhyrchion
- gwasgedd mewn adweithiau nwyol
- tymheredd.

Nid yw catalydd yn effeithio ar y safle ecwilibriwm ond bydd y system yn cyrraedd ecwilibriwm yn gyflymach.

Gallwn ni ragfynegi effaith newid drwy ddefnyddio **egwyddor Le Chatelier**.

Termau Allweddol

Ecwilibriwm dynamig yw'r sefyllfa pan fydd y blaenadwaith a'r ôl-adwaith yn digwydd ar yr un gyfradd.

Mae **egwyddor Le Chatelier** yn nodi os bydd newid yn cael ei wneud i system sydd ar ecwilibriwm, yna bydd yr ecwilibriwm yn tueddu i symud i'r cyfeiriad sy'n lleihau effaith y newid hwnnw.

≫ *Cofiwch*

Adwaith cildroadwy yw un sy'n gallu mynd i un cyfeiriad neu'r llall, gan ddibynnu ar yr amodau.

≫ *Cofiwch*

Safle ecwilibriwm yw cymhareb y cynhyrchion i'r adweithyddion mewn cymysgedd ecwilibriwm.

cwestiwn cyflym

① Esboniwch y term 'ecwilibriwm dynamig' ar gyfer system gemegol.

Cofiwch

Os bydd cwestiwn yn gofyn beth byddech chi'n ei weld pan fydd newid mewn amodau'n effeithio ar ecwilibriwm, bydd disgwyl i chi ddefnyddio'r wybodaeth sy'n cael ei rhoi a nodi unrhyw newidiadau lliw a fyddai'n digwydd.

Gwella gradd

Os bydd crynodiad adweithydd yn cael ei gynyddu, bydd y safle ecwilibriwm yn symud i'r dde gan ffurfio mwy o gynhyrchion.

Mae cynyddu'r gwasgedd yn symud y safle ecwilibriwm i ba ochr bynnag o'r hafaliad sydd â'r nifer lleiaf o foleciwlau nwy.

Mae cynyddu'r tymheredd yn symud y safle ecwilibriwm i'r cyfeiriad endothermig.

cwestiwn cyflym

② Nodwch beth byddech chi'n ei weld wrth gynyddu: a) y gwasgedd, b) y tymheredd ar gyfer y system ecwilibriwm ganlynol:

$2NO_2(n) \rightleftharpoons N_2O_4(n)$.
brown   di-liw
$\Delta H = -24$ kJ môl^{-1}
Esboniwch eich ateb.

Effaith newid crynodiad

Ystyriwch yr ecwilibriwm:

$$2CrO_4^{2-}(d) + 2H^+(d) \rightleftharpoons Cr_2O_7^{2-}(d) + H_2O(h)$$

melyn   oren

Mae ychwanegu rhagor o asid yn cynyddu crynodiad yr ïonau H$^+$, ac felly bydd y system yn ceisio lleihau'r effaith hon drwy leihau crynodiad yr ïonau H$^+$, a bydd y safle ecwilibriwm yn symud tuag at yr ochr dde, gan ffurfio mwy o gynhyrchion (a'r lliw'n newid o felyn i oren).

Os bydd alcali yn cael ei ychwanegu nawr, bydd crynodiad yr ïonau H$^+$ yn lleihau, bydd yr ecwilibriwm yn symud i'r chwith a bydd y lliw'n newid yn ôl yn felyn.

Effaith newid gwasgedd

Does gan wasgedd braidd dim effaith ar gemeg solidau a hylifau. Ond, mae'n cael effaith fawr ar gemeg nwyon sy'n adweithio.

Mae gwasgedd nwy'n dibynnu ar nifer y moleciwlau mewn cyfaint penodol o nwy. Y mwyaf yw nifer y moleciwlau, y mwyaf yw nifer y gwrthdrawiadau mewn uned o amser, ac felly y mwyaf yw gwasgedd y nwy.

Ystyriwch yr ecwilibriwm:

$$N_2(n) + 3H_2(n) \rightleftharpoons 2NH_3(n) \quad \Delta H = -92 \text{ kJ môl}^{-1}$$

Mae cyfanswm o 4 môl o nwy ar yr ochr chwith a 2 fôl o nwy ar yr ochr dde. Felly, yr ochr chwith yw'r ochr sydd â'r gwasgedd uchaf.

Os bydd cyfanswm y gwasgedd yn cael ei gynyddu, bydd yr ecwilibriwm yn symud i leihau'r cynnydd hwn. Bydd y gwasgedd yn lleihau os bydd y system ecwilibriwm yn cynnwys llai o foleciwlau nwy. Felly bydd y safle ecwilibriwm yn symud i'r dde (o 4 môl i 2 fôl) gan gynyddu cynnyrch yr amonia.

Mae lleihau'r gwasgedd yn symud y safle ecwilibriwm i'r chwith, gan leihau cynnyrch yr amonia.

Effaith newid tymheredd

Mae adwaith endothermig yn amsugno gwres o'r amgylchedd ond mae adwaith ecsothermig yn rhyddhau gwres i'r amgylchedd. Yn achos adwaith cildroadwy, os yw'r blaenadwaith yn ecsothermig, mae'r ôl-adwaith yn endothermig, ac fel arall.

Ystyriwch yr ecwilibriwm eto:

$$N_2(n) + 3H_2(n) \rightleftharpoons 2NH_3(n) \qquad \Delta H = -92 \text{ kJ môl}^{-1}$$

Gan fod y newid enthalpi'n negatif, mae'r blaenadwaith yn ecsothermig (ac mae'r ôl-adwaith yn endothermig). Os bydd y tymheredd yn cael ei gynyddu, bydd y system yn ceisio lleihau'r cynnydd hwn. Mae'r system yn gwrthsefyll y newid drwy gymryd gwres i mewn, ac felly bydd y safle ecwilibriwm yn symud i'r cyfeiriad endothermig. Felly mae'r ecwilibriwm yn symud i'r chwith, gan leihau cynnyrch yr NH_3.

Yn yr un modd, mae lleihau'r tymheredd yn symud yr ecwilibriwm i'r dde, gan ffafrio'r cyfeiriad ecsothermig a chynyddu cynnyrch yr NH_3.

Cysonyn ecwilibriwm

Mae'n bosibl disgrifio'n fanwl y safle ecwilibriwm mewn adwaith cildroadwy drwy gyfuno'r crynodiadau ar ecwilibriwm i roi gwerth ar gyfer **cysonyn ecwilibriwm**. Ei symbol yw K_c, lle mae'r $_c$, sy'n cael ei ysgrifennu fel is-nod, yn dangos ei fod yn gymhareb o grynodiadau.

Yn gyffredinol ar gyfer ecwilibriwm: $aA + bB \rightleftharpoons cC + dD$

$$K_c = \frac{[C]^c[D]^d}{[A]^a[B]^b}$$ lle crynodiad C ar ecwilibriwm yw [C], mewn môl dm⁻³.

Sylwch:

- Rhoddir y cynhyrchion yn y rhifiadur (llinell uchaf), a'r adweithyddion yn yr enwadur (llinell isaf).
- Mae'r crynodiadau'n cael eu codi i bwerau sy'n cyfateb i'r gymhareb folar yn yr hafaliad.
- Gall uned K_c amrywio; mae'n dibynnu ar yr ecwilibriwm.

Ar gyfer yr ecwilibriwm:

$$CO(n) + H_2O(n) \rightleftharpoons CO_2(n) + H_2(n)$$

$$K_c = \frac{[CO_2][H_2]}{[CO][H_2O]}$$

a'r unedau yw: $\dfrac{môl\ dm^{-3} \times môl\ dm^{-3}}{môl\ dm^{-3} \times môl\ dm^{-3}}$

Felly mae'r unedau'n 'canslo' a does gan K_c ddim unedau.

Gallwn ni gyfrifo gwerthoedd ar gyfer y cysonyn ecwilibriwm neu'r crynodiadau ecwilibriwm o ddata addas.

Enghraifft

Ar gyfer y system:

$$2SO_2(n) + O_2(n) \rightleftharpoons 2SO_3(n)$$

Roedd y cymysgedd ecwilibriwm ar dymheredd arbennig yn cynnwys y crynodiadau canlynol:

$[SO_2] = 2.75 \times 10^{-3}$ môl dm⁻³ $[O_2] = 4.00 \times 10^{-3}$ môl dm⁻³ $[SO_3] = 3.25 \times 10^{-3}$ môl dm⁻³.

Cyfrifwch werth y cysonyn ecwilibriwm, K_c, ar y tymheredd hwn.

$$K_c = \frac{[SO_3]^2}{[SO_2]^2[O_2]} = \frac{(3.25 \times 10^{-3})^2}{(2.75 \times 10^{-3})^2(4.00 \times 10^{-3})}$$

$$K_c = 3.49\ dm^3\ môl^{-1}$$

Os oes angen darganfod crynodiad SO_2, y cyfan sydd angen ei wneud yw ad-drefnu'r mynegiad ar gyfer K_c.

$$K_c = \frac{[SO_3]^2}{[SO_2]^2[O_2]}$$

$$[SO_2]^2 = \frac{[SO_3]^2}{K_c[O_2]}$$

$$[SO_2] = \sqrt{\frac{[SO_3]^2}{K_c[O_2]}}$$

Gwella gradd

Cofiwch fod gwerth K_c yn gyson ar gyfer adwaith ecwilibriwm penodol ar dymheredd cyson. Felly dim ond newid yn y tymheredd sy'n gallu newid gwerth K_c.

cwestiwn cyflym

③ Ar gyfer yr adwaith $N_2(n) + 3H_2(n) \rightleftharpoons 2NH_3(n)$, ysgrifennwch fynegiad ar gyfer y cysonyn ecwilibriwm, K_c, gan roi ei unedau.

cwestiwn cyflym

④ Ar gyfer yr ecwilibriwm: $PCl_5(n) \rightleftharpoons PCl_3(n) + Cl_2(n)$, ar dymheredd arbennig, roedd crynodiadau ecwilibriwm PCl_3 a Cl_2 fel ei gilydd yn 0.0162 môl dm⁻³. Gwerth y cysonyn ecwilibriwm, K_c, ar y tymheredd hwnnw yw 0.0108 môl dm⁻³. Cyfrifwch grynodiad ecwilibriwm PCl_5.

Termau Allweddol

Asid yw cyfrannydd protonau (H^+).

Bas yw derbynnydd protonau (H^+).

Asid cryf yw asid sy'n daduno'n llwyr mewn hydoddiant dyfrllyd.

Asid gwan yw asid sy'n daduno'n rhannol mewn hydoddiant dyfrllyd.

≫ Cofiwch

Cloridau yw halwynau HCl (Cl^-).
Sylffadau yw halwynau H_2SO_4 (SO_4^{2-}).
Nitradau yw halwynau HNO_3 (NO_3^-).

cwestiwn cyflym

⑤ Ysgrifennwch hafaliad ar gyfer yr adwaith rhwng:
   a) magnesiwm ocsid ac asid sylffwrig
   b) calsiwm carbonad ac asid nitrig.

cwestiwn cyflym

⑥ Nodwch yn glir y gwahaniaeth rhwng asid gwan ac asid gwanedig.

Asidau a basau

Mae pob **asid** yn cynnwys yr ïon hydrogen, H^+. Pan fydd asid yn cael ei ychwanegu at ddŵr, mae'r asid yn rhyddhau ïonau H^+ i'r hydoddiant, e.e.

$$HCl(n) \longrightarrow H^+(d) + Cl^-(d)$$

(Mewn gwirionedd, mae'r ïon H^+ yn bondio â moleciwl dŵr gan ffurfio'r ïon H_3O^+.)

Cyfansoddyn yw **bas** sy'n derbyn ïonau H^+ o asid, e.e.

$$NH_3(d) + H^+(d) \longrightarrow NH_4^+(d)$$

Os bydd bas yn hydoddi mewn dŵr, rydym ni'n ei alw'n alcali. Pan fydd alcali yn cael ei ychwanegu at ddŵr, mae'n rhyddhau ïonau OH^- i'r hydoddiant, er enghraifft

$$NaOH(s) \longrightarrow Na^+(d) + OH^-(d)$$

Mae asidau'n adweithio â basau, alcalïau a charbonadau gan ffurfio halwynau, er enghraifft

$$HCl + NaOH \longrightarrow NaCl + H_2O$$

neu $\quad H^+ + OH^- \longrightarrow H_2O$

$$H_2SO_4 + Na_2CO_3 \longrightarrow Na_2SO_4 + H_2O + CO_2$$

Asidau cryf a gwan

Gan fod asidau'n cyfrannu ïonau H^+ mewn hydoddiant dyfrllyd, y mwyaf rhwydd y gall asid gyfrannu H^+, y cryfaf yw'r asid.

Yr hafaliad cyffredinol ar gyfer daduniad asid yw:

$$HA(d) \rightleftharpoons H^+(d) + A^-(d) \qquad \text{(anion yw } A^-\text{)}$$

Ar gyfer HCl, mae'r ecwilibriwm yn gorwedd yn bell i'r ochr dde, ac felly rydym ni'n ysgrifennu'r hafaliad:

$$HCl(d) \longrightarrow H^+(d) + Cl^-(d)$$

Mae'r asid wedi daduno neu wedi'i ïoneiddio'n llwyr ac rydym ni'n ei ddisgrifio fel **asid cryf**.

Mae llawer o asidau ymhell o fod wedi daduno'n llwyr mewn hydoddiant dyfrllyd ac rydym ni'n disgrifio'r rhain fel **asidau gwan**. Er enghraifft, ar gyfer asid ethanöig, mae'r ecwilibriwm

$$CH_3CO_2H(d) \rightleftharpoons CH_3CO_2^-(d) + H^+(d)$$

yn gorwedd ar y chwith. Yn wir, dim ond rhyw bedwar o bob mil o foleciwlau asid ethanöig sydd wedi daduno'n ïonau.

Mae'r geiriau cryf a gwan yn cyfeirio at faint o ddaduniad sydd yn unig, ac nid at eu crynodiad. Mae **asid crynodedig** yn cynnwys llawer o asid ac ychydig o ddŵr. Mae **asid gwanedig** yn cynnwys llawer o ddŵr.

Yn yr un modd, mae'n bosibl dosbarthu basau'n rhai cryf a gwan. Mae NaOH yn enghraifft o fas cryf ac mae NH_3 yn enghraifft o fas gwan.

Graddfa pH

Mae asidedd hydoddiant yn fesur o grynodiad ïonau hydrogen dyfrllyd, H^+. Ond, mae'r crynodiadau hyn yn fach iawn ac yn amrywio dros ystod eang (rhwng 1 a 0.00000000000001 môl dm^{-3}.)

Mabwysiadodd Sorensen, cemegydd o Ddenmarc, raddfa logarithmig i oresgyn y broblem hon a'i galw'n raddfa pH. Diffiniodd pH fel hyn:

$$pH = -\log_{10}[H^+]$$ lle $[H^+]$ yw crynodiad yr ïonau H^+ mewn môl dm^{-3}.

Mae'r arwydd negatif yn yr hafaliad oherwydd bod pH yn lleihau wrth i grynodiad yr ïonau hydrogen dyfrllyd gynyddu. Os yw crynodiad yr ïonau H^+ yn fwy na 10^{-7} môl dm^{-3}, mae'r pH yn llai na 7.

Rydym ni'n gallu defnyddio'r raddfa pH i fynegi asidedd unrhyw hydoddiant fel rhif syml mwy cyfleus, yn yr ystod 0 i 14. Mae hyn yn fwy cyfleus o lawer i'r cyhoedd wrth iddyn nhw ymwneud â chysyniadau o asidedd.

Lliw dangosydd cyffredinol							
	coch	oren	melyn	gwyrdd	gwyrddlas	glas	glas tywyll	porffor
pH	0–2	3–4	5–6	7	8	9–10	11–12	13–14
	asidau yw'r rhain i gyd			niwtral	alcalïau yw'r rhain i gyd			
	y cryfa yw'r asid, yr isaf yw'r pH				y cryfa yw'r alcali, yr uchaf yw'r pH			

Mae'n bosibl cyfrifo gwerthoedd pH o werthoedd $[H^+]$ ac fel arall.

Enghreifftiau

Cyfrifwch pH hydoddiant asid hydroclorig â chrynodiad 0.020 môl dm^{-3}.

Gan fod asid hydroclorig yn asid cryf, mae wedi daduno'n llwyr, ac felly os yw crynodiad HCl yn 0.020 môl dm^{-3}, yna $[H^+] = 0.020$ môl dm^{-3}.

$$pH = -\log[H^+] = -\log 0.020 = 1.70$$

pH hydoddiant asid hydroclorig yw 3.6. Cyfrifwch grynodiad yr ïonau hydrogen dyfrllyd yn yr hydoddiant.

$$3.6 = -\log[H^+]$$
$$[H^+] = 10^{-3.6} = 2.5 \times 10^{-4} \text{ môl dm}^{-3}$$

Term Allweddol

$pH = -\log_{10}[H+]$

Gwella gradd

Y mwyaf yw crynodiad yr ïonau H^+, y lleiaf yw'r pH a'r cryfaf yw'r asid.

cwestiwn cyflym

⑦ Mae asid nitrig yn asid cryf. Cyfrifwch

a) pH hydoddiant asid nitrig â chrynodiad 0.005 môl dm^{-3}

b) crynodiad yr ïonau hydrogen mewn hydoddiant sydd â pH 1.3.

Term Allweddol

Hydoddiant safonol yw un mae ei grynodiad yn hysbys yn fanwl gywir.

Paratoi hydoddiant safonol

≫ Cofiwch

I baratoi hydoddiant safonol: Defnyddiwch y botwm gweili (*tare button*) ar y glorian i osod y raddfa ar sero. Wrth roi solid yn y botel bwyso, tynnwch y botel oddi ar y glorian ac yna ychwanegwch y solid, gan wirio'r màs nes bod y swm cywir wedi'i ychwanegu. Mae hyn yn atal cyfeiliornad sy'n digwydd o ganlyniad i golli solid ar y glorian.

cwestiwn cyflym

⑧ Rhowch ddau reswm pam mae sodiwm hydrocsid yn anaddas fel safonyn cynradd ar gyfer paratoi hydoddiant safonol.

Titradiadau asid–bas

Math o ddadansoddiad foliwmetrig yw titradiad asid–bas lle mae cyfaint un hydoddiant, er enghraifft asid, sy'n adweithio'n union â chyfaint hysbys o hydoddiant arall, er enghraifft bas, yn cael ei fesur. Rydym ni'n mesur yr union bwynt niwtraliad drwy ddefnyddio dangosydd. Mae'n rhaid i un o'r hydoddiannau hyn fod yn **hydoddiant safonol** (hynny yw, mae ei union grynodiad yn hysbys), neu mae'n rhaid iddo fod wedi'i safoni gennym ni.

Yn y dadansoddiad, rydych chi'n defnyddio'r hydoddiant safonol i ddarganfod gwybodaeth am y sylwedd sydd wedi'i hydoddi yn yr hydoddiant arall.

Paratoi hydoddiant safonol

Rydym ni'n paratoi hydoddiant safonol gan ddefnyddio safonyn cynradd, sydd fel arfer yn adweithydd y mae'n bosibl ei bwyso'n rhwydd ac sydd mor bur fel bod ei fàs yn dangos yn fanwl gywir nifer y molau o'r sylwedd sydd yno. Mae nodweddion safonyn cynradd yn cynnwys:

1 puredd uchel
2 sefydlogrwydd (adweithedd isel)
3 hygrosgopedd isel (i leihau newidiadau mewn màs oherwydd lleithder)
4 màs molar uchel (i leihau cyfeiliornad pwyso).

Rydym ni'n paratoi hydoddiant safonol o solid fel hyn:

- Cyfrifwch fàs y solid sydd ei angen a phwyso'r swm hwn yn fanwl gywir i botel bwyso.
- Rhowch y *cyfan* o'r solid mewn bicer. Golchwch y botel bwyso fel bod unrhyw solid sy'n weddill yn rhedeg i'r bicer. Ychwanegwch ddŵr a'i droi nes i'r holl solid hydoddi.
- Arllwyswch yr holl hydoddiant yn ofalus drwy dwndis i fflasg safonol (raddedig), gan olchi'r holl hydoddiant allan o'r bicer a'r rhoden wydr. Ychwanegwch ddŵr nes ei fod ychydig o dan y graddnod.
- Ychwanegwch ddŵr fesul diferyn nes cyrraedd y graddnod a chymysgwch yr hydoddiant yn drwyadl.

Perfformio titradiad

Mae pob titradiad yn dilyn yr un dull cyffredinol:

- Arllwyswch un hydoddiant, er enghraifft asid, i fwred, gan ddefnyddio twndis a gwnewch yn siŵr bod y jet wedi cael ei llenwi. Tynnwch y twndis a darllenwch y fwred.
- Defnyddiwch bibed i ychwanegu cyfaint mesuredig o'r hydoddiant arall, er enghraifft bas, i fflasg gonigol.
- Ychwanegwch ychydig ddiferion o ddangosydd at yr hydoddiant yn y fflasg.
- Rhowch yr asid o'r fwred i mewn i'r hydoddiant yn y fflasg gonigol, gan chwyrlïo'r fflasg.
- Stopiwch pan fydd y dangosydd yn newid lliw (sef diweddbwynt y titradiad).
- Darllenwch y fwred eto a thynnwch y gwerth hwn o'r darlleniad gwreiddiol er mwyn darganfod cyfaint yr asid a gafodd ei ddefnyddio (yr enw ar hyn yw'r titr).
- Gwnewch y titradiad eto, gan wneud yn siŵr eich bod yn ychwanegu'r asid fesul diferyn wrth agosáu at y diweddbwynt, nes bod gennych chi o leiaf dau ddarlleniad sydd o fewn 0.20 cm³ i'w gilydd a chyfrifwch ditr cymedrig.

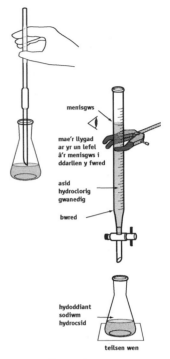

menisgws

mae'r llygad ar yr un lefel â'r menisgws i ddarllen y fwred

asid hydroclorig gwanedig

bwred

hydoddiant sodiwm hydrocsid

teilsen wen

Perfformio titradiad

Gwaith ymarferol penodol

Mae gwaith ymarferol yn rhan annatod o gemeg. Er nad oes marciau ar gael ar gyfer gwaith yn y labordy fel y cyfryw, mae'r fanyleb yn rhestru'r math o waith ymarferol uniongyrchol sydd i'w wneud, a bydd cwestiynau'n cael eu gosod ar y gwaith hwn yn yr arholiad. Mae pedair tasg ymarferol yn y testun hwn.

Safoni hydoddiant asid

Mae hyn yn digwydd mewn dau gam. Yn gyntaf, paratowch hydoddiant safonol gan ddilyn y disgrifiad ar y dudalen flaenorol, ac yna gwnewch ditradiad gan ddilyn y disgrifiad uchod.

Defnyddio titradiad i baratoi halwyn hydawdd

Mae cyfaint o alcali'n cael ei fesur a'i roi mewn fflasg ac ychydig ddiferion o ddangosydd yn cael eu hychwanegu. Mae asid o fwred yn cael ei ychwanegu nes i'r dangosydd newid lliw. Pan fydd cyfaint yr asid sydd ei angen i niwtralu'r alcali wedi'i gyfrifo, mae'r broses yn cael ei gwneud eto, heb y dangosydd, er mwyn i'r swm cywir o asid gael ei ychwanegu at y fflasg. Mae'r hydoddiant o'r fflasg yn cael ei wresogi i anweddu peth o'r dŵr. Yna mae'n cael ei adael i oeri ac i ffurfio grisialau o halwyn pur.

Gwella gradd

Gwnewch yn siŵr eich bod yn gallu esbonio pam mae pob cam yn cael ei gynnal mewn titradiad.

Cofiwch

Yn y titradiad:
Defnyddiwch lenwydd pibed bob tro wrth ddefnyddio pibed – peidiwch byth â sugno'r hylif i fyny â'ch ceg. Peidiwch byth â chwythu cynnwys pibed i'r fflasg gonigol. Gall y fflasg fod yn wlyb gan na fydd hyn yn newid nifer y molau o alcali/asid sy'n cael eu rhoi o'r bibed, ond mae'n rhaid gwneud yn siŵr nad oes unrhyw asid neu alcali ynddi. Dylech chi rinsio'r fwred allan ag ychydig cm³ o'r asid/alcali. Cofnodwch y cyfaint yn y fwred drwy edrych ar ble mae gwaelod y menisgws ar y raddfa.
Amcangyfrifwch y cyfaint i'r 0.05 cm³ agosaf bob tro.

Fel rhan o'ch gwaith ymarferol, dylech chi allu:

- safoni asid
- perfformio titradiad am yn ôl
- perfformio titradiad dwbl.

» *Cofiwch*

Ar gyfer titradiad am yn ôl a thitradiad dwbl, er y gall y manylion amrywio, mae'r dulliau yr un peth ag ar gyfer perfformio titradiad.

Titradu am yn ôl

Weithiau nid yw'n bosibl defnyddio dulliau titradu safonol. Er enghraifft, gall yr adwaith rhwng y sylwedd sy'n cael ei fesur a'r sylwedd safonol fod yn rhy araf; gall fod yn anodd gweld lle mae'r diweddbwynt; gall y bas fod yn halwyn anhydawdd. Mewn sefyllfaoedd fel hyn, rydym ni'n defnyddio techneg o'r enw titradu am yn ôl.

Mewn titradiad am yn ôl, mae gormodedd hysbys o adweithydd **A** yn adweithio â swm anhysbys o adweithydd **B**. Ar ddiwedd yr adwaith, rydym ni'n darganfod faint o adweithydd **A** sy'n weddill drwy ditradiad. Mae cyfrifiad syml yn rhoi faint o adweithydd **A** sydd wedi'i ddefnyddio a faint o adweithydd **B** sydd wedi adweithio.

Titradiad dwbl

Gan fod dangosyddion gwahanol yn newid lliw ar werthoedd pH gwahanol, os yw hydoddiant yn cynnwys cymysgedd o ddau fas sydd â chryfderau gwahanol, mae'n bosibl cynnal un titradiad, ond mewn dau gam. Rydym ni'n defnyddio dau ddangosydd gwahanol, gan ychwanegu un ar bob cam, i gyfrifo crynodiadau'r ddau fas.

Er enghraifft, mae'n bosibl darganfod crynodiadau sodiwm hydrocsid, NaOH, a sodiwm carbonad, Na_2CO_3, mewn cymysgedd drwy ditradu ag asid hydroclorig, HCl, gan ddefnyddio ffenolffthalein a methyl oren fel dangosyddion.

Mae ffenolffthalein yn newid lliw ar tua pH 9 (o binc i ddi-liw).

Mae methyl oren yn newid lliw ar tua pH 4 (o felyn i oren).

Felly mae cam cyntaf y titradiad (newid lliw'r ffenolffthalein) yn ymwneud â nifer y molau o hydrocsid a charbonad.

Mae ail gam y titradiad (ar ôl ychwanegu methyl oren) yn ymwneud â nifer y molau o garbonad yn unig (gan fod 1 môl $HCO_3^- = 1$ môl CO_3^{2-}).

Mae tynnu nifer y molau o garbonad yn yr ail gam o gyfanswm y molau yn y cam cyntaf yn rhoi nifer y molau o hydrocsid. Yna gallwn ni gyfrifo crynodiadau'r ddau.

Crynodeb: Iaith Cemeg, Adeiledd Mater ac Adweithiau Syml

1.1 Fformiwlâu a hafaliadau

Fformiwlâu ar gyfer cyfansoddion ac ïonau

- Mae grŵp metel yn rhoi'r wefr ar ei ïon
- 8 – grŵp yr anfetel yn rhoi'r wefr ar ei ïon
- Ar gyfer cyfansoddyn ïonig, mae'n rhaid i gyfanswm y gwefrau positif fod yn hafal i gyfanswm y gwefrau negatif
- Mae'n rhaid i chi ddysgu fformiwlâu ïonau cyfansawdd a chyfansoddion cyffredin

Rhifau ocsidiad

Wrth bennu rhifau ocsidiad ar gyfer cyfansoddyn, cofiwch:

- fod swm y rhifau ocsidiad yn sero
- fod metelau Grŵp 1 (a hydrogen) yn +1 a bod metelau Grŵp 2 yn +2
- fod ocsigen yn −2 fel arfer

Hafaliadau cemegol ac ïonig

- Mae'n rhaid cael yr un nifer o atomau o bob elfen ar bob ochr i hafaliad cemegol
- Mae'n rhaid i bob fformiwla fod yn gywir; allwch chi ddim newid fformiwla er mwyn cydbwyso hafaliad
- Mewn hafaliad ïonig, mae unrhyw ïonau sydd ddim yn newid yn ystod adwaith (ïonau segur) yn cael eu gadael allan. Fel arfer, bydd disgwyl i chi nodi symbolau cyflwr

1.2 Syniadau sylfaenol ynghylch atomau

Ymbelydredd

- gronyn α – clwstwr o 2 broton a 2 niwtron
- gronyn β – electron sy'n symud yn gyflym
- pelydryn γ – pelydriad electromagnetig ag egni uchel
- Hanner oes yw'r amser mae'n ei gymryd i hanner yr atomau mewn sampl ymbelydrol ddadfeilio
- Gall allyriadau ymbelydrol fod yn niweidiol; gallan nhw niweidio DNA cell mewn corff ac achosi niwed biolegol
- Mae enghreifftiau o gael budd drwy ddefnyddio radioisotopau i'w cael, mewn meddygaeth, dyddio ymbelydrol a diwydiant

Orbitalau neu is-blisg

- Orbital yw rhanbarth mewn lefel egni sefydlog lle mae tebygolrwydd uchel bod electron i'w gael
- Mae is-blisg s yn cynnwys 1 orbital, ac felly'n gallu dal 2 electron
- Mae is-blisg p yn cynnwys 3 orbital, ac felly'n gallu dal 6 electron
- Mae is-blisg d yn cynnwys 5 orbital, ac felly'n gallu dal 10 electron

Egni ïoneiddiad

- Yr hafaliad ar gyfer yr egni ïoneiddiad cyntaf yw: $X(n) \longrightarrow X^+(n) + e^-$
- Mae egni ïoneiddiad fel arfer yn cynyddu ar draws cyfnod oherwydd cynnydd y wefr niwclear
- Mae egni ïoneiddiad yn lleihau wrth fynd i lawr grŵp oherwydd bod mwy o gysgodi gan electronau mewnol
- Mae egni ïoneiddiad olynol yn mesur yr egni sydd ei angen i dynnu pob electron yn ei dro nes bod yr holl electronau wedi'u tynnu oddi ar atom

Sbectra

- Mewn sbectra amsugno, bydd egni'n cael ei amsugno o olau ac yn achosi i electronau symud o lefel egni is i lefel egni uwch

- Mewn sbectra allyrru, bydd egni'n cael ei allyrru wrth i electronau ddisgyn yn ôl o lefel egni uwch i lefel is

- Mae sbectrwm hydrogen yn gyfres o linellau arwahanol sy'n dod yn nes at ei gilydd wrth i'r egni gynyddu

- Yn y sbectrwm hydrogen mae pob llinell yng nghyfres Lyman (rhanbarth uwchfioled) yn cael ei hachosi gan electronau'n dychwelyd i lefel egni $n = 1$, ac mae cyfres Balmer (rhanbarth gweladwy) yn cael ei ffurfio gan electronau'n dychwelyd i lefel egni $n = 2$

- Mae'n bosibl cyfrifo egni ïoneiddiad yr atom hydrogen drwy fesur amledd terfan cydgyfeiriant cyfres Lyman (y gwahaniaeth rhwng $n = 1$ i $n = \infty$) a defnyddio $\Delta E = hf$. Rydym ni'n lluosi gwerth ΔE â chysonyn Avogadro i roi'r egni ïoneiddiad molar cyntaf

1.3 Cyfrifiadau cemegol

Termau màs cymharol

- Màs atomig cymharol, A_r, yw màs cyfartalog un atom o'r elfen o'i gymharu ag un deuddegfed ($\frac{1}{12}$fed) màs un atom o garbon-12

  Mae pob term màs cymharol arall yn amrywiad ar hyn

Sbectromedr màs

Egwyddorion

- Anweddiad sampl cyn mynd i mewn i sbectromedr màs

- Ïoneiddiad drwy ei beledu ag electronau ag egni uchel

- Cyflymiad – mae maes trydanol yn cael yr ïonau i'r buanedd cywir

- Gwyriad – mae maes magnetig yn gwahanu ïonau yn ôl eu cymhareb màs/gwefr

- Canfod – mae ïonau'n mynd drwy hollt ac yn cael eu canfod gan offerynnau priodol

Defnyddiau

- Darganfod cyflenwad cymharol isotopau

- Cyfrifo masau atomig cymharol

Sbectrwm màs clorin, Cl_2

- Brigau ar m/z 35 a 37, oherwydd $^{35}Cl^+$ a $^{37}Cl^+$ yn ôl eu trefn, yn ôl y gymhareb 3:1

- Brigau ar m/z 70, 72 a 74, oherwydd $(^{35}Cl-^{35}Cl)^+$, $(^{35}Cl-^{37}Cl)^+$ a $(^{37}Cl-^{37}Cl)^+$ yn ôl eu trefn, yn ôl y gymhareb 9:6:1

Fformiwlâu empirig a moleciwlaidd

- Mae fformiwla empirig yn dangos cymhareb rhifau cyfan symlaf atomau'r elfen sy'n bresennol

- Y fformiwla foleciwlaidd yw gwir nifer atomau pob elfen sy'n bresennol yn y moleciwl; mae'n lluoswm syml o'r fformiwla empirig

Molau mewn cyfrifiadau

- Môl yw swm o unrhyw sylwedd sy'n cynnwys yr un nifer o ronynnau â'r nifer o atomau carbon-12 sydd mewn 12 g yn union
- Mae'n nifer mawr, sef 6.02×10^{23}, a'i enw yw cysonyn Avogadro, L
- Ar gyfer solid: nifer y molau (n) = $\dfrac{\text{màs y sylwedd (m)}}{\text{màs molar (M)}}$
- Ar gyfer hydoddiant: nifer y molau (n) = crynodiad (c) × cyfaint (v)
- Ar gyfer nwy: nifer y molau (n) = $\dfrac{\text{cyfaint y nwy (v)}}{\text{cyfaint molar } (v_m)}$ (Ar 0°C, cyfaint molar nwy = 22.4 dm³)
- I gyfrifo'r cyfaint yn sgil newidiadau mewn tymheredd neu wasgedd, defnyddiwch: $\dfrac{P_1 V_1}{T_1} = \dfrac{P_2 V_2}{T_2}$ lle 1 yw'r amodau cychwynnol a 2 yw'r amodau terfynol
- Mae hefyd yn bosibl cyfrifo nifer y molau o nwy drwy ad-drefnu'r hafaliad nwy delfrydol PV = nRT

Economi atom a chynnyrch canrannol

- Economi atom = $\dfrac{\text{màs y cynnyrch sydd ei angen}}{\text{cyfanswm màs yr adweithyddion}} \times 100\%$
- Cynnyrch canrannol = $\dfrac{\text{màs (molau) y cynnyrch a gawn}}{\substack{\text{uchafswm màs (molau) damcaniaethol} \\ \text{y cynnyrch}}} \times 100\%$

Cyfeiliornad canrannol a ffigurau ystyrlon

- Cyfeiliornad canrannol unrhyw gyfarpar = $\dfrac{\text{hanner y rhaniad lleiaf ar y cyfarpar}}{\text{y swm sy'n cael ei fesur}} \times 100\%$
- Fel arfer mae angen darganfod y gwahaniaeth rhwng y darlleniad cychwynnol a'r darlleniad terfynol, ac felly rydym ni'n lluosi'r mynegiad hwn â 2
- Os yw'r cyfeiliornad rhwng 0.1% ac 1%, y nifer doeth o ffigurau ystyrlon i'w ddefnyddio yw 3

1.4 Bondio

Mathau o fondiau

- Bydd bondiau ïonig yn cael eu ffurfio drwy atyniad trydanol rhwng ïonau sydd â gwefrau dirgroes
- Bydd bondiau cofalent yn cael eu ffurfio drwy bâr electron sydd â sbiniau dirgroes
- Bond cofalent lle mae'r ddau electron yn dod o'r un atom yw bond cyd-drefnol

Bondio rhyngfoleciwlaidd

- Mae bondio gwan yn digwydd rhwng pob moleciwl oherwydd deupolau parhaol a deupolau dros dro. Mae'r grymoedd van der Waals hyn yn wannach o lawer na bondiau cofalent ac ïonig ond maen nhw'n rheoli priodweddau ffisegol
- Bondiau rhyngfoleciwlaidd cryfach yw bondiau hydrogen, sy'n cael eu ffurfio pan fydd hydrogen yn bondio rhwng atomau electronegatif iawn, sef F, O ac N

Polaredd bond ac electronegatifedd

- Mae'r rhan fwyaf o fondiau'n rhyngol, rhwng ïonig a chofalent, ac maen nhw'n cael eu galw'n bolar.
- Mae electronegatifedd yn mesur gallu atom i atynnu electronau mewn bond cofalent; y mwyaf y gwahaniaeth mewn electronegatifedd rhwng atomau'r bond, y mwyaf polar yw'r bond.

Siapiau moleciwlau

- Mae'r dull damcaniaeth gwrthyriad parau electron plisgyn falens (VSEPR) yn ein galluogi i ragfynegi siapiau moleciwlau o nifer y parau bondio a'r parau unig o amgylch atom canolog. Maen nhw'n eu trefnu eu hunain er mwyn lleihau gwrthyriadau
- Y siapiau cyffredinol yw llinol (2 bâr), trigonol (3 phâr), tetrahedrol (4 pâr) ac octahedrol (6 phâr). Mae union onglau'r bondiau'n dibynnu ar niferoedd y parau unig a'r parau bondio

1.5 Adeileddau solidau

Adeileddau grisial

- Grisialau enfawr a moleciwlaidd: mewn moleciwlau enfawr, fel grisialau ïonig a metelig a diemwnt, mae'r ddellten grisial i gyd yn un moleciwl. Mewn grisialau moleciwlaidd, fel iâ, mae moleciwlau (dŵr) unigol yn cael eu dal at ei gilydd yn y ddellten gan rymoedd rhyngfoleciwlaidd gwan

- Grisialau ïonig: dylech chi wybod adeileddau sodiwm a chesiwm clorid a deall y rheswm am y gwahaniaeth rhyngddyn nhw

- Moleciwlau enfawr cofalent: dylech chi wybod hefyd adeileddau diemwnt a graffit

- Grisialau moleciwlaidd: dylech chi ddeall adeileddau grisial iâ ac ïodin

- Metelau: dylech chi wybod a deall model y 'môr electronau'

- Adeiledd a phriodweddau ffisegol: mae'n bwysig gallu deall a thrafod priodweddau ffisegol solidau yn nhermau eu hadeileddau

- Hydoddedd mewn dŵr: mae'n bwysig cysylltu'r briodwedd bwysig hon ar gyfer solidau â'u hadeileddau hefyd

1.6 Y Tabl Cyfnodol

- Adeileddau electronig a'r Tabl Cyfnodol

- Tueddiadau mewn egni ïoneiddiad, cyflyrau ocsidiad ac electronegatifedd i lawr grwpiau ac ar draws cyfnodau

- Cemeg bloc s; gwybodaeth a dealltwriaeth o gemeg elfennau Grŵp 1 a Grŵp 2 a'u cyfansoddion

- Cemeg Grŵp 7 – yr halogenau

- Defnyddio halogenau i drin dŵr

- Dadansoddiad ansoddol a meintiol mewn gwaith ymarferol

1.7 Ecwilibria cemegol ac adweithiau asid–bas

Ecwilibriwm

- Mae ecwilibriwm dynamig yn digwydd pan fydd y blaenadwaith a'r ôl-adwaith yn digwydd ar yr un gyfradd

- Mae'r safle ecwilibriwm yn cyfeirio at gymhareb y cynhyrchion i'r adweithyddion mewn cymysgedd ecwilibriwm

- Mae egwyddor Le Chatelier yn nodi: os bydd newid yn cael ei wneud i system sydd ar ecwilibriwm, yna bydd yr ecwilibriwm yn tueddu i symud i'r cyfeiriad sy'n lleihau effaith y newid hwnnw

- Os bydd crynodiad adweithydd yn cael ei gynyddu, bydd y safle ecwilibriwm yn symud i'r dde gan ffurfio mwy o gynhyrchion.

- Mae cynyddu'r tymheredd yn symud y safle ecwilibriwm i'r cyfeiriad endothermig.

- Mae cynyddu'r gwasgedd yn symud y safle ecwilibriwm i ba ochr bynnag o'r hafaliad sydd â'r nifer lleiaf o foleciwlau nwy.

- Mae'n bosibl cyfrifo cysonyn ecwilibriwm, K_c, ar gyfer unrhyw ecwilibriwm. Dim ond newid yn y tymheredd sy'n gallu newid gwerth K_c

Asidau a basau

- Cyfranwyr protonau yw asidau; derbynwyr protonau yw basau

- Mae asidau cryf yn daduno'n llwyr mewn hydoddiant

- $pH = -\log[H^+]$. Mae'n fesur o asidedd sy'n defnyddio rhifau hawdd eu trin â graddfa o 0 i 14

- Y lleiaf yw'r pH, yr uchaf yw crynodiad yr ïonau H^+ a'r cryfaf yw'r asid

- Wrth baratoi hydoddiant safonol, mae'n rhaid defnyddio clorian fanwl gywir a fflasg safonol (raddedig)

- Yn ystod titradiadau, yr eitemau cyfarpar y bydd eu hangen yw bwred, pibed a fflasg gonigol

- Mae angen o leiaf dau ditr sydd o fewn 0.20 cm³ i'w gilydd

- Wrth gyfrifo titr cymedrig defnyddiwch ditrau sydd o fewn 0.20 cm³ i'w gilydd yn unig

Egni, Cyfradd a Chemeg Cyfansoddion Carbon

Mae'r adwaith cemegol pwysicaf, sef hylosgiad, yn cael ei gynnal i roi egni. Mae'r newidiadau egni sy'n gysylltiedig â newidiadau cemegol yn ffactorau allweddol yn ein dealltwriaeth o ecwilibriwm. Mae cineteg hefyd yn bwysig iawn yn ymarferol, sef astudiaeth o'r gyfradd mae adwaith yn digwydd a'i fecanwaith.

Byddwn ni'n rhoi sylw i agweddau cymdeithasol, economaidd ac amgylcheddol prosesau cemegol, yn enwedig tanwyddau ffosil a biomas a niwtraliaeth carbon, a hefyd rôl cemeg gwyrdd, sy'n dod yn fwy ac yn fwy pwysig.

Bydd cyflwyniad i gemeg organig yn rhoi cyfle i ddeall sut mae priodweddau cyfansoddion carbon yn gallu cael eu haddasu drwy gyflwyno grwpiau gweithredol. Bydd testun arall yn trafod technegau dadansoddi sy'n defnyddio data sbectrosgopeg màs ac amleddau isgoch nodweddiadol i ddiddwytho'r adeiledd.

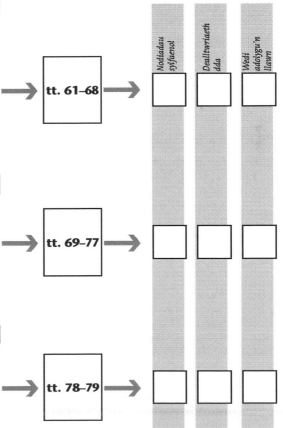

Wedi'i adolygu!

2.1 Thermocemeg

Mae newidiadau enthalpi yn digwydd yn achos y rhan fwyaf o adweithiau cemegol ac yn achosi newidiadau tymheredd. Y newidiadau enthalpi mwyaf defnyddiol yw ffurfiant, Δ_fH, a hylosgiad, Δ_cH. Mae'n bosibl defnyddio deddf Hess i gyfrifo newidiadau enthalpi sy'n anodd eu mesur. Gallwn ni gyfrifo newidiadau enthalpi ar gyfer cyfansoddion cofalent drwy ddefnyddio enthalp&au bond cyfartalog. Gallwn ni fesur newid enthalpi adwaith yn y labordy drwy ddefnyddio calorimedr syml, e.e. calorimedr cwpan coffi, a defnyddio'r mynegiad $q = mc\Delta T$.

tt. 61–68

Nodiadau sylfaenol · Dealltwriaeth dda · Wedi adolygu'n llawn

2.2 Cyfraddau adwaith

Mae'n bosibl cyfrifo cyfradd adwaith cemegol drwy fesur crynodiad adweithydd (neu gynnyrch) dros amser. Dangosir gwahanol ddulliau o fesur cyfraddau adwaith yn y labordy. Mae damcaniaeth gwrthdrawiadau yn cael ei defnyddio i esbonio newidiadau i'r gyfradd yn ystod adwaith a newidiadau sy'n digwydd o ganlyniad i newid amodau. Mae proffiliau egni a chromliniau dosraniad egni'n cael eu defnyddio i esbonio pwysigrwydd egni actifadu a chatalyddion ymhellach.

tt. 69–77

2.3 Effaith ehangach cemeg

Rydym ni'n rhoi sylw i broblemau cynhyrchu cemegol a chynhyrchu egni ar raddfa eang. Mae cemeg gwyrdd yn ein helpu i leihau'r egni sy'n cael ei ddefnyddio a lleihau llygredd a gwastraff. Rydym ni'n edrych ar y nod o ddefnyddio llai o danwydd ffosil ac achosi llai o lygredd CO_2, gan ddefnyddio cineteg a thermodynameg yn arbennig.

tt. 78–79

2.4 Cyfansoddion organig

Mae miliynau o gyfansoddion organig ac er mwyn gwneud synnwyr o'u hadweithiau, mae'n rhaid i ni gysylltu patrymau ymddygiad â'u hadeileddau a bodolaeth cyfresi homologaidd. Mae'n bosibl dangos fformiwlâu mewn ffyrdd gwahanol gan ddibynnu ar beth rydym ni'n ei wneud â'r fformiwla. Mae llawer o gyfansoddion yn bodoli ar ffurf isomerau ac mae sawl math gwahanol o isomeredd. Mae adweithiau cyfansoddion yn yr un gyfres homologaidd yn debyg, ond mae eu priodweddau ffisegol yn newid yn raddol wrth fynd i lawr y gyfres.

tt. 80–85

2.5 Hydrocarbonau

Yn y gorffennol, cafodd tanwyddau ffosil eu defnyddio ar gyfer ein holl anghenion egni, ond maen nhw'n adnodd cyfyngedig ac mae anfanteision o ran eu defnyddio. Felly, mae adnoddau newydd yn cael eu datblygu. Mae alcanau ac alcenau yn ddwy gyfres homologaidd, ond mae'r gwahaniaeth rhwng dwysedd electron yn eu hadeileddau'n golygu eu bod yn agored i fathau gwahanol o ymosodiad. Mae hyn yn golygu eu bod yn adweithio drwy fecanweithiau gwahanol, ac felly mae'r alcanau'n gwneud adweithiau amnewid, a'r alcenau'n gwneud adweithiau adio.

tt. 86–92

2.6 Halogenoalcanau

Mae halogenoalcanau'n adweithio drwy fath gwahanol eto o fecanwaith – mae eu polaredd yn golygu eu bod yn agored i amnewid niwclioffilig, ond gallant hefyd wneud adweithiau dileu. Roedd CFCau'n cael eu defnyddio ar raddfa eang ar un adeg, oherwydd eu priodweddau, ond heddiw mae materion amgylcheddol wedi cyfyngu'n fawr ar faint rydym ni'n eu defnyddio ac mae ymchwil ar y gweill i ddarganfod cynhyrchion i'w defnyddio yn eu lle.

tt. 93–96

2.7 Alcoholau ac asidau carbocsilig

Ethanol yw'r alcohol mwyaf adnabyddus ac, fel pob alcohol arall, mae'n cynnwys y grŵp gweithredol OH. Mae'n bosibl ocsidio a dadhydradu'r rhan fwyaf o alcoholau i gynhyrchu amrywiaeth o gyfansoddion organig. Mae asidau carbocsilig yn cynnwys y grŵp gweithredol COOH. Er bod asidau carbocsilig yn wan, maen nhw'n cymryd rhan yn yr un fath o adweithiau ag asidau anorganig. Maen nhw hefyd yn ffurfio esterau gydag alcoholau.

tt. 97–102

2.8 Defnyddio offer i ddadansoddi

Dyma'r technegau sy'n cael eu defnyddio heddiw i adnabod cyfansoddion organig. Mae sbectra gwahanol yn rhoi gwybodaeth wahanol am gyfansoddyn organig anhysbys, ac felly bydd angen mwy nag un sbectrwm fel arfer i'w adnabod yn bendant.

tt. 103–106

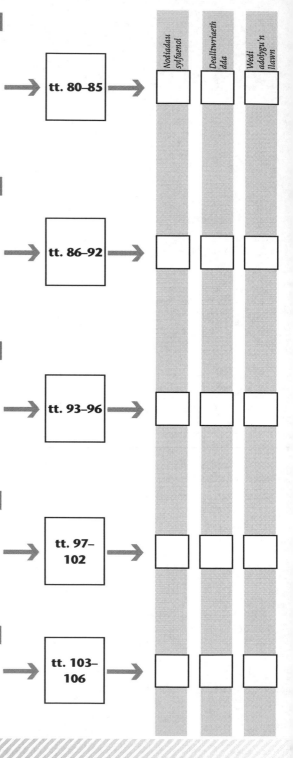

Nodiadau sylfaenol | *Dealltwriaeth dda* | *Wedi adolygu'n llawn*

2.1 Thermocemeg

Newidiadau enthalpi

Mae sawl ffurf ar egni. Byddwn ni'n trafod dwy ohonyn nhw, sef gwres (ffurf ar egni cinetig) ac egni cemegol (ffurf ar egni potensial).

Mewn adwaith cemegol, mae bondiau'n cael eu torri ac mae bondiau newydd yn cael eu ffurfio. Mae hyn yn newid egni cemegol atomau ac mae egni'n cael ei gyfnewid rhwng y system gemegol a'r amgylchedd ar ffurf gwres. I fesur yr egni hwn, rydym ni'n defnyddio'r term enthalpi, H.

Er nad yw'n bosibl mesur enthalpi, mae'n hawdd mesur newid enthalpi, ΔH. Ei unedau yw jouleau, J, neu gilojouleau, kJ.

$$\Delta H = H_{cynhyrchion} - H_{adweithyddion}$$

Ar gyfer newidiadau ecsothermig (h.y. adwaith sy'n rhyddhau gwres), mae gwres yn cael ei ryddhau i'r amgylchedd, ac felly $H_{cynhyrchion} < H_{adweithyddion}$ ac mae ΔH yn negatif.

Ar gyfer adwaith endothermig (h.y. adwaith sy'n amsugno gwres), mae gwres yn cael ei gymryd i mewn o'r amgylchedd, ac felly $H_{cynhyrchion} > H_{adweithyddion}$ ac mae ΔH yn bositif.

Mae'r holl egni sy'n gadael system yn mynd i'r amgylchedd (ac fel arall). Mewn adwaith ecsothermig, nid yw egni'n cael ei greu, ac nid yw'n cael ei ddileu mewn adwaith endothermig. Mae cyfanswm egni'r holl system o gemegion sy'n adweithio, a'r amgylchedd, yn gyson. Mae hon yn egwyddor bwysig a'i henw yw'r **egwyddor cadwraeth egni**.

Mae'r newid enthalpi ar gyfer adweithiau'n dibynnu ar yr amodau; os ydym ni am gymharu gwerthoedd, mae newidiadau enthalpi safonol yn cael eu mesur pan fydd amodau sefydlog yn cael eu defnyddio. Yr amodau yw:

- pob sylwedd yn ei gyflwr safonol
- tymheredd o 298 K (25 °C)
- gwasgedd o 1 atm (101000 Pa)

Y symbol ar gyfer newid enthalpi safonol yw ΔH^{θ}.

Rydym ni'n dysgu am dri newid enthalpi safonol pwysig ar gyfer UG.

Newid enthalpi ffurfiant safonol, $\Delta_f H$

Dyma'r newid enthalpi pan fydd un môl o sylwedd yn cael ei ffurfio o'r elfennau sy'n ei ffurfio yn eu cyflyrau safonol o dan amodau safonol.

Er enghraifft, dyma newid enthalpi ffurfiant safonol dŵr:

$$H_2(n) + \tfrac{1}{2}O_2(n) \longrightarrow H_2O(h) \quad \Delta_f H = -286 \text{ kJ môl}^{-1}$$

Os ydym ni'n ffurfio elfen, fel $H_2(n)$, o'r elfen $H_2(n)$, does dim newid cemegol. Felly mae gan bob elfen yn ei chyflwr safonol newid enthalpi ffurfiant safonol o 0 kJ môl^{-1}.

Termau Allweddol

Enthalpi, H, yw'r gwres sy'n cael ei gynnwys mewn system ar wasgedd cyson.

Newid enthalpi, ΔH, yw'r gwres sy'n cael ei ychwanegu at system ar wasgedd cyson.

>> **Cofiwch**

Y system gemegol yw'r adweithyddion a'r cynhyrchion. Yr amgylchedd yw popeth arall heblaw'r system.

Gwella gradd

Cofiwch mai 298 K ac 1 atm yw'r amodau safonol.

Term Allweddol

Newid enthalpi ffurfiant safonol, $\Delta_f H^{\theta}$, yw'r newid enthalpi pan fydd un môl o sylwedd yn cael ei ffurfio o'r elfennau sy'n ei ffurfio yn eu cyflyrau safonol o dan amodau safonol.

>> **Cofiwch**

Pan fyddwn ni'n ysgrifennu hafaliadau thermocemegol, efallai y bydd angen i ni ddefnyddio ffracsiynau fel '$\tfrac{1}{2}O_2$' er mwyn cael y nifer cywir o folau yn y newid.

Term Allweddol

Newid enthalpi hylosgiad safonol, $\Delta_c H^\theta$, yw'r newid enthalpi pan fydd un môl o sylwedd yn cael ei hylosgi'n llwyr mewn ocsigen o dan amodau safonol.

Newid enthalpi hylosgiad safonol, $\Delta_c H$

Dyma'r newid enthalpi pan fydd un môl o sylwedd yn cael ei hylosgi'n llwyr mewn ocsigen o dan amodau safonol.

Er enghraifft, dyma **newid enthalpi hylosgiad safonol** methan:

$$CH_4(n) + 2O_2(n) \longrightarrow CO_2(n) + 2H_2O(h) \qquad \Delta_c H = -891 \text{ kJ môl}^{-1}$$

Newid enthalpi adwaith, $\Delta_r H$

Dyma'r newid enthalpi mewn adwaith rhwng nifer y molau o adweithyddion sy'n cael eu dangos yn yr hafaliad ar gyfer yr adwaith.

Does dim rheswm pam dylai newid enthalpi adwaith safonol fod yn gysylltiedig ag un môl o adweithyddion neu gynhyrchion.

Er enghraifft, dyma'r adwaith rhwng amonia a fflworin:

$$NH_3(n) + 3F_2(n) \longrightarrow 3HF(n) + NF_3(n) \qquad \Delta_r H = -875 \text{ kJ môl}^{-1}$$

Gallwn ni gyfrifo'r newid enthalpi safonol ar gyfer adwaith cemegol o'r newidiadau enthalpi ffurfiant safonol ar gyfer yr holl adweithyddion a chynhyrchion yn yr adwaith. Y newid enthalpi adwaith safonol, $\Delta_r H^\theta$ yw:

$$\Delta_r H = \Sigma\Delta_f H(\text{cynhyrchion}) - \Sigma\Delta_f H(\text{adweithyddion})$$

(Mae Σ yn golygu 'cyfanswm')

Er enghraifft, ar gyfer yr adwaith rhwng amonia a fflworin:

Cyfansoddyn	$NH_3(n)$	$F_2(n)$	$HF(n)$	$NF_3(n)$
$\Delta_{ff}H^\theta$ / kJ môl^{-1}	−46	0	−269	−114

$$
\begin{aligned}
\Delta_r H &= \Sigma\Delta_f H(\text{cynhyrchion}) - \Sigma\Delta_f H(\text{adweithyddion}) \\
&= (3(-269) + (-114) - ((-46) + 0) \\
&= -921 + 46 \\
&= -875 \text{ kJ môl}^{-1}
\end{aligned}
$$

(cofiwch fod $\Delta_f H$ ar gyfer unrhyw elfen yn ei chyflwr safonol yn sero)

Deddf Hess

Nid yw'n bosibl mesur newid enthalpi adwaith yn uniongyrchol bob amser. Mae **deddf Hess**, sy'n seiliedig ar ddeddf cadwraeth egni, yn rhoi dull o gyfrifo newid enthalpi yn anuniongyrchol.

Mae'r cylchred enthalpi yn dangos dau lwybr ar gyfer trawsnewid adweithyddion yn gynhyrchion. Llwybr uniongyrchol yw'r cyntaf a llwybr anuniongyrchol yw'r ail, gan ffurfio cyfansoddion rhyngol.

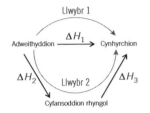

Yn ôl deddf Hess, mae cyfanswm yr enthalpi yn annibynnol ar y llwybr, ac felly llwybr 1 = llwybr 2

h.y. $\Delta H_1 = \Delta H_2 + \Delta H_3$

Petai cyfanswm $\Delta H_2 + \Delta H_3$ yn wahanol i ΔH_1, byddai'n bosibl creu egni drwy wneud y cynhyrchion drwy'r cyfansoddion rhyngol ar hyd un llwybr ac yna eu trawsnewid yn ôl i'r adweithyddion ar hyd y llwybr arall. Byddai hynny'n groes i ddeddf cadwraeth egni.

Term Allweddol

Mae **deddf Hess** yn nodi bod cyfanswm y newid enthalpi ar gyfer adwaith yn annibynnol ar y llwybr o'r adweithyddion i'r cynhyrchion.

ychwanegol

a. Ar gyfer yr adwaith $4NH_3(n) + 5O_2(n) \longrightarrow 4NO(n) + 6H_2O(h)$, yr enthalpïau ffurfiant perthnasol yw:

Sylwedd	$NH_3(n)$	$O_2(n)$	$NO(n)$	$H_2O(h)$
$\Delta_f H^\theta$ / kJ môl^{-1}	−46	0	90	−286

   (i) Nodwch pam mae newid enthalpi ffurfiant safonol $O_2(n)$ yn sero.

   (ii) Cyfrifwch y newid enthalpi ar gyfer yr adwaith hwn.

b. Gall copr(II) ocsid gael ei rydwytho i gopr gan garbon monocsid
$CuO(s) + CO(n) \longrightarrow Cu(s) + CO_2(n)$ $\Delta_r H = -126$ kJ môl^{-1}
Cyfrifwch newid enthalpi ffurfiant CuO o wybod bod
$\Delta_f H(CO) = -111$ kJ môl^{-1} a $\Delta_f H(CO_2) = -394$ kJ môl^{-1}.

Gwella gradd

Gan ddefnyddio newidiadau enthalpi ffurfiant, $\Delta H = \Sigma\Delta_f H$(cynhyrchion) $- \Sigma\Delta_f H$(adweithyddion).
Gan ddefnyddio newidiadau enthalpi hylosgiad, $\Delta H = \Sigma\Delta_c H$(adweithyddion) $- \Sigma\Delta_c H$(cynhyrchion).

Cofiwch

Mewn cylchred enthalpi sy'n defnyddio $\Delta_f H$, mae cyfeiriad y saethau'n mynd o'r elfennau cyffredin i'r adweithyddion a'r cynhyrchion.

Mewn cylchred enthalpi sy'n defnyddio $\Delta_c H$, mae cyfeiriad y saethau'n mynd o'r adweithyddion a'r cynhyrchion i'r cynhyrchion hylosgiad cyffredin.

cwestiwn cyflym

① O wybod y newidiadau enthalpi hylosgiad canlynol:

Sylwedd	$\Delta_c H^{\theta}$ / kJ môl^{-1}
C_3H_7OH(h)	-2010
C(s)	-394
H_2(n)	-286

Cyfrifwch newid enthalpi ffurfiant propan-1-ol

Mae deddf Hess yn ein galluogi i ddefnyddio cylchredau enthalpi i gyfrifo newidiadau enthalpi adweithiau safonol a fyddai'n anodd eu mesur.

Er enghraifft, hylosgiad amonia:

$$4NH_3(n) + 3O_2(n) \longrightarrow 2N_2(n) + 6H_2O(h)$$

Sylwedd	NH_3(n)	O_2(n)	NO(n)	H_2O(h)
$\Delta_f H^{\theta}$ / kJ môl^{-1}	-46	0	90	-286

Mae creu cylchred enthalpi i gysylltu'r elfennau â'r adweithyddion a'r cynhyrchion yn rhoi:

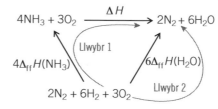

Gan fod y cwestiwn wedi rhoi $\Delta_f H$ i ni, mae cyfeiriad y saethau'n mynd o'r elfennau cyffredin i'r adweithyddion a'r cynhyrchion.

Drwy ddeddf Hess, llwybr 1 = llwybr 2

$$\Delta H + 4(-46) = 6(-286)$$
$$\Delta H = -1716 + 184$$
$$\Delta H = -1532 \text{ kJ môl}^{-1}$$

Mae'n amhosibl mesur yn ymarferol newidiadau enthalpi ffurfiant ar gyfer hydrocarbonau gan y bydd llosgi carbon mewn hydrogen yn cynhyrchu cymysgedd o hydrocarbonau. Ond, os yw'r newidiadau enthalpi hylosgiad yn hysbys, gallwn ni oresgyn y broblem hon drwy ddefnyddio deddf Hess.

Er enghraifft, ar gyfer yr adwaith $4C$(graffit) $+ 5H_2$(n) $\longrightarrow C_4H_{10}$(n)

Sylwedd	C(s)	H_2(n)	C_4H_{10}(n)
$\Delta_c H^{\theta}$ / kJ môl^{-1}	-394	-286	-2877

Mae creu cylchred enthalpi i gysylltu'r adweithyddion a'r cynhyrchion â'r cynhyrchion hylosgiad cyffredin yn rhoi:

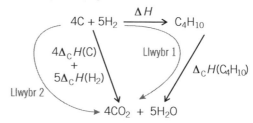

Gan fod y cwestiwn wedi rhoi $\Delta_c H$ i ni, mae cyfeiriad y saethau'n mynd o'r adweithyddion a'r cynhyrchion i'r cynhyrchion hylosgiad cyffredin.

Drwy ddeddf Hess, llwybr 1 = llwybr 2

$$\Delta H + (-2877) = 4(-394) + 5(-286)$$
$$\Delta H = -3006 + 2877$$
$$\Delta H = -129 \text{ kJ môl}^{-1}$$

Enthalpïau bond

Mae **enthalpi bond** yn rhoi gwybodaeth am gryfder bond cofalent. Mae enthalpïau bond yn dangos faint o egni sydd ei angen i dorri bondiau cofalent gwahanol.

Mae enthalpi'r bond H–H yr un peth bob amser oherwydd mai dim ond mewn moleciwl H_2 mae'r bond H–H i'w gael.Ond, mae bondiau C–H yn bodoli mewn llawer o gyfansoddion gwahanol. Mae gwir werth y newid enthalpi ar gyfer bond penodol yn dibynnu ar adeiledd gweddill y moleciwl, ac felly mae cryfder y bond C–H yn amrywio rhwng yr amgylcheddau gwahanol lle mae'n cael ei ffurfio.

Rydym ni felly'n cymryd gwerthoedd cyfartalog ar gyfer enthalpïau bond, sy'n deillio o'r holl foleciwlau sy'n cynnwys y bond dan sylw.

Mae'n bosibl defnyddio **enthalpïau bond cyfartalog** i gyfrifo newidiadau enthalpi adwaith safonol sy'n cynnwys cyfansoddion cofalent. Ni fydd canlyniadau cyfrifiadau fel hyn mor fanwl gywir â chanlyniadau sy'n deillio o arbrofion gyda'r moleciwlau dan sylw. Ond, byddan nhw fel arfer yn rhoi amcangyfrif digon manwl gywir o'r newid enthalpi adwaith safonol.

Enghraifft

Mae ethanol yn cael ei ddefnyddio fel tanwydd oherwydd bod ei adwaith hylosgi'n ecsothermig iawn.

$$C_2H_5OH(h) + 3O_2(n) \longrightarrow 2CO_2(n) + 3H_2O(h)$$

Cyfrifwch y newid enthalpi safonol ar gyfer yr adwaith hwn drwy ddefnyddio'r enthalpïau bond cyfartalog isod.

Bond	C–C	C–H	C–O	C=O	O–H	O=O
Enthalpi bond cyfartalog/kJ môl⁻¹	348	413	360	805	463	496

Cam 1   Lluniwch bob moleciwl.

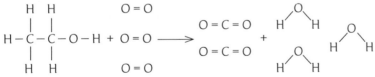

Cam 2   Cyfrifwch yr egni sydd ei angen i dorri'r bondiau (endothermig).

     Bondiau sy'n cael eu torri =
     5(C–H) + (C–C) + (C–O) + (O–H) + 3(O = O) = 4724 kJ môl⁻¹

Cam 3   Cyfrifwch yr egni sy'n cael ei ryddhau pan fydd y bondiau'n cael eu ffurfio (ecsothermig).

     Bondiau sy'n cael eu ffurfio = 4(C = O) + 6(O–H) = –5998 kJ môl⁻¹

Cam 4   Adiwch y newidiadau egni.

     $\Delta H = \Sigma$(bondiau sy'n cael eu torri) + Σ(bondiau sy'n cael eu ffurfio)
     $\Delta H = 4724 + (-5998) = -1274$ kJ môl⁻¹

Termau Allweddol

Enthalpi bond yw'r enthalpi sydd ei angen i dorri bond cofalent X–Y gan ffurfio atomau X ac atomau Y, pob un yn y cyflwr nwyol.

Enthalpi bond cyfartalog yw gwerth cyfartalog yr enthalpi sydd ei angen i dorri math penodol o fond cofalent mewn amrywiaeth o foleciwlau yn y cyflwr nwyol.

Gwella gradd

Pan fydd cwestiwn yn gofyn i chi gyfrifo newidiadau enthalpi gan ddefnyddio enthalpïau bond, tynnwch lun o bob moleciwl bob amser fel y gallwch chi weld y bondiau sy'n cael eu torri a'r bondiau sy'n cael eu ffurfio.

Cofiwch

Mae angen egni i dorri bondiau, ac felly mae'r broses yn endothermig (ac felly mae enthalpïau bond yn bositif bob tro). Mae ffurfio bondiau'n rhyddhau egni, ac felly mae'n ecsothermig.

cwestiwn cyflym

② Mae'n bosibl ffurfio ethan o ethen a hydrogen

$$C_2H_4 + H_2 \longrightarrow C_2H_6$$

Gan ddefnyddio enthalpïau bond cyfartalog, cyfrifwch y newid enthalpi ar gyfer yr adwaith:

Bond	Enthalpi bond cyfartalog/kJ môl⁻¹
C=C	612
C–H	413
H–H	436
C–C	348

Cyfrifo newidiadau enthalpi

Allwch chi ddim mesur y gwres y tu mewn i system (enthalpi'r system), ond gallwch chi fesur y gwres sy'n cael ei drosglwyddo i'r amgylchedd. Yn y broses hon, mae'r newid cemegol yn cael ei gynnal mewn cynhwysydd ynysedig o'r enw calorimedr. Mae'n bosibl mesur y newid yn y tymheredd yn y calorimedr, a gafodd ei achosi gan newid enthalpi'r adwaith, â thermomedr.

Os yw'r newid tymheredd yn cael ei gofnodi, ac os yw màs a chynhwysedd gwres sbesiffig cynhwysion y calorimedr yn hysbys, yna mae'n bosibl cyfrifo'r newid enthalpi.

Mae'r berthynas rhwng y newid tymheredd, ΔT, a maint y gwres sy'n cael ei drosgwlyddo, q, yn cael ei rhoi gan y mynegiad:

$$q = mc\Delta T$$

m yw màs yr hydoddiant yn y cwpan

c yw cynhwysedd gwres sbesiffig yr hydoddiant

I bwrpasau'r cyfrifiadau, rydym ni'n tybio

- bod yr holl wres yn cael ei gyfnewid â'r hydoddiant yn unig
- bod gan yr hydoddiant yr un cynhwysedd gwres sbesiffig â dŵr (4.18 $Jg^{-1}K^{-1}$)
- bod dwysedd yr hydoddiant yn 1 g cm^{-3}.

Felly bydd y màs yn hafal i gyfaint yr hydoddiant. Nid yw màs solid yn cael ei adio at fàs yr hydoddiant. Ond, os hydoddiannau yw'r ddau adweithydd, yna mae'r màs yn hafal i gyfanswm cyfaint yr hydoddiannau.

I gael uchafswm y newid tymheredd, mae'n rhaid ystyried y gwres sy'n cael ei golli i'r amgylchedd (neu sy'n cael ei ennill o'r amgylchedd). Felly rydym ni'n mesur tymheredd yr hydoddiant am ychydig cyn cymysgu, ac am ychydig ar ôl cymysgu. Rydym ni'n plotio graff tymheredd yn erbyn amser, a chael y tymheredd uchaf drwy allosod y graff yn ôl i'r amser cymysgu.

I gyfrifo'r newid enthalpi adwaith am bob môl, rydym ni'n defnyddio'r mynegiad:

$$\Delta H = \frac{-q}{n}$$

lle n yw nifer y molau sydd wedi adweithio.

Gan fod angen gwybod nifer y molau i gyfrifo'r newid enthalpi molar, mae'n rhaid mesur yn fanwl gywir yr adweithydd sydd ddim mewn gormodedd. Felly mae'n rhaid i fàs solid neu grynodiad hydoddiant fod yn hysbys.

Enghraifft

Cafodd 0.100 g o fagnesiwm ei ychwanegu at 50.0 cm^3 o hydoddiant asid sylffwrig â chrynodiad 1.00 môl dm^{-3} mewn cwpan polystyren. Yn ôl y cyfrifiad, uchafswm y newid (cynnydd) tymheredd oedd 9.6 °C.

Cyfrifwch y newid enthalpi ar gyfer yr adwaith:

$$Mg(s) + H_2SO_4(d) \longrightarrow MgSO_4(d) + H_2(n)$$

>> **Cofiwch**

Cynhwysedd gwres sbesiffig, c, yw'r egni sydd ei angen i godi tymheredd 1 g o sylwedd 1 K. (Y gwerth ar gyfer dŵr yw 4.18 $Jg^{-1}K^{-1}$ a bydd yn cael ei roi bob tro mewn cwestiwn.)

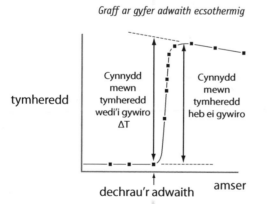

Graff ar gyfer adwaith ecsothermig

tymheredd

Cynnydd mewn tymheredd wedi'i gywiro ΔT

Cynnydd mewn tymheredd heb ei gywiro

dechrau'r adwaith   amser

>> **Cofiwch**

Mae arwydd minws i'w weld yn y mynegiad $\Delta H = \frac{-q}{n}$

oherwydd os yw'r tymheredd yn codi mae'r adwaith yn ecsothermig ac mae ΔH yn negatif.

Cam 1 Cyfrifwch faint o wres a gafodd ei drosglwyddo yn yr arbrawf.

Dim ond 50.0 cm³ o hydoddiant, ac felly'r màs yw 50 g

$q = mc\Delta T = 50 \times 4.18 \times 9.6 = 2006$ J

Cam 2 Cyfrifwch symiau'r adweithyddion, mewn molau

molau Mg = $\dfrac{0.100}{24.3}$ = 0.00412

molau H_2SO_4 = 1×0.050 = 0.050

Felly nid Mg sydd mewn gormodedd a dyna sy'n cael ei ddefnyddio yn y cyfrifiad

Cam 3 Cyfrifwch y newid enthalpi molar

$\Delta H = \dfrac{-q}{n} = \dfrac{-2006}{0.00412} = -486893$ J môl^{-1} = -487 kJ môl^{-1}

cwestiwn cyflym

③ Cafodd 1.50 g o ethanol ei hylosgi, gan gynyddu tymheredd 500 cm³ o ddŵr o 19.5 °C. Cyfrifwch newid enthalpi hylosgiad molar ethanol, C_2H_5OH.

cwestiwn cyflym

④ Adweithiodd 20 cm³ o hydoddiant HCl â chrynodiad 1.000 môl dm^{-3} â 50 cm³ o hydoddiant NaOH â chrynodiad 0.400 môl dm^{-3}. Yn ôl y cyfrifiad, uchafswm y cynnydd mewn tymheredd oedd 3.6 °C. Cyfrifwch y newid enthalpi niwtraliad molar ar gyfer yr adwaith hwn.

Gwaith ymarferol penodol

Mae dwy dasg ymarferol yn y testun hwn.

Darganfod newid enthalpi hylosgiad

Mae'n hawdd darganfod Δ_cH ar gyfer tanwydd drwy arbrawf.

Bydd màs hysbys o danwydd yn cael ei losgi mewn aer i wresogi màs hysbys o ddŵr, a bydd newid tymheredd y dŵr yn cael ei gofnodi.

Dyma'r prif bwyntiau i'w nodi yn y gwaith ymarferol hwn:

- Gadewch fwlch addas rhwng gwaelod y cynhwysydd metel a thop y llosgydd gwirodydd.
- Mesurwch yn fanwl gywir faint o ddŵr sy'n cael ei roi yn y cynhwysydd metel.
- Defnyddiwch thermomedr manwl gywir i fesur tymheredd cychwynnol y dŵr. Pan fyddwch wedi cael gwerth sefydlog, cofnodwch y tymheredd.
- Pwyswch y llosgydd gwirodydd sy'n cynnwys y tanwydd a chofnodwch y màs cychwynnol.
- Ar ôl cynnau'r wic, newidiwch y bwlch rhwng y cynhwysydd metel a'r llosgydd gwirodydd os oes angen.
- Gadewch i'r tanwydd wresogi'r dŵr i dymheredd addas (mae cynnydd o ryw 20 °C yn ddigon – y lleiaf yw'r cynnydd, y mwyaf yw'r cyfeiliornad ar y thermomedr).
- Diffoddwch y fflam a chofnodwch uchafswm y tymheredd terfynol.
- Gadewch i'r llosgydd gwirodydd oeri'n llwyr cyn ei bwyso eto a chofnodi'r màs terfynol.

Mae'r gwerth yn llai o lawer na'r gwerth yn ôl y llyfrau oherwydd:

- Bydd rhywfaint o'r egni sy'n cael ei drosglwyddo o'r tanwydd sy'n llosgi yn cael ei 'golli' wrth wresogi'r cyfarpar a'r amgylchedd.
- Nid yw'r tanwydd yn hylosgi'n llwyr.

Gwella gradd

Dangoswch eich holl waith cyfrifo. Bydd pob cam yn y cyfrifiad yn ennill marc.

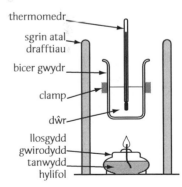

thermomedr
sgrin atal drafftiau
bicer gwydr
clamp
dŵr
llosgydd gwirodydd
tanwydd hylifol

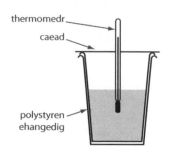

thermomedr
caead
polystyren
ehangedig

>> Cofiwch

Dyma enghreifftiau addas eraill o ddarganfod newidiadau enthalpi yn anuniongyrchol:
Ffurfio magnesiwm ocsid (ychwanegu magnesiwm a magnesiwm ocsid ar wahân at asid hydroclorig)
Dadelfennu sodiwm hydrogencarbonad (ychwanegu sodiwm hydrogencarbonad a sodiwm carbonad ar wahân at asid hydroclorig).

cwestiwn cyflym

⑤ Newid enthalpi hydoddiant amoniwm clorid yw 15.2 kJ môl^{-1}. Cyfrifwch y newid tymheredd pan fydd 7.60 g o amoniwm clorid yn cael ei hydoddi mewn 125 cm^3 o ddŵr.

>> Cofiwch

Mae'r broses hon hefyd yn addas ar gyfer darganfod newid enthalpi ar gyfer adweithiau dadleoli a newid enthalpi hydoddiant. Ond, dim ond un solid fyddai'n cael ei ddefnyddio a ac ni fyddai deddf Hess yn cael ei ddefnyddio.

Darganfod newid enthalpi adwaith yn anuniongyrchol

Y math symlaf o galorimedr yw calorimedr cwpan coffi. Mae'n bosibl ei ddefnyddio i fesur newidiadau sy'n digwydd mewn hydoddiant dyfrllyd.

Mae'r polystyren ehangedig yn ynysu'r hydoddiant yn y cwpan fel bod y gwres sy'n cael ei golli neu ei amsugno gan y cwpan yn ystod yr arbrawf yn ddibwys.

Mae'r holl werthoedd a gewch chi fel hyn yn is na'r gwerthoedd yn y llyfrau oherwydd bod gwres yn cael ei golli wrth ddefnyddio'r math syml hwn o galorimedr.

Mae newid enthalpi adwaith magnesiwm ocsid â charbon deuocsid, gan ffurfio magnesiwm carbonad, yn enghraifft o ddarganfod newid enthalpi yn anuniongyrchol. Rydym ni'n mesur ar wahân newidiadau enthalpi'r adweithiau rhwng magnesiwm ac asid a rhwng magnesiwm carbonad ac asid.

Dyma'r prif bwyntiau i'w nodi yn y gwaith ymarferol hwn:

- Defnyddiwch fwred neu bibed i fesur cyfaint priodol o asid (mae màs yr asid yn cael ei ddefnyddio yn y mynegiad i gyfrifo ΔH) a'i roi mewn cwpan polystyren. Mae'n rhaid i'r asid fod mewn gormodedd (i wneud yn siŵr bod y solid i gyd yn adweithio).

- Defnyddiwch thermomedr manwl gywir i fesur tymheredd cychwynnol yr asid. Pan fyddwch wedi cael gwerth sefydlog, cofnodwch y tymheredd. (Mae ΔT yn cael ei ddenfyddio yn y mynegiad i gyfrifo ΔH.)

- Pwyswch y solid, yn fanwl gywir, ar ffurf powdr (i sicrhau adwaith mor gyflym â phosibl), mewn cynhwysydd addas (mae swm y solid, mewn molau, yn cael ei ddefnyddio yn y mynegiad i gyfrifo ΔH).

- Rhowch y solid i gyd yn y cwpan, trowch y cymysgedd yn dda (i sicrhau bod adwaith mor gyflym â phosibl a bod y solid i gyd yn cael ei ddefnyddio) a dechreuwch stopwatsh.

- Daliwch i droi'r cymysgedd â'r thermomedr a chofnodwch y tymheredd yn rheolaidd (tuag unwaith bob 30 eiliad). Rhowch y gorau i gofnodi'r tymheredd ar ôl iddo ddisgyn am tua 5 munud.

- Pwyswch y cynhwysydd a oedd yn cynnwys y solid eto i wneud yn siŵr eich bod wedi cofnodi màs y solid a ychwanegwyd yn gywir.

- Plotiwch graff tymheredd yn erbyn amser i gyfrifo uchafswm y tymheredd y gallai'r cymysgedd fod wedi'i gyrraedd. (Mae hyn yn hanfodol er mwyn cyfrifo ΔT yn gywir – trowch i dudalen 66.)

- Cyfrifwch faint o wres sydd wedi'i drosglwyddo ($q = mc\Delta T$).

- Cyfrifwch y newid enthalpi ar gyfer yr adwaith ($\Delta H = -q/n$).

- Gwnewch hyn eto gyda'r solid arall.

- Defnyddiwch ddeddf Hess i gyfrifo'r newid enthalpi sydd ei angen.

2.2 Cyfraddau adwaith

Mae cineteg gemegol yn ymchwilio i gyfraddau adweithiau cemegol.

Ar gyfer adwaith:

$$\text{cyfradd} = \frac{\text{newid mewn crynodiad}}{\text{amser}} \quad \text{unedau:} \quad \frac{\text{môl dm}^{-3}}{\text{s}} = \text{môl dm}^{-3}\,\text{s}^{-1}$$

Os bydd newidyn arall yn cael ei fesur, fel màs neu gyfaint, mae'n bosibl mynegi'r gyfradd mewn unedau cyfatebol, fel $g\,s^{-1}$ neu $cm^3\,s^{-1}$.

Fel arfer, ar gyfer adweithiau:

- Mae'r gyfradd ar ei chyflymaf ar ddechrau adwaith gan fod crynodiad pob adweithydd ar ei fwyaf.
- Mae'r gyfradd yn arafu wrth i'r adwaith fynd yn ei flaen gan fod crynodiad yr adweithyddion yn lleihau.
- Mae'r gyfradd yn cyrraedd sero pan fydd yr adwaith yn dod i ben, hynny yw pan fydd un o'r adweithyddion wedi dod i ben.

Term Allweddol

Cyfradd adwaith yw'r newid yng nghrynodiad adweithydd neu gynnyrch fesul uned o amser.

Gwella gradd

Wrth lunio graff, tynnwch linell sy'n ffitio'r pwyntiau orau. Efallai na fydd yr holl bwyntiau ar y llinell 'ffit orau'.

Cyfrifo cyfraddau cychwynnol

Byddwn ni'n dilyn cyfradd adwaith drwy fesur crynodiad adweithydd (neu gynnyrch) dros gyfnod o amser. Mae'r canlyniadau a gawn yn cael eu plotio i roi graff. I gyfrifo'r gyfradd gychwynnol, mae angen cyfrifo goledd (graddiant) gwreiddiol y llinell. Ar gyfer UG, bydd y graff fel arfer yn llinell syth ar y dechrau, er enghraifft:

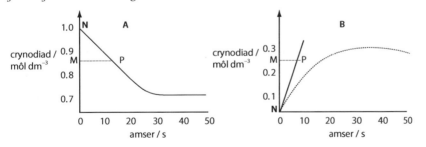

I gyfrifo'r graddiant:

Ar gyfer graff A, mae'r llinell yn syth ar y cychwyn, felly ar unrhyw bwynt cyfleus, P, ar y llinell, tynnwch linell lorweddol, MP, i'r echelin-y a thynnwch linell fertigol o M i ddechrau'r goledd, N.

$$\text{Cyfradd} = \frac{\text{newid mewn crynodiad}}{\text{amser}} = \frac{\text{MN}}{\text{MP}} = \frac{(1-0.86)}{13} = \frac{0.14}{13} = 0.011 \text{ môl dm}^{-3}\,\text{s}^{-1}$$

Ar gyfer graff B, mae'r llinell yn gromlin ar y cychwyn, felly mae'n rhaid i chi dynnu llinell syth drwy lunio tangiad mor agos â phosibl at ddechrau'r gromlin.

$$\text{Cyfradd} = \frac{\text{newid mewn crynodiad}}{\text{amser}} = \frac{\text{MN}}{\text{MP}} = \frac{0.25}{7} = 0.036 \text{ môl dm}^{-3}\,\text{s}^{-1}$$

cwestiwn cyflym

① Ar gyfer yr adwaith $Zn + 2HCl \longrightarrow ZnCl_2 + H_2$, crynodiad cychwynnol yr asid oedd 0.300 môl dm^{-3}. Ar ôl 50 s roedd y crynodiad wedi lleihau i 0.142 môl dm^{-3}.

a) Cyfrifwch y gyfradd adwaith gyfartalog dros yr amser hwn.

b) Nodwch, gan roi rheswm, a fyddai'r gyfradd adwaith gychwynnol yr un peth â'r gyfradd gyfartalog.

I ddarganfod y berthynas rhwng y gyfradd gychwynnol a chrynodiadau cychwynnol yr adweithyddion, mae angen cynnal cyfres o arbrofion lle mae crynodiad un adweithydd yn unig yn cael ei newid ar y tro. Yna mae angen cymharu canlyniadau'r crynodiadau cychwynnol a'r cyfraddau cychwynnol.

Mae'r tabl isod yn rhoi'r data arbrofol ar gyfer yr adwaith rhwng propanon, CH_3COCH_3, ac ïodin, I_2, sy'n cael ei gynnal mewn asid hydroclorig gwanedig.

$$CH_3COCH_3(d) + I_2(d) \longrightarrow CH_3COCH_2I(d) + HI(d)$$

Arbrawf	Crynodiadau cychwynnol/môl dm^{-3}			Cyfradd gychwynnol / 10^{-4} môl dm^{-3} s^{-1}
	$I_2(d)$	$CH_3COCH_3(d)$	HCl(d)	
1	0.0005	0.4	1.0	0.6
2	0.0010	0.4	1.0	0.6
3	0.0010	0.8	1.0	1.2

Yn arbrofion 1 a 2, dim ond crynodiad ïodin sy'n newid, a phan mae'n dyblu, does dim newid yng nghyfradd gychwynnol yr adwaith. Felly mae cyfradd gychwynnol yr adwaith yn annibynnol ar grynodiad cychwynnol yr ïodin dyfrllyd.

Yn arbrofion 2 a 3, dim ond crynodiad propanon sy'n newid, a phan fydd yn dyblu, mae cyfradd gychwynnol yr adwaith hefyd yn dyblu.

Felly mae cyfradd gychwynnol yr adwaith mewn cyfrannedd union â chrynodiad cychwynnol propanon dyfrllyd.

>> **Cofiwch**

Mae swm y cynnyrch sy'n cael ei ffurfio mewn unrhyw adwaith bob amser yn dibynnu ar faint yr adweithyddion, er efallai na fydd cyfradd yr adwaith yn dibynnu ar grynodiad un o'r adweithyddion dan sylw.

Ffactorau sy'n effeithio ar gyfraddau adwaith

- Crynodiad hydoddiant (gwasgedd nwy)
- Arwynebedd arwyneb solid
- Tymheredd adwaith
- Catalydd
- Golau (mewn rhai adweithiau, er enghraifft H_2 + Cl_2, ffotosynthesis).

Mae'n bosibl esbonio sut mae'r ffactorau hyn yn newid cyfradd adwaith drwy ddefnyddio damcaniaeth gwrthdrawiadau.

Term Allweddol

Egni actifadu yw'r isafswm egni sydd ei angen i ddechrau adwaith drwy dorri bondiau.

Damcaniaeth gwrthdrawiadau

Er mwyn i adwaith cemegol ddigwydd, mae'n rhaid i'r moleciwlau sy'n adweithio wrthdaro'n effeithiol. Dim ond ffracsiwn bach o gyfanswm y gwrthdrawiadau sy'n achosi adwaith. Ond, y mwyaf yw nifer y gwrthdrawiadau, y mwyaf yw'r tebygolrwydd y bydd rhai ohonyn nhw'n effeithiol. Er mwyn i wrthdrawiad fod yn effeithiol, mae'n rhaid i'r moleciwlau wrthdaro yn y cyfeiriadaeth gywir a rhaid iddyn nhw fod â digon o egni. Bydd unrhyw ffactor sy'n cynyddu'r tebygolrwydd o wrthdrawiadau effeithiol hefyd yn cynyddu'r gyfradd adwaith. Yr enw ar yr isafswm egni sydd ei angen yw'r **egni actifadu**.

>> **Cofiwch**

Gall rhywogaethau'r adweithyddion sy'n gwrthdaro yn ystod adweithiau cemegol gynnwys moleciwlau, atomau neu ïonau. Er mwyn symleiddio, rydym ni'n cyfeirio atyn nhw'n syml fel 'moleciwlau'.

Proffiliau egni

Gallwn ni ddangos yr egni actifadu ar ddiagramau o'r enw proffiliau egni. Mae'r rhain yn cymharu enthalpi'r adweithyddion ag enthalpi'r cynhyrchion.

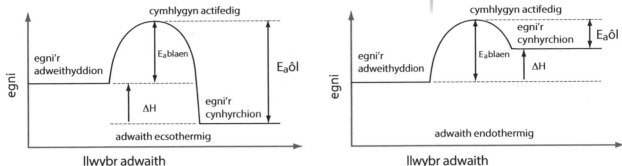

Ar gyfer **adwaith ecsothermig**, mae'r cemegion sy'n adweithio'n colli egni ac mae gwres yn cael ei ryddhau i'r amgylchedd. Er bod gan y cynhyrchion lai o egni na'r adweithyddion, mae angen mewnbwn egni er mwyn torri bondiau a dechrau'r adwaith.

Ar gyfer **adwaith endothermig**, mae enthalpi'r cynhyrchion yn fwy nag enthalpi'r adweithyddion ac mae gwres yn cael ei amsugno o'r amgylchedd:

$\Delta H = E_a\text{blaen} - E_a\text{ôl}$

lle $E_a$blaen yw egni actifadu'r blaenadwaith ac $E_a$ôl yw egni actifadu'r ôl-adwaith.

Ar gyfer adwaith ecsothermig, $E_a$blaen $< E_a$ôl ac mae ΔH yn negatif.

Ar gyfer adwaith endothermig, $E_a$blaen $> E_a$ôl ac mae ΔH yn bositif.

Effaith crynodiad (gwasgedd) ar gyfraddau adwaith

Os bydd crynodiad adweithydd yn cynyddu, bydd cyfradd yr adwaith yn cynyddu. Mae mwy o foleciwlau yn yr un cyfaint, ac felly mae'r pellterau rhwng y moleciwlau'n llai ac mae mwy o wrthdrawiadau fesul uned o amser. Mae hyn yn golygu bod mwy o debygolrwydd y bydd mwy o wrthdrawiadau sydd ag egni mwy na'r egni actifadu, ac felly bydd y gyfradd adwaith yn cynyddu.

Ar gyfer adwaith nwyol, mae cynyddu'r gwasgedd yr un peth â chynyddu'r crynodiad.

Ar gyfer solid, mae lleihau maint y gronynnau'n cynyddu'r arwynebedd arwyneb ac yn cael yr un effaith.

>> *Cofiwch*

Gallwn ni ystyried cymhlygyn actifedig fel cyflwr trosiannol lle mae hen fondiau wedi torri'n rhannol a bondiau newydd wedi ffurfio'n rhannol.

cwestiwn cyflym

2 Ystyriwch yr adwaith:
$N_2 + 3H_2 \rightleftharpoons 2NH_3$
$\Delta H = -92$ kJ môl^{-1}
a) Lluniwch ddiagram proffil egni ar gyfer yr adwaith.
b) Cyfrifwch yr egni actifadu ar gyfer y blaenadwaith o wybod bod yr egni actifadu ar gyfer yr ôl-adwaith yn 330 kJ môl^{-1}.

 Gwella gradd

Wrth esbonio effaith newid amodau ar gyfraddau adwaith, defnyddiwch y ddamcaniaeth gwrthdrawiadau yn eich ateb bob tro. Gall pwyntiau bwled fod o gymorth.

Gwella gradd

Wrth esbonio effaith tymheredd ar gyfradd adwaith, mae'n rhaid i chi gyfeirio at egni actifadu yn eich ateb.

Gwella gradd

Wrth lunio cromlin ddosraniad, cofiwch dynnu'r llinell sy'n dangos egni actifadu ymhell i'r ochr dde ar yr echelin egni, a gwnewch yn siŵr nad yw'r gromlin ddosraniad yn cyffwrdd â'r echelin.

cwestiwn cyflym

③ Esboniwch pam mae cynhyrchion anifeiliaid fel cig a llaeth yn cadw'n fwy ffres mewn oergell.

Term Allweddol

Sylwedd yw **catalydd** sy'n cynyddu cyfradd adwaith cemegol heb gael ei ddisbyddu yn y broses. Mae'n cynyddu'r gyfradd adwaith drwy gynnig llwybr arall lle mae egni actifadu is.

Effaith tymheredd ar gyfraddau adwaith

Os bydd tymheredd adwaith yn cynyddu, bydd y gyfradd adwaith yn cynyddu. Ar dymereddau uwch, mae mwy o egni cinetig gan y moleciwlau ac maen nhw'n symud yn gyflymach. Mae egni sy'n fwy na'r egni actifadu gan nifer uwch o foleciwlau, ac mae mwy o wrthdrawiadau'n digwydd mewn amser penodol. Gallwn ni ddangos hyn drwy ddefnyddio cromliniau dosraniad egni Boltzmann. Yn y diagram, mae tymheredd T_2 > tymheredd T_1.

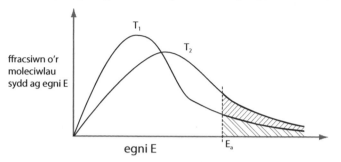

- Nid yw'r cromliniau'n cyffwrdd â'r echelin egni.
- Mae'r arwynebeddau o dan y ddwy gromlin yn gyfartal ac mewn cyfranedd â chyfanswm nifer y moleciwlau yn y sampl.
- Ar y tymheredd uchaf, T_2, mae'r brig yn symud i'r dde (egni uwch) ac mae'n is.
- Dim ond y moleciwlau sydd ag egni sy'n hafal i'r egni actifadu neu'n uwch nag ef, E_a, sy'n gallu adweithio.
- Ar y tymheredd uchaf, T_2, mae digon o egni i adweithio gan lawer mwy o foleciwlau, ac felly mae'r gyfradd yn cynyddu'n sylweddol.

Catalyddion

Mae catalydd yn cynyddu cyfradd adwaith cemegol heb gael ei ddisbyddu yn y broses. Mae catalydd yn cymryd rhan yn yr adwaith, ond mae modd ei gael yn ôl, heb ei newid, ar ddiwedd yr adwaith.

Mae catalyddion yn gweithio drwy gynnig llwybr arall ar gyfer yr adwaith. Mae'r gyfradd yn cynyddu oherwydd bod gan y llwybr newydd egni actifadu is.

Gallwn ni lunio diagram proffil egni i ddangos y gwahanol lwybrau.

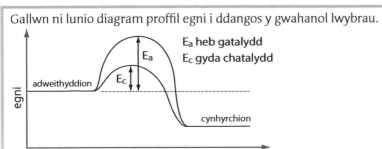

Ar yr un tymheredd, bydd gan gyfran fwy o foleciwlau'r adweithydd ddigon o egni i oresgyn yr egni actifadu ar gyfer adwaith â chatalydd. Gallwn ni ddangos hyn ar ddiagram dosraniad egni.

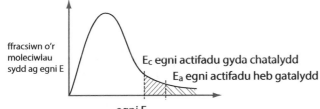

Ar gyfer adwaith cildroadwy, mae catalydd yn cynyddu cyfraddau'r blaenadwaith a'r ôl-adwaith i'r un graddau. Felly nid yw'n effeithio ar y safle ecwilibriwm, ond mae'r adwaith yn cyrraedd y safle ecwilibriwm yn gynt.

Mae dau ddosbarth o gatalydd: homogenaidd a heterogenaidd.

Catalyddion homogenaidd

Mae catalydd homogenaidd yn yr un cyflwr â'r adweithyddion. Mae catalyddion homogenaidd yn chwarae rhan weithredol mewn adwaith yn lle ei wylio'n anweithredol. Dyma enghreifftiau:

- Asid sylffwrig crynodedig wrth ffurfio ester o asid carbocsilig ac alcohol.
- Ïonau haearn(II) dyfrllyd, $Fe^{2+}(d)$, yn ocsidiad ïonau ïodid, $I^-(d)$, gan ïonau perocsodeusylffad(VI), $S_2O_8^{2-}(d)$.

Catalyddion heterogenaidd

Mae catalydd heterogenaidd mewn cyflwr gwahanol i'r adweithyddion. Mae llawer o gatalyddion heterogenaidd mewn diwydiant yn fetelau trosiannol bloc d. Mae'r metel trosiannol yn darparu safle lle mae'r adwaith yn digwydd. Mae nwyon yn cael eu hamsugno ar yr arwyneb metel ac maen nhw'n adweithio. Mae'r cynhyrchion yn datsugno oddi ar yr arwyneb. Y mwyaf yw'r arwynebedd arwyneb, y gorau y mae'r catalydd yn gweithio. Dyma enghreifftiau:

- Haearn ym mhroses Haber ar gyfer cynhyrchu amonia.
- Fanadiwm(V) ocsid yn y broses Gyffwrdd wrth gynhyrchu asid sylffwrig.
- Nicel ar gyfer hydrogenu olewau annirlawn wrth gynhyrchu margarin.
- Catalyddion Ziegler-Natta wrth gynhyrchu poly(ethen) dwysedd uchel.

>> *Cofiwch*

Nid yw catalydd yn ymddangos fel un o'r adweithyddion yn hafaliad cyffredinol adwaith.

Termau Allweddol

Mae **catalydd heterogenaidd** mewn cyflwr gwahanol i'r adweithyddion.

Mae **catalydd homogenaidd** yn yr un cyflwr â'r adweithyddion.

Gwella gradd

Dylech chi allu nodi enghraifft o gatalydd heterogenaidd a chatalydd homogenaidd ar waith.

Catalyddion mewn diwydiant

Mae'r rhan fwyaf o brosesau diwydiannol yn cynnwys catalyddion. Mae diwydiant yn dibynnu ar gatalyddion i leihau costau. Mewn diwydiant, mae'n well defnyddio catalyddion heterogenaidd yn aml (trowch i'r dudalen flaenorol ar gyfer enghreifftiau) oherwydd mae'n hawdd eu gwahanu oddi wrth y cynhyrchion. Mae catalydd yn cyflymu proses drwy leihau egni actifadu'r adwaith, ac felly mae angen llai o egni i'r moleciwlau adweithio; mae hyn yn arbed costau egni. Mae llawer o'r egni hwn yn dod o gyflenwadau trydan neu drwy losgi tanwydd ffosil, ac felly mae catalydd yn fanteisiol i'r amgylchedd hefyd. Os bydd llai o danwydd ffosil yn cael ei losgi, bydd llai o garbon deuocsid yn cael ei ryddhau wrth gynhyrchu egni.

Mae cwmni ceir wedi datblygu catalydd newydd ar gyfer ceir sy'n llosgi petrol ac sydd ond yn defnyddio hanner y metelau drudfawr sydd mewn catalyddion presennol. Mae'r catalydd newydd yn defnyddio nano-dechnoleg, sy'n atal y metelau rhag ffurfio clystyrau. Ar y dechrau, roedd y broses ar gyfer cynhyrchu asid ethanöig o fethanol yn defnyddio gwasgedd o 700 atm a thymheredd o 300 °C, ond drwy gael hyd i gatalydd newydd (iridiwm(IV) clorid), mae'r broses nawr yn rhedeg ar wasgedd o 30 atm a thymheredd o 150-200 °C.

Mae'r diwydiant biotechnoleg yn defnyddio ensymau mewn amrywiaeth o brosesau diwydiannol pwysig fel cynhyrchu bwydydd a diodydd a chynhyrchu glanedyddion a defnyddiau glanhau. Catalyddion biolegol yw ensymau sydd i'w cael ym mhob peth byw. Maen nhw'n catalyddu adweithiau penodol fel arfer ac yn gweithio orau yn agos i dymheredd a gwasgedd ystafell. Er bod tymheredd a pH yn effeithio'n andwyol ar ensymau, a gall fod yn anodd eu tynnu oddi wrth gynhyrchion hylifol, maen nhw dros 10 000 yn fwy effeithiol na chatalyddion eraill mewn diwydiant.

Dyma rai o'r manteision:

- Mae'n bosibl defnyddio tymereddau a gwasgeddau is, gan arbed egni a chostau.
- Maen nhw'n gweithio mewn amodau cymedrol ac nid ydyn nhw'n niweidio ffabrigau neu fwyd.
- Maen nhw'n fioddiraddadwy. Nid yw gwaredu ensymau gwastraff yn achosi problemau.
- Maen nhw'n aml yn caniatáu i adweithiau ddigwydd sy'n ffurfio cynhyrchion pur heb sgil adweithiau, gan osgoi'r angen i ddefnyddio technegau gwahanu cymhleth.

cwestiwn cyflym

④ Rhowch ddau reswm pam mae defnyddio ensymau mewn prosesau diwydiannol yn lleihau'r effaith ar yr amgylchedd.

cwestiwn cyflym

⑤ Mae hydoddiant hydrogen perocsid yn dadelfennu'n araf i ddŵr ac ocsigen ar dymheredd ystafell. Rhowch bedair ffordd o gyflymu'r gyfradd dadelfennu.

Astudio cyfraddau adwaith

I fesur cyfradd adwaith cemegol, mae angen i ni gael hyd i faint ffisegol neu gemegol sy'n amrywio gydag amser. Dyma rai o'r dulliau (maen nhw i gyd yn cael eu cynnal ar dymheredd cyson).

- **Newid yng nghyfaint nwy** e.e. $Mg(s) + 2HCl(d) \rightarrow MgCl_2(d) + H_2(n)$

  Mewn adwaith lle mae nwy'n cael ei ffurfio, mae'n bosibl cofnodi cyfaint y nwy drwy ddefnyddio chwistrell nwy ar wahanol amserau.

- **Newid yng ngwasgedd nwy** e.e. $PCl_5(n) \rightarrow PCl_3(n) + Cl_2(n)$

  Mewn rhai adweithiau rhwng nwyon, mae nifer y molau o nwy'n newid. Mae'n bosibl dilyn y newid mewn gwasgedd (ar gyfaint cyson) ar wahanol amserau drwy ddefnyddio manomedr.

- **Newid mewn màs**

  e.e. $CaCO_3(s) + 2HCl(d) \rightarrow CaCl_2(d) + H_2O(h) + CO_2(n)$

  Os bydd nwy yn cael ei ffurfio mewn adwaith ac yn cael dianc, mae'n bosibl dilyn y newid mewn màs ar wahanol amserau drwy ddefnyddio clorian

- **Newid mewn lliw (lliwfesuriaeth)**

  Mae rhai cymysgeddau adweithio'n dangos newid lliw cyson wrth i'r adwaith fynd yn ei flaen. Mae'n bosibl monitro crynodiad y sylwedd sy'n newid lliw drwy ddefnyddio colorimedr.

  e.e. $CH_3COCH_3(d) + I_2(d) \rightarrow CH_3COCH_2I(d) + HI(d)$

  Mae'n bosibl monitro dwysedd lliw'r ïodin dros amser, gan mai ïodin (brown) yw'r unig rywogaeth lliw yn yr adwaith, drwy ddefnyddio colorimedr a thrwy hyn mae modd mesur y newid yn ei grynodiad.

cwestiwn cyflym

⑥ Mae deunitrogen pentocsid yn dadelfennu yn ôl yr hafaliad

$2N_2O_5(n) \rightarrow$
di-liw
$4NO_2(n) + O_2(n)$
brown   di-liw

Disgrifiwch ddau ddull posibl o fesur cyfradd yr adwaith hwn.

>> *Cofiwch*

Dyma enghreifftiau addas eraill ar gyfer dull casglu nwy: Ychwanegu calsiwm carbonad at asid hydroclorig. (Nid yw asid sylffwrig yn addas.) Dadelfennu hydrogen perocsid. (Mae'n bosibl cymharu gwahanol gatalyddion.) Yn lle defnyddio chwistrell nwy, mae'n bosibl casglu'r nwy dros ddŵr gan ddefnyddio bwred a'i ben i lawr.

Gwaith ymarferol penodol

Mae tair tasg ymarferol yn y testun hwn.

Dull casglu nwy

Dyma ffordd dda o ddangos sut mae'r gyfradd yn newid yn ystod adwaith cemegol a dangos hefyd sut gall newid crynodiad, tymheredd, maint y gronynnau neu gatalyddion effeithio ar adwaith cemegol.

Mae adwaith metel ag asid yn enghraifft addas. Dyma ddull nodweddiadol:

- Dechreuwch yr adwaith drwy ysgwyd y metel i'r asid a dechreuwch stopwatsh.
- Mesurwch faint o hydrogen sy'n cael ei gynhyrchu ar amserau cyson.
- Stopiwch y watsh pan na fydd hydrogen yn cael ei gynhyrchu mwyach.
- Cynhaliwch yr arbrawf eto â gwahanol grynodiadau asid / tymheredd asid / maint gronynnau metel, gan wneud yn siŵr bod pob ffactor arall yn gyson.
- Lluniwch graff o'ch canlyniadau

cwestiwn cyflym

⑦ Nodwch pam nad yw'n bosibl defnyddio dull casglu nwy i ddilyn cyfradd adwaith rhwng $CaCO_3$ ac H_2SO_4.

>> Cofiwch

Yn yr adwaith rhwng ïonau ïodid a hydrogen perocsid mewn hydoddiant asid, mae hefyd yn bosibl gwneud swp mawr yn cynnwys asid, ïodid, thiosylffad a startsh yn ôl y cyfraneddau cywir. Wrth ymchwilio i effaith crynodiad perocsid, gallwch chi roi cyfaint hysbys o'r cymysgedd hwn mewn fflasg gonigol, gan ddefnyddio bwred, a chrynodiad gwahanol o hydoddiant perocsid bob tro. Dyma enghraifft addas arall: Ocsidiad ïonau ïodid gan ïonau perocsodeusylffad gan ffurfio ïodin.

Ychwanegwch gyfaint sefydlog o ïonau thiosylffad ac ychydig ddiferion o hydoddiant startsh at y cymysgedd adweithio. Mae'r thiosylffad yn rhydwytho'n gyflym yr ïodin sy'n cael ei ffurfio. Pan fydd yr holl thiosylffad wedi adweithio, mae ïodin rhydd yn ffurfio cymhlygyn glas yn gyflym gyda'r startsh.

Adweithiau cloc ïodin

Er mwyn cymharu cyfraddau adwaith o dan amodau gwahanol, gallwn ni gynnal nifer o arbrofion lle mae crynodiadau cychwynnol yr adweithyddion yn hysbys a lle rydym ni'n cofnodi'r amser ar gyfer pob arbrawf.

Gall ïonau ïodid gael eu hocsidio i ïodin ar gyfradd fesuradwy. Mae ïodin yn rhoi cymhlygyn â lliw glas cryf gyda hydoddiant startsh, ond os bydd swm penodol o ïonau thiosylffad yn cael ei ychwanegu – sy'n adweithio'n gyflym iawn ag ïodin – ni fydd unrhyw liw glas yn ymddangos nes bod digon o ïodin wedi cael ei ffurfio i adweithio â'r thiosylffad i gyd. Mae'r amser mae'n ei gymryd i hyn ddigwydd felly'n gweithio fel 'cloc' i fesur cyfradd ocsidiad yr ïonau ïodid.

Mae ocsidiad ïonau ïodid gan ïonau perocsid mewn hydoddiant asid yn enghraifft addas o adwaith 'cloc ïodin'.

$$H_2O_2(d) + 2H^+(d) + 2I^-(d) \xrightarrow{\text{araf}} 2H_2O(h) + I_2(d)$$

$$I_2(d) + 2S_2O_3^{2-}(d) \xrightarrow{\text{cyflym}} 2I^-(d) + 2S_4O_6^{2-}(d)$$

Mae'n rhaid cadw'r tymheredd yn gyson, gan fod cyfraddau'n amrywio'n fawr iawn pan fydd newidiadau mewn tymheredd.

Dyma ddull nodweddiadol ar gyfer yr adwaith hwn:

- Mesurwch yn fanwl gywir gyfeintiau hysbys o asid, hydoddiant thiosylffad a hydoddiant ïodid mewn fflasg gonigol ac ychwanegwch ychydig o hydoddiant startsh.
- Mesurwch yn fanwl gywir gyfaint hysbys o hydrogen perocsid i diwb profi.
- Arllwyswch y perocsid yn gyflym i'r fflasg, dechreuwch stopwatsh ar yr un pryd a chymysgwch yn drylwyr.
- Pan fydd y lliw glas yn ymddangos, stopiwch y stopwatsh.
- Gwnewch hyn eto gan ddefnyddio pum crynodiad gwahanol o berocsid, gan wneud yn siŵr bod cyfanswm cyfaint y cymysgedd yn gyson.
- Dylai crynodiad yr hydoddiant perocsid mwyaf crynodedig fod dair gwaith yr un lleiaf crynodedig o leiaf er mwyn cael ystod dda o ganlyniadau.

Gan fod cyfradd $\propto \dfrac{1}{\text{amser}}$ a bod cyfanswm y cyfaint yn gyson ym mhob achos, $[H_2O_2] \propto$ cyfaint y perocsid sy'n cael ei ddefnyddio ym mhob arbrawf. Bydd plotio graff $\dfrac{1}{\text{amser}}$ yn erbyn cyfaint perocsid yn rhoi'r berthynas rhwng $[H_2O_2]$ a'r gyfradd.

Mae'n bosibl defnyddio dull tebyg, gan amrywio crynodiad y potasiwm ïodid i ddarganfod effaith $[I^-]$ ar y gyfradd adwaith. Ond, mae'n rhaid ychwanegu'r hydoddiant perocsid yn olaf bob tro.

Adweithiau gwaddod

Nid sylwi ar newidiadau lliw mewn hydoddiannau yw'r unig ffordd o ddilyn cyfraddau adwaith. Weithiau mae hydoddiannau di-liw'n mynd yn fwy ac yn fwy cymylog wrth i waddod ffurfio ac mae'n bosibl defnyddio'r amser mae'n ei gymryd i'r gwaddod ffurfio i fesur cyfradd adwaith.

Mae adwaith ïonau thiosylffad mewn hydoddiant asid yn enghraifft o hyn.

$$S_2O_3{}^{2-}(d) + 2H^+(d) \longrightarrow S(s) + H_2O(h) + SO_2(n)$$

Mae'n hawdd dilyn yr adwaith gan fod un atom sylffwr yn ffurfio ar gyfer pob ïon thiosylffad sy'n adweithio, ac mae'r sylffwr yn gwneud yr hydoddiant sy'n adweithio'n fwy cymylog wrth i'w grynodiad gynyddu. Drwy roi'r llestr adwaith dros groes ddu (a fydd yn diflannu o'r golwg pan fydd yr adwaith wedi cynhyrchu swm arbennig o sylffwr), mae'n bosibl cymharu cyfraddau adwaith hydoddiannau â gwahanol grynodiadau, a darganfod effeithiau newid crynodiad ar y gyfradd.

Mae hyn oherwydd bod yr amser mae'n ei gymryd i'r swm arbennig o adwaith ddigwydd ym mhob arbrawf mewn cyfrannedd wrthdro â'r gyfradd adwaith, hynny yw, os bydd yr adwaith yn sydyn, bydd y groes yn diflannu'n gyflym, ac fel arall.

Mae'n rhaid cadw'r tymheredd yn gyson, gan fod cyfraddau'n amrywio'n fawr iawn pan fydd newidiadau mewn tymheredd.

Dyma ddull nodweddiadol ar gyfer yr adwaith hwn:

- Mesurwch yn fanwl gywir gyfaint hysbys o hydoddiant thiosylffad mewn fflasg gonigol.
- Mesurwch yn fanwl gywir asid nitrig mewn tiwb profi.
- Arllwyswch yr asid yn gyflym i'r fflasg, dechreuwch stopwatsh ar yr un pryd a chymysgwch yn drylwyr.
- Rhowch y fflasg ar ben croes ddu a stopiwch y watsh ar unwaith pan na allwch chi weld y groes mwyach.
- Gwnewch hyn eto gan ddefnyddio tri chrynodiad gwahanol o thiosylffad, gan gadw cyfaint yr asid yn gyson a chyfanswm cyfaint y cymysgedd yn gyson.
- Gwnewch hyn eto gan ddefnyddio tri chrynodiad gwahanol o asid, gan gadw cyfaint y thiosylffad yn gyson a chyfanswm cyfaint y cymysgedd yn gyson. (Dylai crynodiad yr asid mwyaf crynodedig fod dair gwaith yr un lleiaf crynodedig o leiaf, a'r un fath ar gyfer y thiosylffad, er mwyn cael ystod dda o ganlyniadau.)

Gan fod cyfradd $\propto \dfrac{1}{\text{amser}}$ bydd plotio graff $\dfrac{1}{\text{amser}}$ yn erbyn crynodiad thiosylffad ar grynodiad cyson o asid yn rhoi'r berthynas rhwng $[S_2O_3{}^{2-}]$ a'r gyfradd. Bydd plotio graff $\dfrac{1}{\text{amser}}$ yn erbyn crynodiad asid ar grynodiad cyson o thiosylffad yn rhoi'r berthynas rhwng $[HNO_3]$ a'r gyfradd.

> ## ≫ Cofiwch
>
> Mewn arholiad, mae disgwyl i chi ddadansoddi data arbrofol sy'n cael ei roi er mwyn dilyn cyfradd adwaith.

2.3 Effaith ehangach cemeg

(a) Cymhwyso'r egwyddorion rydych chi wedi'u hastudio i broblemau sy'n codi wrth gynhyrchu cemegion ac egni

Yn y testun hwn, mae angen i chi gymhwyso'r egwyddorion rydych wedi'u hastudio yn Unedau 2.1 a 2.2 i sefyllfaoedd a phroblemau sy'n codi wrth gynhyrchu cemegion ac egni. Cewch chi ddata sy'n berthnasol i'r sefyllfa, y broses neu'r broblem a fydd efallai'n newydd i chi. Byddwch chi'n cael eich marcio ar eich gallu i ddadansoddi a gwerthuso'r sefyllfa neu'r broblem, fel arfer drwy ateb cyfres o gwestiynau ar y testun. Efallai y bydd angen i chi wneud cyfrifiadau; bydd dealltwriaeth sylfaenol o ecwilibriwm, egnïeg a chineteg yn amlwg yn bwysig wrth fynd i'r afael â llawer o'r cwestiynau.

Does dim canlyniadau dysgu fel y cyfryw; beth sydd ei angen yw ymarfer a chael profiad o gymhwyso'r adrannau perthnasol yn 2.1 a 2.2 i'r cwestiwn dan sylw. Efallai y bydd astudio cwestiynau diweddar yng nghyn-bapurau Uned 1 ar wefan CBAC o gymorth:

Roedd Cwestiwn 8 yn Ionawr 2010 yn ymwneud â defnyddio adweithiau cemegol i ddileu carbon deuocsid o simneiau gorsafoedd trydan, yr ecwilibria cysylltiedig ac effeithiau tymheredd a gwahaniad uniongyrchol drwy ddefnyddio pilen a gafodd ei ffurfio drwy nano-dechnoleg.

Yng Nghwestiwn 8 yn Ionawr 2011 roedd angen gwerthuso'r berthynas rhwng crynodiad carbon deuocsid a thymereddau byd-eang.

> **Cofiwch**
>
> Wrth roi cynnig ar gwestiynau ymarfer, cyfeiriwch yn gyson at y canlyniadau perthnasol yn 2.1 a 2.2.

> **Gwella gradd**
>
> Bydd y cwestiynau'n eithaf syml, ond efallai y bydd angen i chi feddwl yn hyblyg ac yn ochrol er mwyn gweld beth sydd ei angen mewn problem a allai fod yn anghyfarwydd i chi.

> **cwestiwn cyflym**
>
> ① Pa dri thestun o 2.1 a 2.2 fydd yn ddefnyddiol wrth ateb cwestiwn am effeithiau newid tymheredd, gwasgedd a chatalydd ar gynnyrch a chyfradd cynhyrchu polythen?

> **Gwella gradd**
>
> Wrth ddisgrifio economi atom, dylech chi wneud yn siŵr eich bod yn esbonio ei fod yn seiliedig ar **fàs** neu fàs moleciwlaidd cymharol ac nid ar nifer y moleciwlau yn yr hafaliad. Peidiwch â defnyddio'r gair 'swm' gan ei fod yn gysylltiedig, drwy'r ymadrodd 'swm y sylwedd' â'r nifer o folau.

> **cwestiwn cyflym**
>
> ② Diffiniwch y term 'economi atom canrannol'.

Egni

Y brif broblem yw'r symiau enfawr a chynyddol o egni sydd eu hangen ac sy'n cael eu creu'n bennaf drwy hylosgi tanwyddau ffosil anadnewyddadwy, gan ryddhau carbon deuocsid i'r atmosffer a'r cefnforoedd. Mae'r lefelau yn yr atmosffer wedi cynyddu o ryw ddraean yn ystod y 100 mlynedd diwethaf, ac mae'n debyg bod hyn yn cyfrannu at gynhesu byd-eang. Mae'r cefnforoedd yn dod yn fwy ac yn fwy asidig, gydag effeithiau biolegol difrifol. Os byddwn ni'n parhau i ddefnyddio cymaint o danwyddau ffosil ag rydym ni'n ei wneud ar hyn o bryd, bydd y cyflenwad yn lleihau a'r gost yn cynyddu. Felly mae llawer o waith yn cael ei wneud i gael hyd i ffynonellau egni amgen. O blith y rhai sydd o ddiddordeb o ran cemeg, mae pŵer niwclear, egni solar a thanwyddau biomas; nod tanwydd biomas yw sicrhau **niwtraliaeth carbon**. Yn achos tanwydd biomas, mae'r CO_2, sy'n cael ei amsugno drwy ffotosynthesis wrth dyfu'r planhigion, yn gwneud yn iawn am y CO_2 sy'n cael ei gynhyrchu wrth hylosgi'r biomas.

Mae pŵer niwclear yn gyfarwydd iawn ac yn cyfrannu tuag 20% o'r trydan yn y DU ac mae ymdrechion yn cael eu gwneud i geisio ei wneud yn fwy diogel. Mae pŵer solar yn defnyddio cemeg lled-ddargludol i sicrhau effeithlonrwydd a dibynadwyedd ac mae diddordeb hefyd mewn defnyddio hydrogen fel tanwydd gan nad oes CO_2 yn cael ei gynhyrchu wrth ei hylosgi. Ond, does dim nwy hydrogen i'w gael yn naturiol ar y Ddaear ac mae ymdrechion yn cael eu gwneud i'w ffurfio drwy ffotolysis solar dŵr.

(b) Swyddogaeth cemeg gwyrdd ac effaith prosesau cemegol

Sylwch: O dan y testunau hyn, byddwch fel arfer yn cael data a gwybodaeth yn sail i'r trafod a'r gwerthuso yn eich ateb.

Nod cemeg gwyrdd yw gwneud y cemegion a'r cynhyrchion sydd eu hangen arnom ni, gan effeithio cyn lleied â phosibl ar yr amgylchedd. Mae hyn yn golygu:

- Defnyddio cyn lleied o egni â phosibl a'i gael o ffynonellau adnewyddadwy fel biomas, solar, gwynt a dŵr yn lle ei gael o danwyddau ffosil a fydd yn dod i ben, fel olew, nwy a glo. Defnyddio egni'n fwy effeithlon yn gyffredinol.

- Defnyddio defnyddiau crai adnewyddadwy (porthiant) fel cyfansoddion sy'n dod o blanhigion lle mae hynny'n bosibl.

- Defnyddio dulliau sydd ag economi atom uchel fel bod canran uchel o fàs yr adweithyddion yn y cynnyrch yn y diwedd, heb greu llawer o wastraff; trowch i dudalen 31, economi atom.

- Datblygu catalyddion gwell, fel ensymau, i gynnal adweithiau ar dymereddau a gwasgeddau is i arbed egni ac osgoi'r angen i wneud cynhwysydd/pibellau'n gryf.

- Osgoi defnyddio hydoddyddion, yn enwedig hydoddyddion organig anweddol sy'n niweidiol i'r amgylchedd.

- Gwneud cynhyrchion sy'n fioddiraddadwy ar ddiwedd eu bywyd defnyddiol, lle mae hynny'n bosibl.

- Osgoi defnyddio defnyddiau gwenwynig, os yw hynny'n bosibl, a gwneud yn siŵr na fydd unrhyw gyd-gynhyrchion neu sgil gynhyrchion niweidiol yn cael eu rhyddhau i'r amgylchedd, er mwyn osgoi llygredd.

Effeithiau

Mae'r diwydiant cemegion yn chwarae rhan fawr yn ein bywydau heddiw. Mae'n cynhyrchu'r defnyddiau sydd eu hangen arnom ni, o led-ddargludyddion mewn ffonau symudol i wrteithiau mewn amaethyddiaeth. Mae'n cynhyrchu llawer o gyfoeth economaidd ac yn cyflogi llawer o bobl. Er bod damweiniau achlysurol yn denu llawer o gyhoeddusrwydd, mae'r rhan fwyaf o'r gweithredoedd yn lân a diogel, yn cael eu rheoli a'u rheoleiddio'n ofalus, a'u lleoli'n bell o ardaloedd poblogaeth uchel.

Yr adwaith cemegol mwyaf cyffredin heddiw yw hylosgi tanwyddau ffosil mewn cerbydau, cartrefi a ffatrïoedd – nid i gynhyrchu cynnyrch, ond i roi egni. Trowch i adran 2.3(a) uchod. Mae'r carbon deuocsid gwastraff sy'n cael ei gynhyrchu yn cynyddu'r lefelau yn yr atmosffer yn gyflymach, ac mae'n debyg bod cysylltiad rhwng hyn a chynnydd mewn cynhesu byd-eang. Mae llawer o ymchwil yn cael ei wneud mewn cemeg a gwyddorau eraill i leihau hyn ac rydym ni wedi gweld ei fod yn un o amcanion cemeg gwyrdd.

ychwanegol

a. Mae'n bosibl y bydd nwy hydrogen yn cael ei hylosgi ar gyfer tanwydd yn y dyfodol ($\Delta H = -286$ kJ môl^{-1}).

   Nodwch un fantais ac un anfantais o'i ddefnyddio.

b. Carbon deuocsid gorgritigol dan wasgedd sy'n cael ei ddefnyddio'n bennaf i ddileu caffein o ffa coffi, yn lle'r hen ddull, sef defnyddio hydoddydd organig.

   Awgrymwch un fantais ac un anfantais o ddefnyddio CO_2.

c. Mae 1,2-deucloroethan yn cael ei ddefnyddio i wneud PVC. Mae'n bosibl ei wneud drwy ddau adwaith sy'n defnyddio catalyddion:

   (i) Ethen + clorin = CH_2ClCH_2Cl ($\Delta H = -185$ kJ môl^{-1})

   Does dim angen hydoddydd na gwres, tymheredd gweithio o $40\,°C$.

   (ii) Ethen + HCl + O_2 = $CH_2ClCH_2Cl + H_2O$ ($\Delta H = -242$ kJ môl^{-1})

   Tymheredd gweithio o $300\,°C$ a gwasgedd o 5 atm.

   Cymharwch y ddwy broses ac ystyriwch eu manteision a'u hanfanteision. Mae'r cynnyrch yn debyg ar gyfer y ddwy broses.

Termau Allweddol

Hydrocarbon yw cyfansoddyn o garbon a hydrogen yn unig.

Grŵp gweithredol yw'r atom/grŵp o atomau sy'n rhoi ei briodweddau nodweddiadol i'r cyfansoddyn.

Cyfansoddyn dirlawn yw un sydd ddim yn cynnwys bondiau lluosol C i C.

Cyfansoddyn annirlawn yw un sy'n cynnwys bondiau lluosol C i C.

Gwella gradd

Mae'r gadwyn C hiraf yn gallu cael ei phlygu / yn gallu mynd o amgylch cornel.

cwestiwn cyflym

① Darganfyddwch a rhifwch y gadwyn C hiraf yn y cyfansoddyn isod:

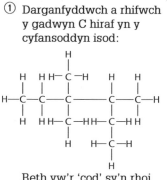

Beth yw'r 'cod' sy'n rhoi enw'r cyfansoddyn hwn?

2.4 Cyfansoddion organig

Yn wreiddiol, roedd cyfansoddion organig yn deillio o rywogaethau byw, ond heddiw rydym ni'n defnyddio'r term i gyfeirio at y rhan fwyaf o gyfansoddion sy'n cynnwys carbon.

Enwi cyfansoddion organig

Mae miliynau o gyfansoddion organig posibl ac mae gan bob un ei enw penodol ei hun. Er mwyn enwi cyfansoddyn, mae'n rhaid i chi wybod i ba gyfres homologaidd mae'n perthyn, sef fel arfer y **grŵp gweithredol** sydd ynddo.

Y cyfresi homologaidd yn yr uned hon yw:

alcanau – hydrocarbonau dirlawn

alcenau – hydrocarbonau annirlawn â bond dwbl C i C

halogenoalcanau – cyfansoddion lle mae halogen(au) wedi cymryd lle un neu fwy o atomau hydrogen mewn alcan

alcoholau cynradd (1°) – cyfansoddion sy'n cynnwys –OH fel y grŵp gweithredol

asidau carbocsilig – cyfansoddion sy'n cynnwys $-\overset{\overset{O}{\|}}{C}-OH$ (rydym yn ysgrifennu hyn weithiau fel –COOH neu –CO_2H) fel y grŵp gweithredol.

Mae angen i chi wybod hefyd y 'cod' sy'n cyfeirio at nifer yr atomau carbon, sef:

meth = 1 carbon	pent = 5 carbon	non = 9 carbon
eth = 2 garbon	hecs = 6 charbon	dec = 10 carbon.
prop = 3 charbon	hept = 7 carbon	
bwt = 4 carbon	oct = 8 carbon	

Rheolau

1 Darganfyddwch y gadwyn garbon ddi-dor hiraf. Defnyddiwch y cod uchod i gael sylfaen yr enw.

2 Rhifwch yr atomau C yn y gadwyn. Dechreuwch ar y pen sy'n rhoi'r rhifau isaf posibl i'r atomau carbon ag unrhyw ochr-gadwynau neu grwpiau a amnewidiwyd.

3 Os oes mwy nag un o unrhyw ochr-gadwyn neu grŵp a amnewidiwyd, defnyddiwch y rhagddodiad deu- ar gyfer 2, tri- ar gyfer 3, a tetra- ar gyfer 4.

4 Enwch y canghennau yn nhrefn yr wyddor.

Mae'n haws gweld sut mae'r rheolau'n gweithio drwy eu cymhwyso i enghreifftiau penodol.

2-methyl pentan

2,2-deumethyl propan

Sylwch: yr enw ar y grŵp –CH_3 yw methyl.

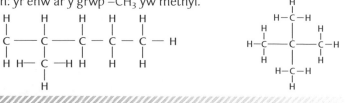

1-bromo-4-methylhecs-1-en-3-ol

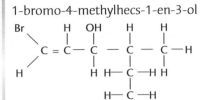

Mae chwe atom carbon yn y gadwyn garbon hiraf – rydych chi'n cyfrif ar hyd y gadwyn hyd yn oed os yw'n gam.

Sylwch: -OH yw grŵp gweithredol alcoholau, ac felly mae enw'r cyfansoddyn yn cynnwys -ol.

C=C yw'r grŵp gweithredol mewn alcenau, ac felly mae'r enw'n cynnwys -en.

Mae bromo yn dangos presenoldeb bromin.

Mathau o fformiwlâu

Mae'n bosibl dangos fformiwla unrhyw gyfansoddyn mewn sawl ffordd wahanol.

Fformiwla foleciwlaidd: mae'n dangos yr atomau a sawl atom o bob elfen sydd mewn moleciwl o'r cyfansoddyn.

Fformiwla graffig: mae'n dangos yr holl fondiau ac atomau yn y moleciwl.

Fformiwla fyrrach: mae'n dangos y grwpiau'n ddigon manwl, fel bod yr adeiledd yn hollol glir.

Fformiwla sgerbydol: mae'n dangos asgwrn cefn y moleciwl, sef yr atomau carbon a hydrogen, ar ffurf cyfres o fondiau, gydag unrhyw grwpiau gweithredol ynghlwm.

Gallwn ni ddefnyddio 4-bromohecs-2-en i weld y mathau gwahanol o fformiwla.

Fformiwla foleciwlaidd: $C_6H_{11}Br$

Fformiwla graffig:

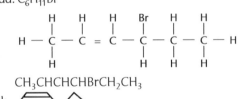

Fformiwla fyrrach: $CH_3CHCHCHBrCH_2CH_3$

Fformiwla sgerbydol:

Cyfresi homologaidd

Yn ôl y disgrifiad uchod, mae pob set o gyfansoddion yn perthyn i gyfres homologaidd benodol. Cyfres homologaidd yw set o gyfansoddion sydd:

1 yn gallu cael eu cynrychioli gan fformiwla gyffredinol;

2 â gwahaniaeth CH_2 rhwng fformiwla un aelod o'r gyfres a fformiwla'r aelod nesaf;

3 â phriodweddau cemegol tebyg iawn oherwydd bod ganddyn nhw'r un grŵp gweithredol;

4 â phriodweddau ffisegol sy'n amrywio wrth i M_r y cyfansoddyn amrywio.

Fformiwla gyffredinol cyfres homologaidd yr alcanau yw C_nH_{2n+2}, lle mae n yn rhif cyfan.

Byddwn ni'n ystyried yn nes ymlaen effeithiau'r grŵp gweithredol a'r ffordd mae priodweddau ffisegol, yn enwedig tymereddau ymdoddi a berwi, yn amrywio mewn cyfres homologaidd.

cwestiwn cyflym

② Lluniwch y fformiwlâu ar gyfer:
a) 3-bromopent-2-en
b) 2,2-deumethylhecsan-3-ol

cwestiwn cyflym

③ Beth yw enwau'r cyfansoddion canlynol?

a)

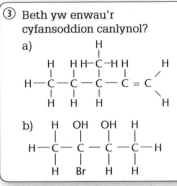

b)

Gwella gradd

Mewn arholiad, gwnewch yn siŵr eich bod yn defnyddio'r math o fformiwla mae'r cwestiwn yn gofyn amdano – moleciwlaidd, graffig, byrrach neu sgerbydol. Gallai'r cwestiwn hefyd ofyn am fformiwlâu empirig – byddwn ni'n trafod y rhain yn nes ymlaen!

cwestiwn cyflym

④ Dyma fformiwla fyrrach cyfansoddyn.

$CH_2=CHCH_2CHClCH_3$

a) Beth yw ei fformiwla foleciwlaidd?

b) Lluniwch ei fformiwla graffig.

c) Lluniwch ei fformiwla sgerbydol.

Gwella gradd

Mewn fformiwla sgerbydol, dydym ni ddim yn dangos atomau carbon a'r unig atomau hydrogen sy'n cael eu dangos yw'r rhai yn y grŵp gweithredol.

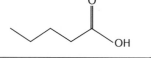

Ffformiwla empirig yw ffformiwla cyfansoddyn sy'n dangos cymhareb symlaf nifer atomau'r elfennau.

cwestiwn cyflym

⑤ Enwch y cyfansoddyn mae ei ffformiwla sgerbydol i'w weld isod:

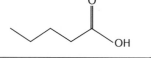 Gwella gradd

Dangoswch yn glir, bob tro, eich bod wedi cyfrifo'r M_r ar gyfer eich ffformiwla empirig.

cwestiwn cyflym

⑥ Beth yw ffformiwla gyffredinol cyfres homologaidd yr alcenau?

cwestiwn cyflym

⑦ Beth yw ffformiwla foleciwlaidd yr alcan sydd â 72 atom carbon?

cwestiwn cyflym

⑧ Mae M_r moleciwl tua 188. Ei gyfansoddiad canrannol yw:
C = 12.78; H = 2.15; Br = 85.07.

Cyfrifwch ei ffformiwla empirig a thrwy hynny ei ffformiwla foleciwlaidd.

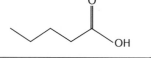 Gwella gradd

Peidiwch â brasamcanu pan fyddwch chi'n 'rhannu â'r un lleiaf'. 1.67, er enghraifft, yw $1\,^2/_3$. Yn yr achos hwn dylech chi luosi â 3 (gan roi 5).

Ffformiwlâu empirig

Mae dulliau sy'n cael eu defnyddio i ddadansoddi cyfansoddion organig yn aml yn rhoi canlyniadau ar ffurf masau neu ganrannau'r elfennau sy'n bresennol. Gallwn ni ddefnyddio'r rhain i gyfrifo'r ffformiwla empirig.

Enghraifft gan ddefnyddio masau

Cafodd 0.205 g o hydrocarbon ei losgi'n llwyr mewn ocsigen, ac fe gafodd 0.660 g o garbon deuocsid a 0.225 g o ddŵr eu ffurfio. Roedd M_r y cyfansoddyn tua 80.

(i) Cyfrifwch y ffformiwla empirig.

Màs carbon mewn CO_2 = 12/44 × 0.660 = 0.180 g

Màs hydrogen mewn H_2O = 2/18 × 0.225 = 0.025 g

$$
\begin{array}{lccc}
\text{Cymhareb nifer y molau} & C & : & H \\
= & \dfrac{0.180}{12.0} & : & \dfrac{0.025}{1.01} \\
= & 0.0150 & : & 0.0248 \\
\text{Gan rannu â'r un lleiaf} = & 1 & : & 1.65 \\
= & 3 & : & 5
\end{array}
$$

Y ffformiwla empirig yw C_3H_5

(ii) Beth yw ffformiwla foleciwlaidd yr hydrocarbon?

Gan fod y ffformiwla foleciwlaidd yn gallu bod yr un peth â'r ffformiwla empirig neu'n lluosrif ohono, mae angen defnyddio ei M_r.

M_r y ffformiwla empirig yw 41.

Mae M_r y cyfansoddyn tua 80, ac felly ei ffformiwla foleciwlaidd yw C_6H_{10}.

Enghraifft gan ddefnyddio canrannau

Cafodd cyfansoddyn ei ddadansoddi gan roi cyfansoddiad canrannol C = 60.0%, H = 13.3%, O = 26.7%. M_r y cyfansoddyn oedd 60. Cyfrifwch ei ffformiwla foleciwlaidd.

$$
\begin{array}{lccccc}
\text{Cymhareb} & C & : & H & : & O \\
= & \dfrac{60.0}{12.0} & : & \dfrac{13.3}{1.0} & : & \dfrac{26.7}{16.0} \\
= & 5.00 & : & 13.3 & : & 1.67 \\
= & 3 & : & 8 & : & 1
\end{array}
$$

Fformiwla empirig = C_3H_8O

M_r y ffformiwla empirig = 60, felly'r ffformiwla foleciwlaidd = C_3H_8O.

Isomeredd

Adeileddol

Mae **isomeredd adeileddol** yn gallu digwydd mewn sawl ffordd:

Isomeredd cadwynol lle mae'r gadwyn garbon yn cael ei threfnu'n wahanol.

Enghraifft

$CH_3CH_2CH_2CH_2CH_3$ pentan

a

2-methylbwtan

a

2,2-deumethylpropan

Isomeredd safle lle mae'r grŵp gweithredol mewn safle gwahanol.

Enghraifft

$CH_2ClCH_2CH_3$ 1-cloropropan

$CH_3CHClCH_3$ 2-cloropropan

Isomeredd grwpiau gweithredol lle mae'r grŵp gweithredol yn wahanol.

Enghraifft

$CH_3CH_2OCH_3$ ether

$CH_3CH_2CH_2OH$ propan-1-ol

Term Allweddol

Isomerau adeileddol
yw cyfansoddion sydd â'r un fformiwla foleciwlaidd ond â fformiwla adeileddol wahanol, hynny yw, mae trefniant yr atomau'n wahanol.

Gwella gradd

Mae disgwyl i chi adnabod, enwi a llunio isomerau, ond byddwn ni'n rhoi sylw i isomerau sy'n cynnwys grwpiau gweithredol gwahanol mewn uned ddiweddarach.

cwestiwn cyflym

⑨ Lluniwch fformiwlâu graffig ar gyfer isomerau adeileddol hecsan. Enwch yr isomerau.

cwestiwn cyflym

⑩ Lluniwch fformiwlâu sgerbydol ar gyfer dau o isomerau adeileddol hecsen lle mae'r bond dwbl mewn safleoedd gwahanol. Enwch yr isomerau.

Term Allweddol

Mae **isomeredd E–Z** yn digwydd mewn alcenau (ac alcenau a amnewidiwyd) oherwydd bod cyfyngu ar gylchdroi o amgylch y bond dwbl.

Gwella gradd

Mewn gwerslyfrau hŷn, efallai y gwelwch chi gyfeiriadau at isomeredd *cis-trans*. Heddiw rydym ni'n defnyddio isomeredd *E–Z* yn lle hynny.

cwestiwn cyflym

⑪ Lluniwch adeiledd isomer *Z* 1-ïodo-2-bromoethen.

cwestiwn cyflym

⑫ A yw'r adeiledd isod yn dangos yr isomer *E* neu *Z*?

Br⟍　　　　⟋CH₃
　　C = C
H⟋　　　　⟍Cl

Gwella gradd

Os oes angen cofair arnoch chi i gofio'r gwahaniaeth rhwng y ddau, mae *Z* yn sefyll dros y gair Almaeneg *zusammen* = gyda'i gilydd ac mae *E* yn sefyll dros *entgegen* = gyferbyn.

Isomeredd E–Z

Mae'n bosibl cylchdroi'n rhydd o amgylch y bond sengl mewn alcanau, ond nid felly o amgylch y bond dwbl mewn alcenau. Mae'r bond π yn cyfyngu ar y cylchdroi a byddwn ni'n disgrifio pam yn nes ymlaen.

Gan nad yw'r bond dwbl yn cylchdroi, mae'n bosibl i gyfansoddion fel 1,2-deucloroethen fodoli ar ddwy ffurf wahanol, hynny yw dau isomer gwahanol.

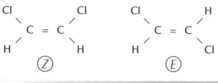

Enwi isomerau E–Z

I wahaniaethu rhwng y ddau isomer, mae'n rhaid i chi edrych ar natur yr atom sy'n glynu wrth bob un o'r atomau carbon yn y bond dwbl. Edrychwch ar bob carbon ar wahân i ddechrau. Mae blaenoriaeth yn cael ei rhoi i'r atom sydd â'r rhif atomig uchaf.

Yna edrychwch ar sut mae'r grwpiau sydd â'r flaenoriaeth uchaf wedi'u trefnu – os ydyn nhw i gyd ar yr un ochr o'r bond dwbl, dyma'r isomer *Z*, ac os ydyn nhw ar ochrau dirgroes, dyma'r isomer *E*.

Enghreifftiau

Ar gyfer yr isomerau 1,2-deucloroethen uchod:

ar bob ochr i'r bond dwbl, Cl sydd â'r A_r uchaf, ac sydd felly â'r flaenoriaeth; yn yr adeiledd ar y chwith mae'r clorinau ar yr un ochr i'r bond dwbl, hynny yw, dyma'r ffurf *Z*.

Os oes dau grŵp gwahanol ynghlwm ar draws y bond dwbl, mae'n rhaid ystyried y grwpiau o amgylch pob carbon ar wahân.

I⟍　　　　　⟋H
　　C1 = C2
H⟋　　　　⟍Cl

Wrth edrych ar C1, ïodin sydd â'r flaenoriaeth; ar C2, clorin sydd â'r flaenoriaeth. Mae'r atomau sydd â'r flaenoriaeth uchaf ar ochrau cyferbyn i'r bond dwbl, ac felly dyma (*E*)-1-cloro-2-ïodoethen.

Priodweddau isomerau E–Z

Gan fod y grwpiau gweithredol yn cael eu dal mewn safleoedd gwahanol, mae isomerau *E–Z* yn gallu dangos priodweddau ffisegol a chemegol gwahanol.

Mewn asidau (*Z*) ac (*E*)-bwtendeuöig, mae'r ddau grŵp asid yn gallu rhyngweithio â'i gilydd yn y ffurf *Z*, ond maen nhw'n rhy bell oddi wrth ei gilydd yn y ffurf *E* i wneud hyn – mae hyn yn effeithio ar adweithiau cemegol.

Un enghraifft o hyn yw dadhydradiad asid (Z)-bwtendeuöig.

Yn y ffurf E, mae'r grwpiau COOH yn bell oddi wrth ei gilydd ac nid yw'r adwaith hwn yn gallu digwydd.

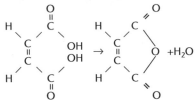

Byddan nhw hefyd yn pacio at ei gilydd mewn ffyrdd gwahanol, ac mae hyn yn effeithio ar eu priodweddau ffisegol – yn enwedig eu tymereddau ymdoddi a berwi. Fel arfer, mae'r ffurf E yn pacio at ei gilydd yn well, ac felly mae grymoedd rhyngfoleciwlaidd cryfach ganddo a thymereddau ymdoddi a berwi uwch.

Tymereddau ymdoddi a berwi cyfansoddion organig

Effaith hyd cadwynau ar dymereddau ymdoddi a berwi

Pan fydd sylwedd cofalent syml yn ymdoddi neu'n berwi, mae egni gwres yn cael ei gyflenwi. Mae angen hyn i oresgyn **grymoedd van der Waals**. Gallwn ni ragfynegi pa sylwedd sydd â'r tymheredd ymdoddi neu ferwi uchaf drwy edrych ar gryfder y grymoedd hyn.

Ar gyfer hydrocarbonau, dim ond grymoedd deupol anwythol–deupol anwythol sy'n bresennol, ac mae'r rhain yn wan. Gan fod y grymoedd rhyngfoleciwlaidd yn bodoli ar arwyneb moleciwlau, mae'n rhaid i ni edrych ar arwynebeddau arwyneb y moleciwlau. Mae arwynebedd arwyneb bach yn golygu bod grymoedd van der Waals yn fach, ac mae hyn yn golygu y byddai'r tymheredd ymdoddi a berwi yn isel.

Felly mae hydrocarbonau bach yn nwyon ar dymheredd ystafell, mae'r rhai mwy'n hylifau a'r rhai mwyaf yn solidau.

Rydych chi'n gwybod bod tymheredd berwi cyfansoddion yn cynyddu gyda hyd cynyddol y gadwyn. Pan fyddwn ni'n ystyried isomerau adeileddol gwahanol, gallwn ni weld bod ganddyn nhw arwynebeddau arwyneb gwahanol. Gallwn ni ddefnyddio hyn i esbonio eu tymereddau berwi.

Y mwyaf o ganghennau sydd gan isomer, y mwyaf tebyg i sffêr yw e, a'r isaf yw ei dymheredd berwi

llawer o ganghennau – ychydig o gyswllt arwyneb

cadwyn syth – mwy o gyswllt arwyneb

Term Allweddol

Grymoedd van der Waals = rhyngweithiadau deupol–deupol neu ddeupol anwythol–deupol anwythol rhwng atomau a moleciwlau.

Gwella gradd

Edrychwch yn ôl ar yr adran ar rymoedd van der Waals a gwnewch yn siŵr y gallwch chi esbonio sut mae grymoedd deupol anwythol–deupol anwythol yn cael eu ffurfio.

cwestiwn cyflym

⑬ Tymheredd berwi hecsan yw 68 °C. Awgrymwch werth ar gyfer tymheredd berwi heptan.

cwestiwn cyflym

⑭ Lluniwch fformiwlâu adeileddol ar gyfer pentan a 2,2-deumethylpropan a defnyddiwch y rhain i esbonio pam mae tymheredd berwi pentan yn 36 °C ond tymheredd berwi 2,2-deumethylpropan yn 10 °C.

Termau Allweddol

Tanwydd ffosil yw un sy'n deillio o organebau a oedd yn byw amser maith yn ôl.

Adnoddau anadnewyddadwy yw'r rhai nad oes modd eu hailffurfio mewn amser rhesymol.

Nwy tŷ gwydr yw un sy'n peri i dymheredd y Ddaear gynyddu.

Glaw asid yw glaw sydd â pH is na'r disgwyl.

Hylosgiad cyflawn yw hylosgiad sy'n digwydd lle mae gormodedd o ocsigen.

Hylosgiad anghyflawn yw hylosgiad sy'n digwydd heb ddigon o ocsigen.

Gwella gradd

Wrth ateb cwestiynau, bydd angen yn aml i chi drafod manteision a hefyd anfanteision tanwyddau ffosil.

cwestiwn cyflym

① a) Enwch ddau nwy sy'n achosi glaw asid.

b) Disgrifiwch ffynhonnell ar gyfer pob un o'r nwyon hyn.

Gwella gradd

Mae carbon monocsid yn wenwynig. Byddwch yn fanwl wrth ddisgrifio peryglon cemegol – mae 'peryglus' yn rhy amhendant.

cwestiwn cyflym

② Pam nad oes economi tanwydd da gan geir sy'n gwacáu mwg du?

cwestiwn cyflym

③ Beth yw fformiwla alcan sydd â 90 atom carbon?

2.5 Hydrocarbonau

Tanwyddau ffosil

Yn y gorffennol, rydym wedi dibynnu ar **danwyddau ffosil** fel ffynhonnell ar gyfer ein hegni, ac er bod ffynonellau eraill yn cael eu datblygu, mae'n debyg y bydd y ddibyniaeth hon yn parhau hyd y gallwn ni ragweld.

Mae manteision ac anfanteision wrth ddefnyddio tanwyddau ffosil.

Manteision

1 Mae'r amrywiaeth o danwyddau sydd ar gael, o nwy naturiol i lo, yn golygu bod modd cael math addas o danwydd ar gyfer pob defnydd.

2 Mae tanwyddau ffosil ar gael bob amser – yn wahanol, er enghraifft, i egni gwynt ac egni solar.

Anfanteision

1 Maen nhw'n **anadnewyddadwy** gan ei bod yn cymryd miliynau o flynyddoedd i'w ffurfio ac maen nhw'n cael eu defnyddio'n gyflymach nag mae rhai newydd yn cael eu ffurfio.

2 Mae llosgi tanwyddau ffosil yn cynhyrchu'r **nwy tŷ gwydr** carbon deuocsid. Mae'r cynnydd mewn tymereddau sy'n gysylltiedig â hyn yn creu canlyniadau amgylcheddol difrifol, gan gynnwys codi lefelau'r môr a newidiadau i'r cnydau y mae'n bosibl eu tyfu mewn mannau arbennig.

3 Mae llosgi tanwyddau ffosil sy'n cynnwys sylffwr yn cynhyrchu sylffwr deuocsid, ac mae peiriannau tanio mewnol yn cynhyrchu ocsidau nitrogen. Gall y rhain adweithio â dŵr glaw gan greu **glaw asid** sy'n cynnwys asid sylffwrig ac asid nitrig.

Gall hyn greu problemau amgylcheddol, fel difrod i adeiladau, a niwed i blanhigion a bywyd dyfrol. Gall hefyd arwain at broblemau iechyd i bobl sydd â thrafferthion anadlu.

4 Bydd carbon monocsid yn cael ei ffurfio pan fydd **hylosgiad anghyflawn** tanwyddau ffosil yn digwydd. Mae hyn yn wenwynig iawn.

Alcanau

Cyfres homologaidd yr alcanau

1 Fformiwla gyffredinol cyfres homologaidd yr alcanau yw C_nH_{2n+2}.

2 Mae gwahaniaeth CH_2 rhwng fformiwla un aelod o'r gyfres a fformiwla'r aelod nesaf.

3 Mae priodweddau cemegol pob alcan yn y gyfres yn debyg i'w gilydd.

4 Mae'r priodweddau ffisegol yn amrywio'n raddol wrth i'r màs fformiwla cymharol gynyddu. Mae alcanau bach yn nwyon (mae nwy naturiol yn cynnwys methan yn bennaf); mae alcanau mwy yn hylifau (mae tua 8 atom carbon mewn moleciwl o betrol); mae alcanau mwy fyth yn solidau (canhwyllau cwyr).

Adweithiau alcanau

Mae alcanau'n amholar a does dim bondiau lluosol ynddyn nhw. Mae hyn yn golygu eu bod yn eithaf anadweithiol. Ond, mae dau adwaith pwysig gan alcanau.

1 **Hylosgiad**

Mae alcanau'n llosgi ac yn adweithio ag ocsigen mewn adweithiau ecsothermig, ac felly rydym ni'n eu defnyddio fel tanwyddau.

Os oes digon o ocsigen, bydd hylosgiad cyflawn yn digwydd, gan gynhyrchu carbon deuocsid a dŵr.

Gan ddefnyddio propan:

$$C_3H_8(n) + 5O_2(n) \longrightarrow 3CO_2(n) + 4H_2O(h)$$

Os nad oes digon o ocsigen, bydd hylosgiad anghyflawn yn digwydd ac mae carbon monocsid yn cael ei ffurfio. Mae'n wenwynig gan ei fod yn gallu atal ocsigen rhag cael ei gludo drwy'r corff. Mae'r adwaith hefyd yn cynhyrchu llai o egni na hylosgiad cyflawn.

Mae hylosgiad anghyflawn hefyd yn cynhyrchu carbon, a dyna sy'n gyfrifol am y mwg du sydd i'w weld pan nad yw peiriannau diesel wedi'u haddasu'n gywir.

2 **Halogeniad**

Bydd halogenau'n adweithio ag alcanau ym mhresenoldeb golau uwchfioled (yn aml o'r haul).

Mae tri cham ym mecanwaith yr adwaith hwn.

Termau Allweddol

Halogeniad yw adwaith ag unrhyw halogen.

Adwaith cychwynnol yw'r adwaith sy'n dechrau'r broses.

Ymholltiad bond homolytig yw pan fydd bond yn torri a phob atom yn y bond yn derbyn un o electronau'r bond.

Radical yw rhywogaeth sydd ag electron heb ei baru.

Lledaeniad yw'r adwaith lle mae'r broses yn parhau/tyfu.

Adwaith cadwynol yw un sy'n cynnwys cyfres o gamau ac, unwaith mae wedi dechrau, mae'n parhau.

Terfynu yw'r adwaith sy'n diweddu'r broses.

Mae **mecanwaith adwaith** yn dangos y camau yn ystod yr adwaith.

Adwaith amnewid yw adwaith lle mae un atom/grŵp yn cael ei amnewid am atom/grŵp arall.

cwestiwn cyflym

④ Pam mae alcanau mor anadweithiol fel arfer?

Gwella gradd

Tri mecanwaith yn unig y mae angen i chi allu eu disgrifio. Mae cwestiwn ar o leiaf un ohonyn nhw ym mhob arholiad bron, ac felly dylech chi wneud yn siŵr eich bod yn eu deall yn drylwyr!

cwestiwn cyflym

⑤ Pam mae radicalau mor adweithiol?

cwestiwn cyflym

⑥ Sut mae C_2H_6 yn cael ei ffurfio fel un o'r cynhyrchion yn yr adwaith rhwng methan a chlorin?

cwestiwn cyflym

⑦ Ysgrifennwch yr hafaliad cyffredinol llawn ar gyfer ffurfio $CHCl_3$ o CH_4.

Gwella gradd

Y camau (adwaith cychwynnol, ac ati) yw'r mecanwaith. Gall cwestiwn ofyn amdano neu am yr adwaith cyffredinol fel:

$C_2H_6 + Cl_2 \longrightarrow C_2H_5Cl + HCl$

Mae mecanwaith yr adwaith hwn mewn tri cham.

Cam 1 – adwaith cychwynnol

Mae golau uwchfioled yn darparu'r egni sydd ei angen i dorri'r bond mewn clorin. Yr enw ar hyn yw **ymholltiad bond homolytig**.

$$Cl_2 \longrightarrow 2Cl^{\bullet}$$

Yna, **radical** yw $Cl^{\bullet}$.

Cam 2 – lledaeniad

Mae radicalau'n adweithiol iawn a byddan nhw'n cymryd rhan mewn cyfres o adweithiau **lledaenu**.

$$Cl^{\bullet} + CH_4 \longrightarrow CH_3^{\bullet} + HCl$$
$$CH_3^{\bullet} + Cl_2 \longrightarrow CH_3Cl + Cl^{\bullet}$$

Yn y camau lledaenu, mae pob adwaith yn dechrau gyda radical ac yna'n cynhyrchu un arall, ac felly mae'r **adwaith cadwynol** yn parhau.

Cam 3 – terfynu

Mae'r adwaith cadwynol yn parhau nes i ddau radical gwrdd mewn cam **terfynu**.

$$CH_3^{\bullet} + Cl^{\bullet} \longrightarrow CH_3Cl$$

Amnewid pellach

Gan fod radicalau mor adweithiol, mae camau lledaenu eraill yn gallu digwydd, er enghraifft:

$$CH_3Cl + Cl^{\bullet} \longrightarrow CH_2Cl^{\bullet} + HCl$$
$$CH_2Cl^{\bullet} + Cl_2 \longrightarrow CH_2Cl_2 + Cl^{\bullet}$$

Mae hyn yn golygu bod polyamnewid yn gallu digwydd, gan ffurfio cymysgedd o gynhyrchion. Mae hyn yn golygu nad yw'n ddull boddhaol ar gyfer paratoi cloromethan, er y bydd mwy o'r cynnyrch hwn na'r gweddill os bydd swm yr halogen yn gyfyngedig.

Yn gyffredinol, rydym ni'n disgrifio'r math hwn o adwaith fel amnewid radical.

Alcenau

Cyfres homologaidd o hydrocarbonau annirlawn yw'r alcenau. Y grŵp gweithredol yw bond dwbl carbon i garbon, a fformiwla gyffredinol y gyfres yw C_nH_{2n}.

Bydd alcenau'n cael eu ffurfio pan fydd hydrocarbonau â chadwynau hir yn cael eu cracio. Byddan nhw'n cael eu defnyddio i gynhyrchu polymerau ac fel defnydd dechreuol ar gyfer paratoi amrywiaeth o gyfansoddion organig.

Gan fod gan alcenau'n cynnwys bond dwbl, maen nhw'n fwy adweithiol o lawer nag alcanau.

Adeiledd a bondio

Mae alcenau'n cynnwys bond dwbl carbon i garbon. Mewn ethen, mae'r bond dwbl yn cynnwys bond sigma (σ) a bond pi (π). Mae'r bond π yn cael ei ffurfio o ganlyniad i orgyffwrdd ochrol yn yr orbitalau p.

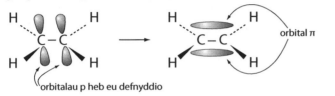

Adweithiau

Y mecanwaith ar gyfer y rhan fwyaf o adweithiau alcenau yw **adiad electroffilig.**

Mae'r pâr o electronau yn yr orbital π yn golygu bod alcenau'n cynnwys rhanbarth o ddwysedd electron uchel ac y gall **electroffiliau** ymosod yn rhwydd arnyn nhw. Mae'r mecanwaith yn cynnwys **ymhollti'r bond yn heterolytig** ac mae'n arwain at **adiad** electroffilig.

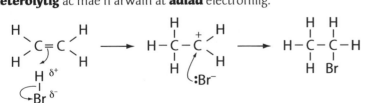

Os nad yw'r rhywogaeth sy'n ymosod yn bolar, mae deupol yn cael ei anwytho gan wefr negatif y bond π.

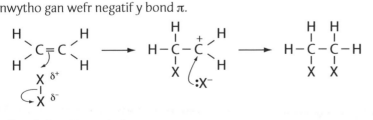

Gall X_2 fod yn H_2 neu'n Br_2.

Termau Allweddol

Bond π yw un sy'n cael ei ffurfio o ganlyniad i orgyffwrdd ochrol yr electronau yn yr orbitalau p.

Electroffil yw rhywogaeth electron-ddiffygiol sy'n gallu derbyn pâr unig o electronau.

Ymholltiad bond heterolytig yw pan fydd bond yn torri ac un o'r atomau yn y bond yn derbyn y ddau electron o'r bond.

Adwaith adio yw adwaith lle mae adweithyddion yn cyfuno i roi un cynnyrch.

Gwella gradd

Wrth lunio mecanwaith, mae'n rhaid i chi ddangos yn union lle mae'r 'saethau cyrliog' yn dechrau a gorffen. Fel arfer, bydd y saeth yn dechrau o bâr unig neu fond π.

cwestiwn cyflym

(8) Pam rydym ni'n dweud bod mecanwaith adiad at alcenau'n cynnwys ymhollti bond yn heterolytig?

Gwella gradd

Byddwch yn ofalus wrth benderfynu pryd i ddefnyddio + a phryd i ddefnyddio δ+. Mae + i'w gael pan fydd rhywogaeth niwtral yn colli electron; mae δ+ yn ffurfio fel rhan o ddeupol.

Termau Allweddol

Carbocation (ïon carboniwm) yw rhywogaeth sy'n cynnwys carbon ac sydd â gwefr bositif.

Gwella gradd

Wrth ddisgrifio prawf, dylech chi gynnwys yr ymddangosiad cyn y prawf ac ar ôl y prawf bob tro.

Gwella gradd

Mae potasiwm manganad(VII) yn ocsidydd sy'n gallu ocsidio cyfansoddion organig eraill hefyd. Mae alcenau'n dadliwio ïonau manganad(VII) porffor, ond mae cyfansoddion eraill yn gwneud hyn hefyd.

cwestiwn cyflym

⑨ Sut mae adio hydrogen at olewau amlannirlawn yn effeithio ar eu tymheredd ymdoddi?

cwestiwn cyflym

⑩ Cwblhewch yr hafaliad:
$(CH_3)_2C=CH_2 + HBr \rightarrow$

Enghreifftiau o'r adwaith adio

(i) Prawf ar gyfer alcenau

Mae'r adwaith â bromin yn cael ei ddefnyddio fel prawf ar gyfer alcenau gan fod lliw brown bromin yn newid i fod yn ddi-liw. Yn ymarferol, bromin dyfrllyd (dŵr bromin) sy'n cael ei ddewis fel arfer gan ei fod yn fwy diogel.

Mae'n bosibl defnyddio'r adwaith â photasiwm manganad(VII) hefyd fel prawf ar gyfer presenoldeb bond dwbl carbon i garbon. Mae'r manganad(VII) porffor yn cael ei ddadliwio wrth i ddau grŵp OH adio ar draws y bond dwbl, gan ffurfio deuol.

(ii) Adwaith â hydrogen

Mae sawl elfen drosiannol yn gallu catalyddu'r adwaith hwn, ond nicel sy'n cael ei ddefnyddio amlaf. Yr enw ar yr adwaith yw hydrogeniad, ac mae'n bwysig yn fasnachol gan ei fod yn trawsnewid olewau amlannirlawn hylifol yn frasterau mwy dirlawn, solet. Mae'r rhain yn cael eu defnyddio yn lle menyn.

(iii) Adwaith â hydrogen bromid

Gallai alcenau anghymesur adio HBr i roi dau gynnyrch gwahanol.

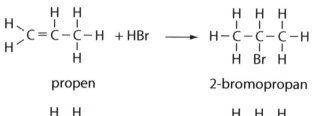

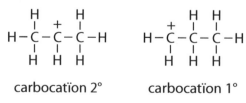

Y prif gynnyrch yw 2-bromopropan oherwydd bod y **carbocation** 2° yn fwy sefydlog na'r carbocation 1°.

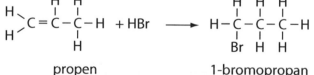

Polymeriad

Mae polymeriad yn golygu uno llawer iawn o foleciwlau **monomer** gan ffurfio moleciwl polymer mawr.

Mae alcenau, ac alcenau a amnewidiwyd, yn profi **polymeriad adio**. Yn y math hwn o bolymeriad, mae'r bond dwbl yn cael ei ddefnyddio i uno'r monomerau a does dim yn cael ei ddileu.

Mae ethen yn cael ei bolymeru gan wneud poly(ethen) (sy'n fwy cyfarwydd fel polythen).

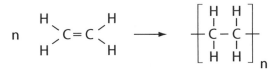

Mae enwau **polymerau'n** dal i gynnwys enw'r monomer, ond nid yw'r polymerau'n cynnwys bondiau dwbl.

Mae poly(ethen) yn anadweithiol a hyblyg, ac felly mae'n cael ei ddefnyddio i wneud bagiau plastig, ac ati.

Pan gafodd poly(ethen) ei wneud yn gyntaf, roedd gan gadwynau'r polymer ochr-ganghennau ar y brif gadwyn ac roedd y rhain yn rhwystro cadwynau'r polymer rhag pacio at ei gilydd. Roedd hyn yn golygu bod dwysedd y polymer yn isel; doedd dim llawer o bwyntiau cyswllt ar gyfer grymoedd van der Waals, ac felly roedd y tymheredd ymdoddi'n isel hefyd.

Mae'n bosibl defnyddio catalyddion i wneud poly(ethen) â chadwynau syth. Mae hyn yn golygu bod y cadwynau'n gallu pacio at ei gilydd fel bod gan y polymer ddwysedd uwch ac ymdoddbwynt uwch. Mae'r priodweddau hyn yn golygu ei fod yn cael ei ddefnyddio lle mae angen defnydd mwy anhyblyg a/ neu os yw'r tymheredd yn gymharol uchel.

Mae hefyd yn bosibl newid priodweddau polymerau drwy ddefnyddio alcenau a amnewidiwyd fel y monomer. Mae hyn yn golygu bod y polymerau hyn yn gallu cael eu defnyddio mewn nifer o ffyrdd amrywiol.

Sylwch: Does dim angen i chi allu dyfynnu dulliau penodol o ddefnyddio polymerau penodol, ond dylech chi fod yn ymwybodol o'r egwyddorion perthnasol i bolymeriad a sut mae'r priodweddau ffisegol gwahanol yn gwneud polymerau gwahanol yn addas i bwrpasau gwahanol.

Termau Allweddol

Polymeriad yw uno llawer iawn o foleciwlau **monomer** gan ffurfio moleciwl polymer mawr.

Monomer yw moleciwl bach y mae'n bosibl ei wneud yn bolymer.

Polymer yw moleciwl mawr sy'n cael ei wneud drwy uno llawer o foleciwlau monomer.

Uned sy'n ailadrodd yw'r rhan o'r polymer sy'n ailadrodd i wneud yr adeiledd cyfan.

Gwella gradd

Wrth lunio rhan o gadwyn polymer, mae'n rhaid i chi ddangos yr arwydd — ar bob pen i ddangos bod y gadwyn yn parhau.

Os byddwch chi'n llunio un **uned sy'n ailadrodd** yn unig, cofiwch roi 'n' y tu allan i'r cromfachau.

cwestiwn cyflym

⑪ Beth yw enw'r polymer sy'n cael ei ffurfio o 1-cloro-2-cyanoethen?

cwestiwn cyflym

⑫ Lluniwch ddwy uned sy'n ailadrodd ar gyfer y polymer rydych chi wedi'i enwi uchod. (CN yw'r grŵp cyano).

cwestiwn cyflym

⑬ Beth yw fformiwla empirig poly(ethen)?

Gwella gradd

Un ffordd hawdd o lunio fformiwla polymer, o wybod beth yw'r monomer, yw llunio'r monomer gyda'r holl grwpiau a amnewidiwyd o amgylch y bond dwbl, sef

Yna, torrwch y bond dwbl.

cwestiwn cyflym

⑭ Dyma ran o bolymer. Lluniwch y monomer a gafodd ei ddefnyddio i ffurfio'r polymer hwn.

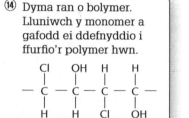

cwestiwn cyflym

⑮ Awgrymwch ddau newid y byddai'n bosibl eu gwneud i adeiledd polymer i leihau ei dymheredd ymdoddi.

Polymerau eraill sy'n cael eu defnyddio'n aml

Mae'r rhain yn cynnwys:

Poly(propen)

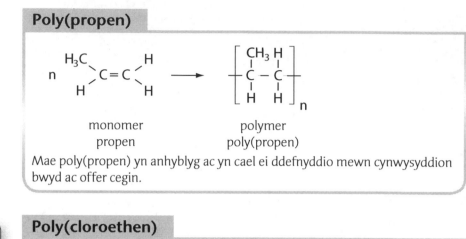

monomer
propen

polymer
poly(propen)

Mae poly(propen) yn anhyblyg ac yn cael ei ddefnyddio mewn cynwysyddion bwyd ac offer cegin.

Poly(cloroethen)

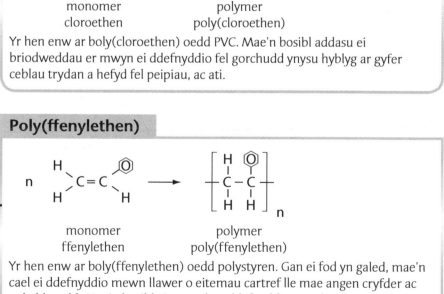

monomer
cloroethen

polymer
poly(cloroethen)

Yr hen enw ar boly(cloroethen) oedd PVC. Mae'n bosibl addasu ei briodweddau er mwyn ei ddefnyddio fel gorchudd ynysu hyblyg ar gyfer ceblau trydan a hefyd fel peipiau, ac ati.

Poly(ffenylethen)

monomer
ffenylethen

polymer
poly(ffenylethen)

Yr hen enw ar boly(ffenylethen) oedd polystyren. Gan ei fod yn galed, mae'n cael ei ddefnyddio mewn llawer o eitemau cartref lle mae angen cryfder ac anhyblygedd. Mae'n bosibl ei wneud yn ddefnydd ynysu drwy greu tyllau yn yr adeiledd (polystyren ehangedig).

2.6 Halogenoalcanau

Halogenoalcanau

Adeiledd

Gan fod halogenau'n fwy electronegatif na charbon, mae **halogenoalcanau**'n bolar. Mae'r halogen yn δ– ac mae'r carbon sydd ynghlwm wrth yr halogen yn δ+, fel mewn bromomethan.

$$H-\overset{\overset{\textstyle H}{|}}{\underset{\underset{\textstyle H}{|}}{C}}{}^{\delta+}-Br^{\delta-}$$

Mae'r δ+ hwn yn golygu bod y carbon yn electron-ddiffygiol, ac felly'n agored i ymosodiad **niwcffilig**. Mae hyn yn arwain at adwaith amnewid.

Adwaith â sodiwm hydrocsid dyfrllyd

Mae sodiwm hydrocsid dyfrllyd yn rhoi'r ïon OH⁻. Mae parau unig ganddo, ac felly mae'n gweithio fel niwcffil. Mae mecanwaith yr adwaith yn cynnwys

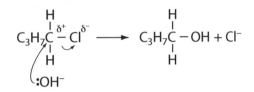

cyfrannu pâr unig o'r OH⁻ i'r carbon δ+ yn yr halogenoalcan.

Mae'r niwcffil yn ymosod ar y carbon sy'n δ+, yn rhoi pâr unig ac yn ffurfio bond â'r carbon. Mae'r bond carbon–clorin yn torri gan roi'r ïon clorid.

Adwaith **amnewid** niwcffilig yw'r adwaith cyfan, gydag 1-clorobwtan yn cynhyrchu bwtan-1-ol. Mae'n bosibl cynnal yr adwaith drwy ddefnyddio'r OH⁻ mewn dŵr hefyd, ac felly mae'n bosibl ei ddosbarthu'n **hydrolysis**. Mae'r adwaith â dŵr yn araf gan fod crynodiad OH⁻ yn isel iawn. Er mwyn cynnal hydrolysis, rydym ni'n gwresogi'r halogenoalcan dan adlifiad gyda dŵr neu sodiwm hydrocsid dyfrllyd.

Effaith newid yr halogen

Os ydym ni'n newid yr halogen mewn halogenoalcan arbennig, bydd yr adwaith hydrolysis yn digwydd ar gyfradd wahanol. Mae'n rhaid ystyried dwy ffactor ar gyfer clorin, bromin ac ïodin er mwyn esbonio'r amrywiad hwn:

(i) Electronegatifedd: Clorin yw'r mwyaf electronegatif, ac felly'r bond C–Cl yw'r mwyaf polar a'r carbon yw'r mwyaf δ+. Dyma'r carbon mae'r niwcffil yn ymosod arno.

(ii) Cryfder bond: Clorin yw'r halogen lleiaf, ac felly'r bond C–Cl yw'r cryfaf. Mewn hydrolysis, dyma'r bond sy'n cael ei dorri.

Mae'r ddwy ffactor hyn yn gweithio'n ddirgroes i'w gilydd. Yn ymarferol, y cyfansoddyn ïodo sy'n cael ei hydrolysu gyflymaf. Mae hyn yn golygu bod effaith cryfder y bond yn drech nag effaith y wefr ar y carbon.

Termau Allweddol

Halogenoalcanau yw cyfres homologaidd lle mae halogen wedi cymryd lle un neu fwy o atomau hydrogen mewn alcan.

Hydrolysis yw adwaith â dŵr sy'n cynhyrchu cynnyrch newydd.

Niwcffil yw rhywogaeth sydd â phâr unig o electronau mae'n bosibl eu cyfrannu i ran o foleciwl sy'n electron-ddiffygiol.

Adwaith amnewid yw adwaith lle mae un atom/ grŵp yn cael ei amnewid am un arall.

Gwella gradd

Mae hydrolysis 1-clorobwtan yn un o'r mecanweithiau sydd ei angen yn y fanyleb. Mae arholwyr yn hoffi gofyn cwestiynau sy'n dangos eich bod yn deall mecanweithiau!

cwestiwn cyflym

① Lluniwch fformiwla graffig 1,2-deuclorobwtan.

cwestiwn cyflym

② Lluniwch fformiwla sgerbydol 3-ïodopent-2-en.

cwestiwn cyflym

③ A yw adweithio clorin ag ethan yn ddull boddhaol o baratoi 1-cloroethan pur? Esboniwch eich ateb.

Gwella gradd

Gwnewch yn siŵr eich bod yn gallu esbonio pam bydd cyfansoddion ïodin yn cael eu hydrolysu'n gyflymach na chyfansoddion clorin. Cofiwch fod dau gysyniad i'w hystyried a'u bod yn gweithio'n ddirgroes i'w gilydd.

Gwella gradd

Gallwch chi ddefnyddio'r un prawf ar gyfer presenoldeb halogen mewn cyfansoddyn organig â'r un sy'n cael ei ddefnyddio i brofi ar gyfer ïonau halid mewn cyfansoddyn anorganig, sef arian nitrad dyfrllyd.

Term Allweddol

Adwaith dileu yw adwaith lle mae moleciwl bach yn cael ei golli gan gynhyrchu bond dwbl.

cwestiwn cyflym

④ Ysgrifennwch, yn eu trefn, y camau sydd eu hangen i brofi presenoldeb ïodin mewn cyfansoddyn organig. Nodwch y canlyniad rydych chi'n ei ddisgwyl.

cwestiwn cyflym

⑤ Ysgrifennwch yr hafaliad ïonig ar gyfer yr adwaith sy'n digwydd i gynhyrchu'r gwaddod gwyn sy'n ymddangos os yw clorin yn bresennol mewn cyfansoddyn organig.

Prawf ar gyfer presenoldeb halogen mewn cyfansoddyn organig

Gan fod hydrolysu cyfansoddyn organig sy'n cynnwys halogen yn cynhyrchu halid ïon, gallwn ni ddefnyddio'r adwaith i ddangos y grŵp gweithredol –X (lle X = Cl, Br neu I).

Yn ymarferol, rydym ni'n gwresogi'r cyfansoddyn organig gyda sodiwm hydrocsid dyfrllyd.

$$RX + NaOH(d) \longrightarrow ROH + Na^+(d) + X^-(d)$$

R yw'r grŵp alcyl (neu ran arall organig y moleciwl).

Mae'n bosibl dangos presenoldeb X^-(d) drwy ychwanegu $AgNO_3$(d), ond byddai unrhyw NaOH(d) sy'n weddill ar ôl yr hydrolysis yn amharu ar y prawf hwn, ac mae'n rhaid ei ddileu. Rydym ni'n gwneud hyn drwy ychwanegu HNO_3(d).

Yna, rydym ni'n gallu defnyddio'r profion arferol ar gyfer halidau i ddangos presenoldeb yr halogen yn y cyfansoddyn organig gwreiddiol.

halogen	adio Ag^+(d)	adio NH_3(d) at y gwaddod a gafodd ei ffurfio gydag Ag^+(d)
clorin	gwaddod gwyn	hydoddi mewn NH_3(d) gwanedig
bromin	gwaddod lliw hufen	hydoddi mewn NH_3(d) crynodedig
ïodin	gwaddod melyn	nid yw'n hydoddi mewn NH_3(d)

Adweithiau dileu

Mewn adwaith dileu ar gyfer halogenoalcan, mae halid hydrogen yn cael ei golli gan gynhyrchu bond dwbl. Mae halid hydrogen yn asidig a gallwn ni ei ddileu drwy ddefnyddio alcali. Er mwyn osgoi hydrolysis, mae'n rhaid i'r alcali fod mewn hydoddiant mewn ethanol.

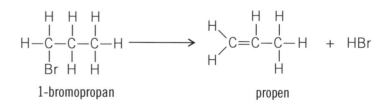

Gallwn ni hefyd ysgrifennu'r hafaliad fel:

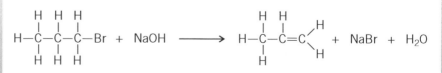

Er mwyn dileu halid hydrogen, mae'n rhaid i'r halogen fod ynghlwm â charbon wrth ochr carbon sydd â hydrogen ynghlwm.

Enghraifft

Os yw'r halogenoalcan yn anghymesur, mae'n bosibl i fwy nag un alcen gael ei ffurfio drwy adweithiau dileu. Er enghraifft:

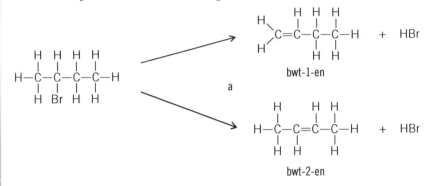

Does dim angen i chi wybod pa gynnyrch y cynhyrchir y mwyaf ohono.

Defnyddio halogenoalcanau

1 Fel hydoddyddion

Er bod halogenoalcanau'n bolar, dydyn nhw ddim yn cynnwys y bondiau O-H neu N-H sydd eu hangen i ffurfio bondiau hydrogen â dŵr. Maen nhw'n anhydawdd mewn dŵr, felly, ond maen nhw'n gallu cymysgu gydag amrywiaeth o sylweddau organig, amholar neu bolar. Mae hyn yn golygu ei bod yn bosibl eu defnyddio fel hydoddyddion mewn gwahanol brosesau a'u bod yn ddatseimyddion effeithiol iawn. Maen nhw'n cael eu defnyddio mewn sychlanhau. Cyfansoddion clorin sy'n cael eu defnyddio gan amlaf gan mai dyna'r rhai rhataf.

2 Fel anaesthetig

Roedd tricloromethan, $CHCl_3$, yn un o'r anaesthetigion cynnar. Yr enw cyffredin arno oedd clorofform. Mae rhai halogenoalcanau'n dal i gael eu defnyddio fel anaesthetig.

3 Fel rhewyddion

Er bod halogenoalcanau bach yn nwyon ar dymheredd ystafell, mae'r atyniadau deupol parhaol–deupol parhaol yn golygu bod tymereddau berwi'n agos i dymheredd ystafell. Felly maen nhw'n hylifau y mae'n bosibl eu hanweddu'n hawdd, neu'n nwyon y mae modd eu hylifo'n hawdd ar dymheredd ystafell.

Pan fydd hylif yn anweddu, mae'n defnyddio gwres, sy'n gallu dod o'r amgylchedd. Felly mae'r hylifau hyn, sy'n anweddu'n hawdd, yn cael eu defnyddio mewn oergelloedd.

cwestiwn cyflym

⑥ Pan fydd 2-clorobwtan yn cael ei wresogi gyda sodiwm hydrocsid wedi hydoddi mewn ethanol, mae'n cynhyrchu dau gynnyrch ond nid yw 3-cloropentan ond yn cynhyrchu un. Esboniwch pam a lluniwch adeileddau pob un o'r tri chynnyrch.

cwestiwn cyflym

⑦ Pam mae halogenoalcanau'n cael eu defnyddio mewn cynhyrchion ar gyfer dileu saim o ddwylo neu beiriannau?

cwestiwn cyflym

⑧ Sut mae'n bosibl hylifo CFCau er mwyn eu defnyddio fel rhewyddion?

Termau Allweddol

CFCau yw halogenoalcanau sy'n cynnwys clorin a hefyd fflworin.

HFCau yw halogenoalcanau sy'n cynnwys fflworin fel yr unig halogen.

Haen oson yw haen o amgylch y Ddaear sy'n cynnwys moleciwlau O_3.

Gwella gradd

Peidiwch â drysu rhwng cyfansoddion sy'n achosi cynhesu byd-eang a'r rhai sy'n achosi darwagio oson.

Gwella gradd

Y bond C–Cl, yn hytrach na'r bond C–F, sy'n torri oherwydd bod fflworin yn llai na chlorin, ac felly mae'n ffurfio bondiau cofalent cryfach.

cwestiwn cyflym

⑨ Sut rydych chi'n adnabod cam lledaenu mewn mecanwaith adwaith?

cwestiwn cyflym

⑩ Ysgrifennwch yr hafaliad cyffredinol ar gyfer y camau lledaenu a gafodd eu dangos wrth ddinistrio'r haen oson.

cwestiwn cyflym

⑪ Pam mae mwy o HFCau'n cael eu defnyddio yn lle CFCau nawr?

Gwella gradd

Peidiwch â cheisio cofio'r camau lledaenu sydd yn y prif destun. Mae llawer o gamau eraill yn bosibl, ond dylech chi sylweddoli mai effaith gyffredinol yr adweithiau yw newid O_3 yn O_2 wrth atffurfio'r radical clorin.

Effeithiau CFCau ar yr amgylchedd

Roedd yr halogenoalcanau oedd yn cael eu defnyddio amlaf ar gyfer rhewyddion a gyrwyr aerosolau'n cynnwys clorin a fflworin, clorofflworocarbonau, **CFCau**. Mae cyfyngiadau llym heddiw ar ddefnyddio cyfansoddion fel hyn oherwydd eu natur wenwynig a'u heffaith niweidiol yn yr atmosffer uchaf. Y gred yw mai CFCau a achosodd dyllau yn yr **haen oson**. Mae tyllau fel hyn yn gadael i belydrau uwchfioled gyrraedd arwyneb y Ddaear ac achosi canser y croen.

Mae CFCau'n effeithio ar oson mewn adwaith cadwynol radical sydd, mewn mecanwaith tebyg i fecanwaith halogeniad alcanau, yn digwydd mewn tri cham.

Cam cychwynnol

Mae'r cam cychwynnol yn digwydd oherwydd bod y bond C–Cl mewn CFC yn ymhollti gan gynhyrchu radicalau. Mae hyn yn cael ei achosi gan belydriad uwchfioled yn yr atmosffer uchaf. Y bond C–Cl sy'n torri, yn hytrach na'r bond C–H neu C–F, oherwydd mai dyma'r gwannaf o'r bondiau hyn.

Gan ddefnyddio triclorofflworomethan fel enghraifft o CFC:

$$CFCl_3 \longrightarrow Cl^\bullet + CFCl_2{}^\bullet$$

Cam lledaenu

Mae'r broses yn gymhleth ac mae llawer o adweithiau lledaenu posibl. Mae'r rhain yn cynnwys

$$Cl^\bullet + O_3 \longrightarrow ClO^\bullet + O_2$$
$$ClO^\bullet + O_3 \longrightarrow Cl^\bullet + 2O_2$$

Adwaith cadwynol yw hwn, ac felly mae ffurfio nifer bach o radicalau clorin yn gallu achosi i lawer o foleciwlau oson ddadelfennu.

Cam terfynu

Gan fod llawer o wahanol radicalau'n gallu ffurfio yn y cam lledaenu, mae llawer o gynhyrchion terfynol yn bosibl.

Oherwydd problemau darwagio'r haen oson, mae llawer o waith wedi'i wneud i ddarganfod sylweddau i'w defnyddio yn lle CFCau. Mae'r awgrymiadau'n cynnwys defnyddio hydrofflworocarbonau (**HFCau**) gan nad ydyn nhw'n cynnwys bondiau C–Cl nac yn gallu creu radicalau clorin.

2.7 Alcoholau ac asidau carbocsilig

Alcoholau

Mae **alcoholau**'n cynnwys y grŵp gweithredol –OH. Mae cyfansoddion sydd â mwy nag un OH yn bodoli, ond yn yr uned hon, dim ond am y rhai sydd ag un yn unig y mae angen i chi wybod. Ethanol yw'r alcohol sy'n cael ei ddefnyddio amlaf ac ar lafar gwlad mae'n cael ei alw'n alcohol.

Paratoi ethanol mewn diwydiant

Mae ethen yn adweithio ag ager (stêm) gan gynhyrchu ethanol.

$$CH_2=CH_2(n) + H_2O(n) \rightleftharpoons CH_3CH_2OH(n) \quad \Delta H = -45 \text{ kJ môl}^{-1}$$

Yr amodau sy'n cael eu defnyddio yw tymheredd o 300 °C, gwasgedd o 60–70 atmosffer a chatalydd, sef asid ffosfforig (fel araen ar solid anadweithiol). Mae'n bosibl esbonio'r amodau sy'n cael eu defnyddio drwy ddefnyddio **egwyddor Le Chatelier**.

Tymheredd

Mae'r blaenadwaith yn ecsothermig, ac felly byddai tymheredd isel yn ffafriol ar gyfer cynnyrch uchel. Ond, byddai hyn yn rhoi cyfradd adwaith araf, ac felly mae 300 °C yn gyfaddawd o ran tymheredd.

Gwasgedd

Mae dau fôl o adweithyddion nwyol yn rhoi un môl o gynnyrch nwyol, ac felly byddai gwasgedd uchel yn ffafriol ar gyfer cynnyrch uchel. Mae hyn hefyd yn cynyddu cyfradd yr adwaith hwn ond mae'n rhy ddrud cynnal gwasgedd rhy uchel.

Catalydd

Mae hyn yn cynyddu cyfradd yr adwaith heb effeithio ar y cynnyrch. Mae defnyddio'r amodau hyn yn trawsnewid tua 5% o'r ethen yn ethanol, ac felly mae'r ethen sydd heb adweithio'n cael ei ailgylchu yn ôl i siambr yr adwaith.

Eplesiad

Bydd siwgrau'n cael eu trawsnewid yn alcohol drwy **eplesiad**. Mae'r adwaith yn cael ei gatalyddu gan ensym sy'n bresennol mewn burum, ac felly mae'r siwgr yn cael ei hydoddi mewn dŵr, mae burum yn cael ei ychwanegu, ac mae'r cymysgedd yn cael ei adael mewn lle cynnes. Dyma sut mae diodydd meddwol yn cael eu cynhyrchu.

Gan ddefnyddio glwcos fel enghraifft o siwgr, yr adwaith yw:

$$C_6H_{12}O_6 \longrightarrow 2C_2H_5OH + 2CO_2$$

Gan fod tymheredd berwi ethanol yn 80 °C, mae'n bosibl ei wahanu oddi wrth y cymysgedd dyfrllyd sydd ar ôl yn y llestr eplesu drwy ddistylliad ffracsiynol.

Termau Allweddol

Alcohol yw cyfres homologaidd sy'n cynnwys y grŵp gweithredol –OH.

Eplesiad yw adwaith sy'n cael ei gatalyddu gan ensymau ac sy'n trawsnewid siwgrau yn ethanol.

Gwella gradd

Gwnewch yn siŵr y gallwch chi gymhwyso egwyddor Le Chatelier.

cwestiwn cyflym

① Pam nad yw tymheredd uchel iawn yn cael ei ddefnyddio wrth baratoi ethanol o ethen mewn diwydiant?

Gwella gradd

Mecanwaith yr adwaith rhwng ethen ac ager yw adiad electroffilig, sef yr un mecanwaith ag adweithiau eraill alcenau.

cwestiwn cyflym

② Pam mae eplesiad yn cael ei gynnal ar dymheredd o tua 38 °C?

cwestiwn cyflym

③ Sut gallwn ni dynnu ethanol o'r cymysgedd sy'n cael ei gynhyrchu pan fydd siwgrau'n cael eu heplesu?

Term Allweddol

Biodanwydd yw tanwydd sydd wedi'i gynhyrchu gan ddefnyddio ffynhonnell fiolegol.

Biodanwyddau

Mae **biodanwyddau'n** cael eu ffurfio o organebau byw. Mae bioethanol yn cael ei wneud drwy eplesu siwgrau mewn planhigion, a biodiesel yn cael ei wneud o'r olewau a'r brasterau sy'n bresennol yn hadau rhai planhigion.

Mae manteision ac anfanteision wrth ddefnyddio biodanwyddau.

Manteision

1 Adnewyddadwy

Yn wahanol i danwyddau ffosil, mae'n bosibl tyfu'r planhigion sydd eu hangen i gynhyrchu biodanwyddau bob blwyddyn ac mae'n bosibl defnyddio defnydd gwastraff mae anifeiliaid yn ei gynhyrchu hefyd.

2 Nwyon tŷ gwydr

Yn yr un modd â thanwyddau ffosil, mae biodanwyddau'n cynhyrchu carbon deuocsid pan fyddan nhw'n cael eu llosgi. Ond, mae'r planhigion a gafodd eu defnyddio i'w gwneud wedi cymryd carbon deuocsid i mewn yn ystod ffotosynthesis.

$$6CO_2 + 6H_2O \longrightarrow C_6H_{12}O_6$$

Mae hyn yn golygu bod defnyddio biodanwyddau'n garbon niwtral.

3 Sicrwydd economaidd a gwleidyddol

Pan fydd tanwyddau ffosil yn cael eu mewnforio i wledydd sydd heb eu ffynonellau eu hunain, bydd newidiadau yn eu pris, ac i ba raddau y maen nhw ar gael, yn gallu effeithio ar y gwledydd hynny.

Anfanteision

1 Defnydd tir

Mae coedwigoedd yn cael eu dinistrio i greu tir i dyfu planhigion ar gyfer biodanwyddau. Does dim modd i dir sy'n cael ei ddefnyddio ar gyfer biodanwyddau gynhyrchu cnydau bwyd.

2 Defnyddio adnoddau

Mae angen llawer o ddŵr a gwrtaith i dyfu biodanwyddau. Mae dŵr yn brin mewn llawer o lefydd a gall y dŵr hwnnw gael ei lygru gan wrteithiau.

3 Niwtraliaeth carbon?

Er bod y carbon deuocsid sy'n cael ei ddefnyddio gan y planhigion yn cydbwyso'r carbon deuocsid sy'n cael ei gynhyrchu wrth losgi'r tanwydd, nid yw hyn yn ystyried, er enghraifft, y tanwydd sydd ei angen i godi'r ffatrï oedd a chludo defnyddiau crai.

Gwella gradd

Mae angen i chi allu disgrifio manteision ac anfanteision defnyddio biodanwyddau ac ystyried hefyd sut mae eu defnyddio yn debyg ac yn wahanol i ddefnyddio tanwyddau ffosil.

Gwella gradd

Gwnewch yn siŵr eich bod yn deall bod biodanwyddau'n cynhyrchu carbon deuocsid wrth gael eu hylosgi.

cwestiwn cyflym

④ Pam gallwn ni ddweud nad yw biodanwyddau'n cyfrannu at gynhesu byd-eang?

Dadhydradu alcoholau cynradd

Mae'n bosibl dadhydradu llawer o alcoholau gan ffurfio alcenau. Dyma'r hafaliad ar gyfer bwtan-1-ol.

$$CH_3CH_2CH_2CH_2OH \rightarrow CH_3CH_2CH=CH_2 + H_2O$$
bwt-1-en

Mae'n bosibl defnyddio amrywiaeth o ddadhydradyddion, ond y rhai sy'n cael eu defnyddio gan amlaf yw alwminiwm ocsid gyda gwres neu asid sylffwrig crynodedig.

Mae dŵr yn cael ei ddileu (yr H o un atom carbon a'r OH o'r un nesaf) a bond dwbl yn cael ei ffurfio.

Gwella gradd

Dadhydradu alcoholau yw cildroad adwaith alcenau ag ager.
Bydd angen i chi enwi dadhydradydd addas a sylweddoli bod rhai eraill yn bosibl hefyd.

cwestiwn cyflym

(5) Dosbarthwch y canlynol yn alcoholau 1°, 2° neu 3°.
- a) Ethanol CH_3CH_2OH
- b) 3-methyl pentan-3-ol $CH_3CH_2C(CH_3)(OH)CH_2CH_3$
- c) Pentan-2-ol $CH_3CH(OH)CH_2CH_2CH_3$
- ch) Pentan-1-ol $CH_2(OH)CH_2CH_2CH_2CH_3$.

Dosbarthiad alcoholau

Mae **alcoholau**'n cael eu dosbarthu'n rhai cynradd, 1°, eilaidd, 2°, neu drydyddol, 3°. Mae hynny yn ôl sut mae'r –OH yn bondio yn y moleciwl.

Os yw'r –OH yn bondio i garbon, sydd yn ei dro yn bondio i ddim mwy nag un atom carbon arall, mae'r alcohol yn gynradd.

Os yw'r –OH yn bondio i garbon, sydd yn ei dro yn bondio i ddau atom carbon arall, mae'r alcohol yn eilaidd.

Os yw'r –OH yn bondio i garbon, sydd yn ei dro yn bondio i dri atom carbon arall, mae'r alcohol yn drydyddol.

Enghreifftiau o'r dosbarthiad

(i) Methanol

Mae'r OH yn bondio i garbon sydd ddim yn bondio i atom carbon arall, ac felly dyma alcohol cynradd.

(ii) Propan-1-ol

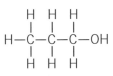

Mae'r OH yn bondio i garbon sy'n bondio i un atom carbon arall, ac felly dyma alcohol cynradd.

(iii) Propan-2-ol

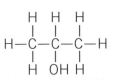

Mae'r OH yn bondio i garbon sy'n bondio i ddau atom carbon arall, ac felly dyma alcohol eilaidd.

cwestiwn cyflym

⑥ Ysgrifennwch hafaliadau i ddangos:

a) dadhydradiad propan-1-ol

b) ocsidiad cyflawn propan-1-ol.

Gwella gradd

Os ydych yn cynnwys rhif ocsidiad, er enghraifft potasiwm deucromad(VI), mae'n rhaid iddo fod yn gywir. Os ydych chi'n ansicr, efallai y byddai'n fwy diogel gadael y rhif allan.

Gwella gradd

Efallai y gwelwch chi $Cr_2O_7^{2-}/H^+$ mewn cynllun adwaith. Mae hyn yn dangos yr ocsidydd deucromad(VI) asidiedig.

Pan fyddwch chi'n defnyddio [O] mewn hafaliad ocsidio, cofiwch gydbwyso'r hafaliad.

Gwella gradd

Gwnewch yn siŵr eich bod yn sylweddoli bod ocsidiad alcoholau cynradd yn broses dau gam, bod ocsidiad alcoholau eilaidd yn broses un cam, a bod alcoholau trydyddol ddim yn cael eu hocsidio fel arfer.

cwestiwn cyflym

⑦ Beth yw'r grŵp gweithredol mewn aldehyd?

(iv) 2-methyl bwtan-2-ol

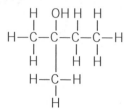

Mae'r OH yn bondio ar garbon sy'n bondio ar dri atom carbon arall, ac felly dyma alcohol trydyddol.

Ocsidio alcoholau

Mae'n bosibl ocsidio llawer o alcoholau hefyd. Yr ocsidydd arferol yw potasiwm deucromad(VI) asidiedig, sy'n cael ei wresogi gyda'r alcohol.

Mae beth sy'n digwydd yn dibynnu a yw'r alcohol yn gynradd, eilaidd neu'n drydyddol.

Mewn adweithiau ocsidio organig, rydym ni fel arfer yn dangos yr ocsidydd fel [O] mewn hafaliadau.

$$R-\underset{\underset{H}{|}}{\overset{\overset{H}{|}}{C}}-OH + 2[O] \longrightarrow R-C\overset{O}{\underset{OH}{\diagdown}} + H_2O$$

1 Cynradd – gan ddefnyddio propan-1-ol fel enghraifft

Mae'r adwaith yn digwydd mewn dau gam.

Cam 1

H—C—C—C—O—H + [O] ⟶ H—C—C—C⟨O H +H₂O

propan-1-ol   propanal

Bydd dau atom hydrogen yn cael eu colli – y naill o OH yr alcohol a'r llall o'r carbon cyfagos. Mae hyn yn creu bond dwbl carbon i ocsigen.

Mae'r cynnyrch sydd â'r grŵp gweithredol

$$-C\overset{O}{\underset{H}{\diagup}}$$

yn aldehyd, sef propanal yn yr achos hwn.

Cam 2

Bydd yr aldehyd yn cael ei ocsidio ymhellach.

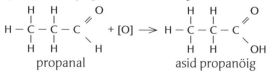

propanal   asid propanöig

Bydd ocsigen yn cael ei adio at yr aldehyd. Mae'r cynnyrch sydd â'r grŵp gweithredol

yn asid carbocsilig, sef asid propanöig yn yr achos hwn.

2 Eilaidd – gan ddefnyddio propan-2-ol fel enghraifft

Dim ond un cam sydd yn yr adwaith hwn – mae'n cyfateb i gam 1 yn ocsidiad alcoholau cynradd.

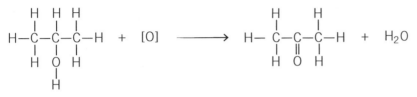

propan-2-ol

Ceton yw'r cynnyrch sydd â'r grŵp gweithredol –C=O, sef propanon yn yr achos hwn.

3 Trydyddol – gan ddefnyddio 2-methylpropan-2-ol fel enghraifft

$$CH_3 - \overset{\overset{H}{\overset{|}{O}}}{\underset{\underset{CH_3}{|}}{C}} - CH_3$$

2-methylpropan-2-ol

Gan nad oes hydrogen ar y carbon cyfagos sy'n gallu cael ei golli, nid oes adwaith yn digwydd.

Crynodeb o'r adweithiau ocsidio

Alcoholau cynradd $\longrightarrow$ aldehydau $\longrightarrow$ asidau carbocsilig

Alcoholau eilaidd $\longrightarrow$ cetonau

Nid yw alcoholau trydyddol yn cael eu hocsidio.

Defnyddio potasiwm deucromad(VI) asidiedig

Pan fydd yn ymddwyn fel ocsidydd, mae potasiwm deucromad(VI) asidiedig yn newid lliw o oren i wyrdd. Mae'n bosibl defnyddio hyn fel prawf ar gyfer alcoholau cynradd ac eilaidd gan y byddan nhw'n rhoi canlyniad cadarnhaol, ond nid felly alcoholau trydyddol.

cwestiwn cyflym

⑧ Pam nad yw alcoholau trydyddol yn cael eu hocsidio fel arfer?

cwestiwn cyflym

⑨ Beth byddech chi'n disgwyl ei weld petai potasiwm deucromad(VI) asidiedig yn cael ei wresogi gyda phropan-2-ol?

Termau Allweddol

Asid carbocsilig yw cyfres homologaidd sy'n cynnwys y grŵp gweithredol –COOH.

Asid gwan yw asid sy'n ïoneiddio'n rhannol yn unig mewn hydoddiant dyfrllyd.

⚡ Gwella gradd

Mae adweithiau asidau carbocsilig fel asid yn debyg i asidau cryf – maen nhw'n colli'r H⁺ ac fel arfer yn cael metel yn ei le gan ffurfio halwyn.

⚡ Gwella gradd

Byddwch yn ofalus â'r fformiwla os yw'r metel yn ffurfio ïonau 2^+.

cwestiwn cyflym

⑩ Beth yw fformiwlâu:
  a) sodiwm ethanoad
  b) sinc propanoad?

⚡ Gwella gradd

Mewn esteriad, bydd dŵr yn cael ei ddileu. I ddarganfod fformiwla'r ester, lluniwch yr alcohol a'r asid carbocsilig gyda'r ddau grŵp OH gyda'i gilydd. Lluniwch flwch o gwmpas y dŵr a thynnwch y rhan organig at ei gilydd. Dyma'r ester.

cwestiwn cyflym

⑪ Lluniwch yr ester sy'n cael ei ffurfio pan fydd bwtan-2-ol yn adweithio ag asid ethanöig.

cwestiwn cyflym

⑫ Cwblhewch y canlynol: Mae asidau carbocsilig yn .... oherwydd eu bod nhw'n ïoneiddio yn .... Maen nhw'n adweithio ag alcalïau gan ffurfio ....

Asidau carbocsilig

Mae **asidau carbocsilig** yn cynnwys y grŵp gweithredol

Maen nhw'n **asidau gwan**, ac felly maen nhw'n daduno'n rhannol yn unig i gynhyrchu ïonau H⁺.

$$CH_3COOH \rightleftharpoons CH_3COO^- + H^+$$

Adweithiau

Fel asidau

Mae asidau carbocsilig yn ymddwyn yn yr un ffordd ag asidau anorganig cryf pan fyddan nhw'n adweithio â basau, carbonadau a hydrogencarbonadau, gan ffurfio halwynau.

Enghreifftiau

1 Basau ac alcalïau

Hafaliad cyffredinol: Asid + Bas $\rightarrow$ Halwyn + dŵr

Alcali: $CH_3CH_2COOH(d) + KOH(d) \rightarrow CH_3CH_2COOK(d) + H_2O(h)$
     asid propanöig   potasiwm propanoad

Bas: $2CH_3COOH(d) + MgO(s) \rightarrow (CH_3COO)_2Mg(d) + H_2O(h)$
     asid ethanöig   magnesiwm ethanoad

2 Carbonadau a hydrogencarbonadau

Mae'r rhain yn ymddwyn mewn ffordd debyg

Hafaliad cyffredinol: Asid + Carbonad $\rightarrow$ Halwyn + Carbon Deuocsid + dŵr

Carbonad: $2HCOOH(d) + CuCO_3(s) \rightarrow (HCOO)_2Cu(d) + CO_2(n) + H_2O(h)$
       asid methanöig   copr(II) methanoad

Hydrogencarbonad:

$$CH_3COOH(d) + KHCO_3(d) \rightarrow CH_3COOK(d) + CO_2(n) + H_2O(h)$$
                             potasiwm ethanoad

Esteriad

Mae asidau carbocsilig hefyd yn adweithio gan ffurfio esterau

Hafaliad cyffredinol: Asid + Alcohol $\rightleftharpoons$ Ester + dŵr

Mae'r adwaith yn cael ei gatalyddu gan asid sylffwrig crynodedig, ac felly mae'r alcohol, yr asid carbocsilig ac asid sylffwrig crynodedig yn cael eu gwresogi gyda'i gilydd. Mae'n bosibl gwahanu'r ester drwy ddistylliad.

$$CH_3COOH + C_2H_5OH \rightleftharpoons CH_3COOC_2H_5 + H_2O$$
   asid ethanöig ethanol   ethyl ethanoad

Mae'n hawdd adnabod esterau gan fod ganddyn nhw aroglau melys nodweddiadol, tebyg i ffrwythau.

2.8 Defnyddio offer i ddadansoddi

Yn y gorffennol, roedd gwyddonwyr yn defnyddio technegau dadansoddi cyfeintiol a grafimetrig i ddadansoddi natur a maint sylwedd anhysbys. Mewn dadansoddi cyfeintiol, mae titradiadau'n cael eu defnyddio i fesur cyfeintiau hydoddiannau; mewn dadansoddi grafimetrig, mae masau solidau'n cael eu mesur. Heddiw, yn amlach na pheidio, y dull dewisol yw technegau sbectrosgopig.

Yn yr uned hon, bydd angen i chi ddadansoddi sbectra màs, sbectra isgoch a sbectra cyseiniant magnetig niwclear (*NMR*) i helpu i adnabod adeiledd moleciwl organig.

Sbectromedreg màs

Mewn sbectromedr màs, bydd electron yn cael ei fwrw allan o foleciwlau cyfansoddyn organig gan gynhyrchu ïon positif. Dyma'r **ïon moleciwlaidd** sy'n cael ei ddangos yn aml fel M^+. Mae'r sbectromedr màs hefyd yn peri i'r moleciwlau ymholti yn rhannau llai – **darnau**. Mae'r darnau hyn yn gallu rhoi gwybodaeth am adeiledd y moleciwl.

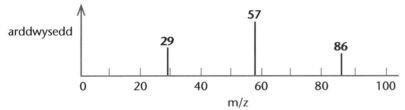

Mae'r echelin-x mewn sbectrwm màs yn dangos màs/gwefr (m/z), ond gallwch chi dybio mai 1 yw'r wefr ar yr ïon. I ddehongli sbectrwm màs, edrychwch ar y brig sydd â'r m/z mwyaf. Dyma'r ïon moleciwlaidd, ac mae'n rhoi'r M_r.

Sbectrwm pentan-3-on, $C_2H_5C=OC_2H_5$, sydd i'w weld uchod. Ei M_r yw 86, ac mae hyn yn cyfateb i'r brig sydd â'r m/z mwyaf. Mae'r brig ar 29 oherwydd $C_2H_5^+$, ac o dorri hwn oddi wrth y moleciwl, mae darn o 57 yn weddill. Mae hwn oherwydd $C_2H_5C=O^+$.

Os yw clorin neu fromin yn bresennol yn y cyfansoddyn, byddwn ni'n gweld dau frig ar gyfer M^+ a rhai o'r darnau gan fod y ddau halogen yn gallu bodoli ar ffurf dau isotop.

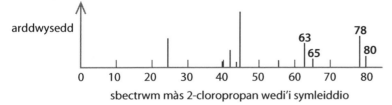

O'r sbectrwm, mae'r brig M^+ ar 78 ar gyfer $C_3H_7{}^{35}Cl$ ond ar 80 ar gyfer $C_3H_7{}^{37}Cl$. Mae'r brigau'n cael eu hachosi ar 63 a 65 drwy golli 15, hynny yw CH_3^+, o'r moleciwl.

Mae brigau'r darnau eraill yn cael eu hachosi drwy ad-drefniadau ac mae'n anodd eu dehongli o adeiledd 2-cloropropan.

Termau Allweddol

Darniad yw hollti moleciwlau mewn sbectromedr màs yn ddarnau llai.

Ïon moleciwlaidd yw'r ïon positif sy'n cael ei ffurfio mewn sbectromedr màs o'r moleciwl cyfan.

cwestiwn cyflym

① Pam mae'n well gennym ni ddefnyddio technegau sbectrosgopig na dulliau cyfeintiol a grafimetrig fel arfer heddiw?

cwestiwn cyflym

② Pa wybodaeth sy'n cael ei rhoi gan werthoedd yr echelin mewn sbectrwm màs? A yw'r wybodaeth yn ddefnyddiol ar gyfer darganfod adeiledd y cyfansoddyn?

Gwella gradd

Mae tynnu gwerthoedd m/z yn gallu dangos beth sydd wedi torri i ffwrdd – er enghraifft, yn sbectrwm màs pentan-3-on, mae $86 - 57 = 29$ yn dangos colli C_2H_5.

Gwella gradd

Mae'r gwerth m/z mwyaf gan yr ïon moleciwlaidd. Peidiwch â dweud bod ganddo'r brig mwyaf.

cwestiwn cyflym

③ Ar ba werth m/z byddech chi'n disgwyl gweld y brig â'r gwerth m/z mwyaf ar gyfer ethanol?

Gwella gradd

Mae'n bosibl i rannau o'r moleciwl ad-drefnu. Peidiwch â cheisio esbonio beth yw'r holl frigau mewn sbectrwm màs mewn arholiad. Nodwch y rhai a fydd yn helpu i roi'r adeiledd.

Termau Allweddol

Mesur o'r egni sy'n cael ei amsugno yw **tonrif**; mae'n cael ei ddefnyddio mewn sbectra isgoch.

Amsugniad nodweddiadol yw'r ystod tonrif lle mae bond arbennig yn amsugno pelydriad.

Gwella gradd

Y cafnau, hynny yw y brigau tua'r gwaelod, sy'n cael eu defnyddio mewn sbectra isgoch.

cwestiwn cyflym

④ a) Pam mae brigau ar m/z 78 ac 80 yn sbectrwm màs 1-cloropropan?

b) Pam nad yw'r brigau ar 78 a 80 yr un uchder yn sbectrwm màs 1-cloropropan?

cwestiwn cyflym

⑤ Ar ba m/z byddech chi'n disgwyl gweld y gwerth mwyaf ar gyfer bwtan-1-ol?

Pa grŵp mae bwtan-1-ol wedi'i golli i roi brig ar m/z 59?

cwestiwn cyflym

⑥ Pam nad yw amsugniad rhwng 2800 a 3100 yn ddefnyddiol iawn wrth ddarganfod y grwpiau sy'n bresennol?

cwestiwn cyflym

⑦ Ym mha un o'r cyfansoddion

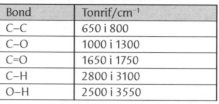

a CH_3CH_2OH byddech chi'n disgwyl gweld amsugniad ar 1700 i 1720 cm^{-1}?

Sbectrosgopeg isgoch

Mae pelydriad yn rhan isgoch y sbectrwm yn cael ei amsugno gan achosi mwy o ddirgryniadau a phlygu mewn moleciwlau organig.

Mae'r **tonrif** lle mae'r **amsugniad** yn digwydd yn **nodweddiadol** o'r bond, ac felly bydd yn ddefnyddiol o ran adnabod y grŵp gweithredol sy'n bresennol.

Cewch chi'r tonrifau sydd eu hangen arnoch chi i ateb cwestiynau arholiad. Mae enghreifftiau i'w gweld yn y tabl.

Bond	Tonrif/cm^{-1}
C–C	650 i 800
C–O	1000 i 1300
C=O	1650 i 1750
C–H	2800 i 3100
O–H	2500 i 3550

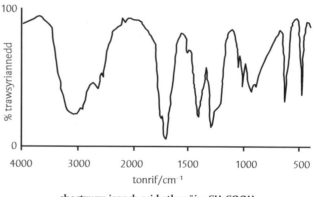

sbectrwm isgoch asid ethanöig, CH_3COOH

Yn yr un modd nad oedd pob brig yn ddefnyddiol mewn sbectra màs, nid yw pob amsugniad yn ddefnyddiol ar gyfer dehongli sbectra isgoch. Edrychwch ar y wybodaeth sydd gennych chi yma a chwiliwch am amsugniadau sy'n cyfateb i'r grwpiau gweithredol/bondiau sy'n bresennol.

Mae'r sbectrwm asid ethanöig uchod yn gyson ag adeiledd asid ethanöig gan ei fod yn dangos amsugniad ar tua 1750 cm^{-1} oherwydd C=O, un ar tua 1250 cm^{-1} oherwydd C–O ac un ar tua 3000 cm^{-1} oherwydd O–H.

Heb wybodaeth o ffynhonnell arall, byddai'n anodd dweud yn bendant, gan ddefnyddio brigau unigol yn y sbectrwm uchod, mai asid ethanöig sy'n bresennol. Ond, mae'n bosibl defnyddio cronfa ddata i adnabod moleciwlau cymhleth, hyd yn oed. Mae'r cronfeydd data hyn yn dangos yr holl sbectrwm ar gyfer ystod enfawr o foleciwlau organig fel ei bod yn bosibl cyfatebu sbectra cyfansoddion anhysbys â nhw.

Sbectrosgopeg cyseiniant magnetig niwclear (NMR)

Bydd egni'n cael ei amsugno i newid sbin atomau ond does dim angen i chi wybod beth yn union sy'n digwydd i'r atom. Y ffaith bwysig yw fod yr egni sy'n cael ei amsugno'n dibynnu ar yr **amgylchedd** lle mae'r atom. Bydd pob amsugniad yn ymddangos mewn lle gwahanol ar y sbectrwm ac mae'r gwerth δ (y **symudiad cemegol**) ar gyfer y brig hwnnw'n dweud wrthych chi faint o egni sy'n cael ei amsugno. Mae dau fath o sbectra cyseiniant magnetig niwclear yn yr uned hon, sef ^{13}C ac ^{1}H.

Sbectrosgopeg ^{13}C

Mae presenoldeb symiau bach iawn o ^{13}C mewn cyfansoddion organig yn golygu y byddan nhw'n amsugno egni a chynhyrchu sbectrwm.

Fel yn achos sbectra isgoch, cewch chi'r data sydd eu hangen arnoch chi i ddehongli'r sbectrwm. Mae rhai gwerthoedd δ i'w gweld yn y tabl.

Math o garbon	Symudiad cemegol, δ/ppm
C—C	5 i 55
C—O	50 i 70
C—Cl	30 i 70
C=C	115 i 145
C=O	190 i 220

Mae'r sbectrwm ar gyfer bwt-3-en-2-on yn enghraifft o sbectrwm ^{13}C.

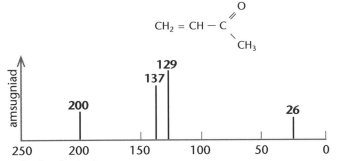

Y wybodaeth o'r sbectrwm:

- Mae nifer y brigau'n rhoi *nifer* yr amgylcheddau carbon gwahanol.
- Mae symudiad cemegol y brigau'n rhoi'r *math* o amgylchedd carbon.

Yn y sbectrwm mae pedwar brig, ac felly mae atomau C mewn pedwar amgylchedd.

Edrychwch ar y symudiadau cemegol i ddarganfod beth yw'r amgylcheddau:

brig ar δ = 200 ppm (rhan mewn miliwn) oherwydd **C**=O

brigau ar δ = 137 ppm a 129 ppm oherwydd **C**=C ac C=**C**

brig ar δ = 26 ppm oherwydd **C**H$_3$

Nid yw'n bosibl dweud, gan ddefnyddio'r wybodaeth sydd ar gael, pa un o'r brigau C=C sydd ar ba ben i'r bond dwbl.

Termau Allweddol

Mae **symudiad cemegol** yn mesur, mewn rhannau mewn miliwn, egni amsugniad penodol o'i gymharu â'r safonyn.

Amgylchedd yw natur yr atomau/grwpiau o amgylch yr atom mewn moleciwl.

Gwella gradd

Mewn sbectra ^{13}C ac ^{1}H, cyfrifwch nifer y brigau. Mae hyn yn dweud wrthych chi faint o amgylcheddau gwahanol sydd yn y moleciwl.

Gwella gradd

Mae'n bosibl defnyddio gwerthoedd δ i adnabod y math o amgylchedd, ond, oherwydd bod presenoldeb grwpiau eraill yn dylanwadu arnyn nhw, maen nhw'n aml i'w gweld yn eithaf pell o'r hyn mae'r tabl data'n ei awgrymu.

cwestiwn cyflym

⑧ Beth gallwch chi ei weithio allan o uchder y brigau mewn
   a) sbectrwm NMR ^{13}C?
   b) sbectrwm NMR ^{1}H?

Sbectrosgopeg ^{1}H

Weithiau mae hyn yn cael ei alw'n sbectrosgopeg proton ac fel yn achos ^{13}C, mae'n rhoi gwybodaeth am:

- *Nifer* yr amgylcheddau proton gwahanol – o nifer y brigau.
- Y *mathau* o amgylcheddau proton – o'r symudiadau cemegol.

Ond, mae sbectra ^{1}H hefyd yn rhoi gwybodaeth am gymhareb niferoedd y protonau ym mhob amgylchedd.

Mae rhai gwerthoedd δ i'w gweld yn y tabl.

Math o broton	Symudiad cemegol, δ/ppm
R—C**H**$_2$	0.7 i 1.6
R—O**H**	1.0 i 5.5
R—C**H**$_2$—R	1.2 i 1.4
R$_3$—C**H**	1.6 i 2.0
—C=OC**H**—	1.9 i 2.9
—O—C**H**$_3$	
—O—C**H**$_2$R	3.3 i 4.3
—O—C**H**R$_2$	
–C**H**O	9.1 i 10.1

Mae'r sbectrwm ar gyfer methyl propanoad, $CH_3CH_2COOCH_3$ yn enghraifft o sbectrwm ^{1}H.

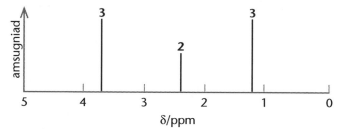

Mae tri brig i'w gweld yn y sbectrwm, ac felly mae atomau H mewn tri amgylchedd.

Mae'r atomau H ym mhob amgylchedd yn ôl y gymhareb 3:2:3.

Edrychwch ar y symudiadau cemegol i ddarganfod beth yw'r amgylcheddau:

brig ar δ = 1.2 ppm oherwydd C**H**$_3$CH$_2$C=O

brig ar δ = 2.4 ppm oherwydd CH$_3$C**H**$_2$C=O

brig ar δ = 3.7 ppm oherwydd O–C**H**$_3$

Crynodeb: Egni, Cyfradd a Chemeg Cyfansoddion Carbon

2.1 Thermocemeg

Newidiadau enthalpi

- Newid enthalpi, ΔH, yw'r gwres sy'n cael ei ychwanegu at system ar wasgedd cyson
- Os yw ΔH yn negatif, mae'r adwaith yn ecsothermig. Os yw ΔH yn bositif, mae'r adwaith yn endothermig
- Newidiadau enthalpi pwysig yw: ffurfiant, $\Delta_f H$, hylosgiad, $\Delta_c H$, adwaith, $\Delta_r H$
- Mae deddf Hess yn nodi bod cyfanswm y newid enthalpi ar gyfer adwaith yn annibynnol ar y llwybr o'r adweithyddion i'r cynhyrchion. Mae'n cael ei defnyddio i gyfrifo newidiadau enthalpi yn anuniongyrchol
- Enthalpi bond cyfartalog yw gwerth cyfartalog yr enthalpi sydd ei angen i dorri math o fond cofalent mewn unrhyw foleciwl
- Ni fydd cyfrifiadau ar gyfer newidiadau enthalpi adwaith sy'n cynnwys cyfansoddion cofalent lle bydd enthalpïau bond cyfartalog yn cael eu defnyddio mor fanwl gywir â chanlyniadau sy'n deillio o arbrofion ar y moleciwlau dan sylw

Mesur ΔH drwy arbrawf

- Defnyddiwch $q = mc\Delta T$ a $\Delta H = -q/n$ lle mae'n bosibl darganfod ΔT, y newid tymheredd wedi'i gywiro, drwy allosod yn ôl ar y graff hyd at yr amser cymysgu
  m yw màs yr hydoddiant, nid y solid
  n yw nifer y molau sy'n adweithio, hynny yw, nifer y molau o'r adweithydd sydd ddim mewn gormodedd
- I atal gwres rhag dianc, neu gael ei amsugno, rydym ni'n defnyddio cwpan polystyren â chaead yn lle bicer

2.2 Cyfraddau adwaith

- Cyfradd adwaith yw'r newid yng nghrynodiad adweithydd neu gynnyrch, fesul uned o amser
- Mae'n bosibl ei gyfrifo drwy blotio graff a darganfod y graddiant
- Mae damcaniaeth gwrthdrawiadau'n nodi, er mwyn i adwaith cemegol ddigwydd, fod yn rhaid i foleciwlau wrthdaro'n llwyddiannus, hynny yw, ag isafswm egni rydym ni'n ei alw'n egni actifadu
- Gallwn ni ddangos egni actifadu ar ddiagramau proffil egni
- Mae cynyddu crynodiad hydoddiant, gwasgedd nwy neu arwynebedd arwyneb solid yn cynyddu cyfradd yr adwaith oherwydd bod mwy o ddebygolrwydd o wrthdrawiadau llwyddiannus mewn amser penodol
- Mae cynyddu'r tymheredd yn codi cyfradd yr adwaith oherwydd bod gan fwy o'r moleciwlau sy'n gwrthdaro yr egni actifadu sydd ei angen. Gallwn ni ddangos hyn ar gromliniau dosraniad egni

Catalyddion

- Mae catalydd yn cynyddu cyfradd yr adwaith drwy ddarparu llwybr arall ag egni actifadu is
- Mae catalydd heterogenaidd mewn gwedd wahanol i'r adweithyddion. Mae catalydd homogenaidd yn yr un wedd â'r adweithyddion
- Mae ensymau'n cael eu defnyddio'n fwy ac yn fwy aml mewn prosesau diwydiannol oherwydd eu bod yn cyflawni rhai o amcanion cemeg gwyrdd

Mesur cyfraddau adwaith drwy arbrawf

- Mae'n bosibl dilyn cyfraddau mewn arbrofion drwy newid mewn cyfaint neu wasgedd nwy, newid mewn màs neu newid mewn lliw
- Mae casglu nwy'n ffordd dda o ddangos sut mae'r gyfradd yn newid yn ystod adwaith cemegol
- Mae adweithiau 'cloc ïodin' a gwaddod yn arbrofion da ar gyfer cymharu cyfraddau adwaith o dan amodau gwahanol er mwyn darganfod y berthynas rhwng crynodiadau'r adweithyddion a'r gyfradd

2.3 Agweddau ehangach ar gemeg

Effeithiau

- Cymdeithasol: lleoliad gweithwyr a diwydiannau
- Economaidd: cost, galw a chyflogaeth
- Amgylcheddol: llygredd, yn lleol ac yn fyd-eang
- Cynhyrchu egni: galw a phroblemau

Problemau egni

- Tanwyddau ffosil, cynhyrchu carbon deuocsid a newid yn yr hinsawdd
- Niwtraliaeth carbon, biodanwyddau adnewyddadwy
- Pŵer niwclear a solar
- Yr economi hydrogen

Cemeg gwyrdd

- Defnyddiau crai adnewyddadwy, er enghraifft o blanhigion
- Ensymau fel catalyddion er mwyn arbed egni ar dymereddau isel
- Economi atom uchel
- Osgoi cemegion a hydoddyddion gwenwynig

Sylw cyffredinol

- Nid yw'r pwyslais yn yr uned hon ar ddysgu ffeithiau, ond ar drafod a dadansoddi sefyllfaoedd sy'n cael eu rhoi a gweld sut mae gwyddoniaeth yn gallu gweithio i ddelio â nhw

2.4 Cyfansoddion organig

Mathau o fformiwlâu

- Mae fformiwla foleciwlaidd yn dangos math a nifer yr atomau yn y moleciwl
- Mae fformiwla graffig yn dangos yr holl atomau a bondiau yn y moleciwl
- Mae fformiwla fyrrach yn dangos y grwpiau'n ddigon manwl fel bod yr adeiledd yn hollol glir
- Mae fformiwla sgerbydol yn dangos asgwrn cefn y moleciwl, sef yr atomau carbon/hydrogen, ac unrhyw grwpiau gweithredol sydd ynghlwm

Rheolau enwi cyfansoddion

- Mae enw cyfansoddyn organig yn seiliedig ar nifer yr atomau carbon yn y gadwyn hiraf a'r grŵp gweithredol sy'n bresennol
- Rydym ni'n dangos nifer yr atomau carbon yn y gadwyn hiraf drwy ddefnyddio meth, eth, prop, bwt, pent, hecs, hept, oct, non a dec
- Rydym ni'n dangos y grŵp gweithredol drwy ddefnyddio en (C=C), ol (OH), halogeno (unrhyw halogen) asid ...öig (COOH)

Priodweddau ffisegol

- Mae hyd y gadwyn a phresenoldeb grwpiau gweithredol yn effeithio ar briodweddau ffisegol
- Mae tymereddau ymdoddi a berwi'n cynyddu gydag M_r cynyddol mewn cyfres homologaidd

Isomeredd adeileddol

- Isomerau adeileddol yw cyfansoddion sydd â'r un fformiwla foleciwlaidd ond â fformiwla adeileddol wahanol

Mecanweithiau

- Gallwn ni ddosbarthu mecanwaith adwaith yn ôl natur yr ymosodiad a'r newid cyffredinol yn natur yr adweithydd organig

2.5 Hydrocarbonau

Alcanau

- Rydym ni'n defnyddio alcanau fel tanwyddau gan fod ΔH hylosgiad yn negatif ond mae anfanteision o ddefnyddio tanwyddau ffosil fel hyn

- Mae'r bondiau i gyd yn fondiau σ

- Mae alcanau'n eithaf anadweithiol, ond byddan nhw'n cael eu ffotoclorineiddio. Mae mecanwaith radical sy'n arwain at amnewid

Alcenau

- Mae'r bond dwbl carbon i garbon mewn alcen yn cynnwys bond σ a bond π

- Mae'r bond π yn rhanbarth o ddwysedd electron uchel ac mae'n agored i ymosodiad electroffilig sy'n arwain at adiad ar draws y bond dwbl

- Mae isomerau E–Z gan lawer o alcenau oherwydd bod cylchdro cyfyngedig o amgylch y bond π

- Gallwn ni brofi ar gyfer presenoldeb bond dwbl gan ei fod yn dadliwio bromin neu botasiwm manganad(VII)

- Gallwn ni ragfynegi cynnyrch yr adwaith rhwng HBr ac alcen anghymesur drwy ystyried y ffaith bod carbocatïonau eilaidd yn fwy sefydlog na charbocatïonau cynradd

- Mae'n bosibl hydrogenu alcenau i leihau neu ddileu annirlawnder

- Mae llawer o alcenau ac alcenau a amnewidiwyd yn gwneud polymeriad adio gan roi ystod eang o bolymerau sy'n bwysig yn fasnachol

2.6 Halogenoalcanau

Adweithiau

- Mae'n bosibl defnyddio sodiwm hydrocsid, wedi'i hydoddi mewn ethanol, i ddileu halid hydrogen o halogenoalcan – mae hyn yn rhoi alcen

- Mae halogenoalcanau'n agored i ymosodiad niwclioffilig ar y carbon $\delta+$ – mae hyn yn arwain at amnewid yr halogen. Un enghraifft yw defnyddio sodiwm hydrocsid dyfrllyd i roi alcohol

- Mae cyfradd amnewid niwclioffilig yn dibynnu ar natur yr halogen. Mae'r cyfansoddyn ïodo yn adweithio'n gyflymach na chyfansoddion cyfatebol yr halogenau eraill oherwydd gwendid cymharol y bond C i I

- Pan fydd halogenoalcanau'n cael eu hydrolysu, mae'r halid ïon yn cael ei ffurfio. Yna mae'n bosibl adnabod yr halogen sy'n bresennol drwy ddefnyddio'r prawf gydag arian nitrad dyfrllyd

Defnyddio halogenoalcanau

- Roedd halogenoalcanau'n cael eu defnyddio ar raddfa eang fel hydoddyddion, anaesthetigau a rhewyddion oherwydd eu priodweddau, ond heddiw mae cyfyngiadau llym ar eu defnydd

- Mae'n bosibl cysylltu effeithiau amgylcheddol niweidiol cymharol CFCau gwahanol â chryfder y bondiau sy'n bresennol

Gwaith ymarferol

- Mae'n bosibl hydrolysu 1-bromobwtan gan gynhyrchu bwtan-1-ol drwy adlifo'r halogenoalcan â sodiwm hydrocsid dyfrllyd

2.7 Alcoholau ac asidau carbocsilig

Paratoi ethanol a biodanwyddau

- Mae'n bosibl cynhyrchu ethanol drwy hydradu ethen neu drwy eplesu siwgrau. Mae angen i chi wybod yr amodau cyffredinol sy'n cael eu defnyddio yn y ddau achos
- Mae'n bosibl defnyddio bioethanol a biodiesel yn lle tanwyddau ffosil, ond mae manteision ac anfanteision i hyn

Dosbarthu alcoholau ac adweithiau alcoholau

- Y grŵp gweithredol mewn alcohol yw –OH
- Mae'n bosibl dosbarthu alcoholau'n rhai cynradd, eilaidd neu drydyddol, yn ôl beth arall sydd ynghlwm wrth yr atom carbon mae OH yr alcohol ynghlwm ag ef
- Mae'n bosibl dadhydradu'r rhan fwyaf o alcoholau gan gynhyrchu alcenau – mae modd defnyddio amrywiaeth o ddadhydradyddion
- Mae alcoholau cynradd ac eilaidd yn gallu cael eu hocsidio gan ocsidyddion fel potasiwm deucromad(VI) asidiedig. Bydd alcoholau cynradd yn cael eu hocsidio i aldehydau ac yna i asidau carbocsilig a bydd alcoholau eilaidd yn cael eu hocsidio i getonau

Adweithiau asidau carbocsilig

- Asidau gwan yw asidau carbocsilig a'u grŵp gweithredol yw –COOH
- Mae asidau carbocsilig yn adweithio â basau gan gynhyrchu halwyn a dŵr. Maen nhw hefyd yn adweithio â charbonadau a hydrogencarbonadau gan gynhyrchu halwyn, carbon deuocsid a dŵr
- Mae asidau carbocsilig yn adweithio ag alcoholau gan gynhyrchu esterau – mae'r adwaith hwn yn cael ei gatalyddu gan asid sylffwrig crynodedig

Gwaith ymarferol

- Mae'n bosibl gwneud esterau drwy wresogi, o dan adlifiad fel arfer, asid carbocsilig, alcohol ac asid sylffwrig crynodedig. Mae'r adwaith hwn yn rhoi cymysgedd ecwilibriwm. Gallwch chi wahanu'r ester o'r cymysgedd adwaith hwn drwy ddistylliad.

2.8 Defnyddio offer i ddadansoddi

Sbectra màs

- Mae sbectrwm màs yn rhoi M_r y cyfansoddyn sy'n bresennol, sef gwerth m/z ar gyfer y brig sydd â'r m/z uchaf
- Mae brigau â gwerthoedd m/z eraill yn rhoi masau darnau a thrwy hyn yn rhoi tystiolaeth ar gyfer adeiledd y cyfansoddyn

Sbectra isgoch

- Mae'r brigau amsugno mewn sbectra isgoch yn cael eu hachosi gan newidiadau egni ym mondiau'r moleciwl
- Mae maint yr egni sy'n cael ei amsugno, sy'n cael ei fesur mewn cm^{-1}, yn rhoi gwybodaeth am y grŵp gweithredol sy'n bresennol

Sbectra cyseiniant magnetig niwclear (NMR)

- Mae newidiadau egni, mewn ppm, i'w gweld ar sbectrwm gan ddefnyddio ^{13}C neu ^{1}H sy'n bresennol mewn cyfansoddion
- Mae nifer y brigau mewn sbectrwm ^{13}C yn rhoi nifer yr amgylcheddau carbon ac mae symudiad cemegol pob brig yn rhoi'r math o amgylchedd
- Mae nifer y brigau mewn sbectrwm ^{1}H yn rhoi nifer yr amgylcheddau hydrogen ac mae symudiad cemegol pob brig yn rhoi'r math o amgylchedd. Mae cymhareb uchderau'r brigau'n rhoi cymhareb nifer yr atomau hydrogen ym mhob amgylchedd

Arfer a Thecneg Arholiad

Nodau

Annog myfyrwyr i wneud y canlynol:

- datblygu eu diddordeb mewn Cemeg a'u brwdfrydedd wrth feddwl am ei hastudio ymhellach a dilyn gyrfa yn y pwnc
- datblygu gwybodaeth a dealltwriaeth hanfodol o feysydd gwahanol Cemeg a'u perthynas â'i gilydd
- datblygu a dangos ddealltwriaeth o Sut mae Gwyddoniaeth yn Gweithio
- sylweddoli sut mae'r gymdeithas yn gwneud penderfyniadau am faterion gwyddonol a sut mae'r gwyddorau'n cyfrannu at lwyddiant yr economi a'r gymdeithas

Cemeg UG – crynodeb o'r asesiad

Mae'r asesiad hwn yn cynnwys dau bapur ysgrifenedig 90 munud yr un, sef un ar gyfer pob un o'r ddwy ran, sy'n gyfartal ac yn werth 50% yr un; mae 80 marc ar gael ar gyfer pob papur.

Mae **Uned 1** yn cynnwys Iaith Cemeg, Adeiledd Mater ac Adweithiau Syml.

Mae **Uned 2** yn cynnwys Egni, Cyfradd a Chemeg Cyfansoddion Carbon

Mae pob papur yn cynnwys Adran A sydd â chwestiynau atebion byr ar gyfer 10 marc ac Adran B sydd â chwestiynau atebion strwythuredig ac estynedig ar gyfer 70 marc.

Nid oes cwestiynau dewis lluosog yn y papurau hyn.

Amcanion asesu (AA) a phwysiadau

Mae cwestiynau arholiad yn cael eu llunio i adlewyrchu'r amcanion asesu sy'n cael eu disgrifio yn y fanyleb. Mae'n rhaid i chi gwrdd â'r amcanion asesu canlynol yng nghyd-destun y cynnwys yn y fanyleb (lle mae mwy o fanylion ar gael).

Mae **AA1** yn cynnwys dangos gwybodaeth a dealltwriaeth o bob agwedd ar y pwnc.

Dylai ymgeiswyr adnabod a deall gwybodaeth gemegol a dewis, trefnu a chyfleu gwybodaeth berthnasol.

Mae **AA2** yn cynnwys cymhwyso'r wybodaeth a'r ddealltwriaeth gemegol yn ddamcaniaethol, yn ymarferol, yn ansoddol ac yn feintiol.

Dylai ymgeiswyr ddadansoddi a gwerthuso gwybodaeth a phrosesau cemegol, eu cymhwyso i sefyllfaoedd anghyfarwydd ac asesu pa mor ddilys a dibynadwy ydyn nhw.

Mae **AA3** yn cynnwys dadansoddi, dehongli a gwerthuso gwybodaeth a thystiolaeth wyddonol, gan lunio barn, dod i gasgliadau a datblygu dyluniau a gweithdrefnau ymarferol mewn ffordd ddiogel, manwl gywir a moesegol.

Dylai ymgeiswyr fod yn ymwybodol o Sut mae Gwyddoniaeth yn Gweithio a chofnodi a chyfleu arsylwadau a mesuriadau'n ddibynadwy.

Mae'r un pwysiad bras i'r amcanion hyn yn y ddwy uned, sef:

AA1 – 17.5%; AA2 – 22.5%; AA3 – 10%, gan roi cyfanswm pwysiad ar gyfer y ddau bapur o AA1 – 35%; AA2 – 45%; AA3 – 20%.

Sylwch mai uchafswm o 10% a fydd yn dibynnu ar ddwyn i gof yn unig, heb unrhyw ddealltwriaeth.

Sgiliau mathemategol

Mae'r rhain yn cael eu hasesu drwy'r ddau bapur, a bydd cyfanswm y pwysiad yn 20% o leiaf. Maen nhw'n cynnwys defnyddio algebra, defnyddio cyfrifiannell, cymedrau a ffigurau ystyrlon, plotio a dadansoddi graffiau, dadansoddi sbectra a deall adeileddau 2 ddimensiwn a 3 dimensiwn mewn siapiau moleciwlaidd.

Bydd y gofyniad yn cyfateb i Lefel 2 neu TGAU.

Gwaith ymarferol

Bydd y rhan hanfodol hon o gemeg yn cael ei hasesu mewn dwy ffordd: yn gyntaf fel rhan o'r papurau ysgrifenedig lle mae pwysiad o 15% o leiaf, ac yn ail drwy waith uniongyrchol yn y labordy. Er na fydd y gwaith hwn yn cael marciau, mae'n rhaid i chi ei wneud yn foddhaol a'i ysgrifennu mewn ffeil, a bydd eich athro'n ei asesu.

Mae'r fanyleb yn nodi'r math o waith labordy sydd i'w wneud a bydd eich athro'n ei ddewis. Bydd yn cynnwys paratoadau, titradiadau a mesur newidiadau enthalpi a chyfraddau adwaith. Byddwch chi'n canolbwyntio ar ddefnyddio a chymhwyso dulliau ac arferion gwyddonol, dadansoddi data a defnyddio offer a chyfarpar.

Gwefan CBAC

Mae'r wefan, sef www.cbac.co.uk, yn cynnwys llawer o wybodaeth fuddiol, gan gynnwys y canllawiau ymarferol ar gyfer y 24 o dasgau ymarferol a gafodd eu pennu ac y bydd eich gwaith labordy'n cael ei ddewis o'u plith; y fanyleb a deunydd asesu cynghreifftiol; cyn-bapurau arholiad a chynlluniau marcio ac adroddiadau arholwyr.

Awgrymiadau ar gyfer sefyll arholiad

Mae'r cwestiynau'n cael eu geirio'n ofalus iawn fel eu bod yn glir, cryno a diamwys ac yn dilyn y fanyleb. Ond, mae ymgeiswyr yn tueddu i'w cosbi eu hunain yn ddiangen drwy gamddarllen cwestiynau, naill ai'n rhy gyflym neu'n rhy arwynebol. Mae angen i ymgeiswyr ddeall union ystyr pob gair yn y cwestiwn; hefyd, mae'r marciau sy'n cael eu nodi ar ddiwedd pob rhan o'r cwestiwn yn cynnig canllawiau buddiol o ran faint o wybodaeth sydd ei hangen yn yr ateb.

1 **Darllenwch y cwestiwn yn ofalus**. Mae'n hawdd iawn camddehongli cwestiwn o dan bwysau'r arholiad, felly darllenwch bob gair yn ofalus a defnyddiwch uwch-liwiwr os yw'n eich helpu i ganolbwyntio ar eiriau allweddol.

2 **Edrychwch ar ddyraniad y marciau**. Os yw rhan o gwestiwn yn werth tri marc, yna mae'n rhaid i chi roi tri phwynt i ennill y marciau hyn.

3 **Gwnewch yn siŵr eich bod yn deall y wybodaeth**. Allwch chi ddim ennill mwy na 10% o'r marciau ar lefel UG drwy ddwyn gwybodaeth i gof yn unig. Hefyd, efallai y byddwch chi'n gweld deunydd anghyfarwydd, ond peidiwch â chynhyrfu; meddyliwch yn ofalus, cymerwch eich amser a chymhwyswch yr egwyddorion rydych wedi'u dysgu i ateb cwestiwn fel hwn.

4 **Gwnewch yn siŵr eich bod yn deall y cyfarwyddiadau**. Mae'n rhaid i chi fod yn glir am union ystyr y geiriau gorchymyn yn y cwestiynau. Bydd rhai, fel

**cyfrifwch   disgrifiwch   nodwch
esboniwch   rhagfynegwch   cwblhewch**

yn eithaf amlwg yng nghyd-destun y cwestiwn ond bydd rhai, fel

Enwch, yn fwy penodol. Ar gyfer 'Enwch gyfansoddyn', er enghraifft, mae angen ateb un gair, sef yr enw, nid fformiwla; mae angen rhoi fformiwla ar gyfer 'Rhowch fformiwla'. Peidiwch ag ailadrodd y cwestiwn na rhoi eich ateb mewn brawddeg, rhowch un gair yn unig.

Cymharwch. Os bydd y cwestiwn yn gofyn i chi gymharu dau beth, peidiwch â gwneud dim ond eu disgrifio ar wahân; mae'n rhaid i chi eu cymharu'n uniongyrchol mewn cymalau wedi'u huno.

Awgrymwch. Mynegwch eich sylwadau a'ch barn; efallai nad oes ateb penodol.

Bob tro, peidiwch â bod yn rhy fyr. Os oes gennych chi fwy o wybodaeth berthnasol i'w rhoi, nodwch hi.

5 **Cwestiynau strwythuredig**. Mae'r rhain mewn sawl rhan, sydd fel arfer yn ymwneud â'r un thema ac yn mynd yn fwy anodd wrth i chi weithio drwy'r cwestiwn.

6 **Cwestiynau arbennig gwerth 6 marc**

Bydd pob papur yn cynnwys adran arbennig mewn cwestiwn sy'n werth chwe marc. Bydd yn ymwneud ag unrhyw AA neu'r cyfan ohonyn nhw a dyna fydd y marc unigol mwyaf yn y cwestiwn. Dyma grynodeb o'r math cyffredinol o gynllun marcio ar gyfer yr adran hon:

5–6 marc

Mae'r prif nodweddion i gyd wedi'u disgrifio a'u hesbonio gan roi tystiolaeth.

3–4 marc

Mae'r prif nodweddion wedi'u disgrifio ac mae esboniad syml wedi'i roi o sut maen nhw wedi codi.

1–2 marc

Y prif nodweddion yn unig sydd wedi'u disgrifio neu mae esboniad syml wedi'i roi o sut maen nhw wedi codi.

0 marc

Dim cynnig neu nid oedd yr ateb yn haeddu credyd.

Gwella eich perfformiad

- Dylech chi fod yn gyfarwydd iawn â'r fanyleb.
- Gweithiwch ar gyn-bapurau.
- Gwnewch lawer o waith cyfrifo.
- Rhowch ddigon o amser i chi eich trwytho eich hun yn y pwnc a'i ddeall; mae'n wirion disgwyl dysgu'r cyfan y munud olaf. Bydd eich isymwybod yn gweithio os rhowch amser iddo.
- Darllenwch y cwestiynau'n araf ac yn ofalus; peidiwch â rhuthro a methu rhan o gwestiwn.
- Peidiwch â gadael rhannau o gwestiynau heb eu hateb; efallai y bydd dyfalu'n ennill marc a does dim marciau o dan sero.
- Gadewch ddigon o amser i ailedrych ar eich atebion a'u gwirio, yn enwedig eich cyfrifiadau.
- A ydy eich atebion rhifiadol yn gwneud synnwyr ac yn realistig?
- Efallai y bydd y deunydd mewn un rhan o gwestiwn yn rhoi awgrym o'r ateb mewn rhan arall; edrychwch i fyny ac i lawr y papur.

Sut i osgoi colli marciau

- Dylech chi dybio bod yr arholwr yn hollol dwp; esboniwch bopeth yn fanwl; peidiwch â gadael unrhyw ansicrwydd.
- Peidiwch byth â dweud 'mae ef' – defnyddiwch enw'r peth dan sylw.

- Peidiwch â gadael yr arholwr yn ansicr. Er enghraifft, yn y cwestiwn 'disgrifiwch brawf i wahaniaethu rhwng îonau clorid a bromid mewn asid nitrig gwanedig', mae pedair rhan i'r ateb:

  1 pa brawf i'w ddefnyddio,

  2 y canlyniad ar gyfer clorid,

  3 y canlyniad ar gyfer bromid,

  4 cymharwch ganlyniadau 2 a 3.

  Mae myfyrwyr weithiau'n nodi bod y gwaddod clorid yn hydoddi mewn amonia gwanedig heb nodi nad yw'r bromid yn gwneud.

- Os oes gair mewn teip trwm yn y cwestiynau, mae angen ateb union. Er enghraifft, mae **enwch** yn golygu enwi yn unig, mae **tri ffigur ystyrlon** yn golygu y bydd unrhyw beth arall yn anghywir, er enghraifft 85.5 cywir; 85.55 anghywir; 85 anghywir.

- Gall cwestiynau ofyn 'beth byddech chi'n ei weld?'. Mae'n rhaid i'r ateb nodi beth byddech chi'n ei weld, er enghraifft 'swigod', nid 'mae CO_2 yn cael ei gynhyrchu' neu 'mae gwaddod gwyn yn cael ei ffurfio' nid 'mae AgCl yn cael ei gynhyrchu'.

Ac yn olaf

Mae chwaraewyr a cherddorion sydd am fod yn ardderchog yn gorfod gweithio ac ymarfer yn galed; mae'r un peth yn wir i chi. Nid astudio yw eistedd o gwmpas mewn grŵp yn y llyfrgell yn cael sgwrs a throi tudalennau eich nodiadau drosodd o bryd i'w gilydd; llenwi'r amser yw peth felly. Gwaith yw canolbwyntio'n galed a mynd dros bethau sawl gwaith nes i chi feistroli'r testun.

I wneud yn dda, mae angen i chi gael set dda o nodiadau i weithio arnyn nhw; defnyddiwch y colofnau yn y rhestr wirio ar gyfer adolygu, ewch yn ôl dro ar ôl tro i wirio a phrofwch eich gwybodaeth ar gyn-gwestiynau a chyfrifiadau. Does neb ohonom ni'n rhy hoff o waith caled, ond dim ond drwy weithio y byddwch chi'n meistroli'r pwnc, yn ei ddeall a'i fwynhau ac y byddwch chi'n dod yn hyderus y cewch chi raddau da.

Pob lwc i chi!

Cwestiynau ac atebion

Mae'r rhan hon o'r canllaw yn edrych ar atebion myfyrwyr i gwestiynau yn arddull yr arholiad, a hynny o safbwynt arholwr. Mae detholiad o gwestiynau ar destunau yn y fanyleb UG ynghyd â dau ateb enghreifftiol – y naill o safon gradd uchel a'r llall o safon gradd isel ym mhob achos. Mae sylwadau'r arholwr yn ceisio dangos i chi sut mae marciau'n cael eu hennill a'u colli fel y byddwch chi'n deall beth sydd ei angen yn eich atebion.

Ymbelydredd

C ac A

1 Yn Ebrill 1986 digwyddodd damwain yn yr atomfa yn Chernobyl. Mae'r tabl isod yn dangos enwau, symbolau, hanner oesoedd a mathau allyriad rhai o'r isotopau ymbelydrol oedd yn y cymylau a'r glaw ar fynyddoedd Cymru'n fuan ar ôl y ddamwain.

Elfen	Symbol yr isotop	Hanner oes yr isotop	Math o allyriad
cesiwm	^{137}Cs	30 mlynedd	β a γ
strontiwm	^{90}Sr		β
ïodin	^{131}I	8 diwrnod	β
rwtheniwm	^{106}Ru	374 diwrnod	β

(a) Nodwch sut mae maes magnetig yn effeithio ar ymbelydredd. [2]

(b) Nodwch beth sy'n digwydd yn niwclews atom pan fydd gronyn β yn cael ei allyrru. [1]

(c) Mae un arall o isotopau rwtheniwm, ^{95}Ru, yn dadfeilio drwy ddal electron. Rhowch rif màs a symbol cynnyrch dadfeiliad ymbelydrol ^{95}Ru. [1]

(ch) Cyfrifwch hanner oes ^{90}Sr os yw'n cymryd 84 blynedd i 2.0 g o ^{90}Sr leihau i 0.25 g o ^{90}Sr. [1]

(d) Ar ôl astudio'r tabl, dywedodd Edmund, 'Yn 2015, dylem ni ddal i boeni am lygredd ymbelydrol yn sgil Chernobyl mewn rhai mannau ar fynyddoedd Cymru.' A ydy Edmund yn iawn? Bydd angen i chi gyfiawnhau eich ateb. [3]

Ateb Rhiannon

(a) Bydd gronynnau α a β yn cael eu gwyro gan faes magnetig; nid yw'r maes magnetig yn effeithio ar belydrau γ. ✓✗ ①

(b) Mae niwtron yn dadfeilio. ✗ ②

(c) ^{95}Tc ✓

(ch) Mae 2g i 0.25g yn lleihau o ffactor 8, felly hanner oes yw 84/8 = 10.5 mlynedd. ✗ ③

(d) Mae Edmund yn gywir oherwydd gallai'r ymbelydredd y mae cesiwm yn ei allyrru wrth ddadfeilio achosi canser. ✓✗ ④ Mae hanner oes cesiwm, sef 30 mlynedd, yn golygu y gallai'r perygl fodoli am gryn dipyn o amser. ✓

Sylwadau'r arholwr

① Mae angen i Rhiannon nodi bod gronynnau α a β yn cael eu gwyro gan faes magnetig i gyfeiriadau dirgroes.

② Nid yw Rhiannon yn ddigon penodol; mae angen iddi nodi bod niwtron yn dadfeilio gan ffurfio proton ac electron.

③ Nid yw rhannu'r màs cychwynnol â'r màs terfynol yn rhoi nifer yr hanner oesoedd.

④ I ennill marciau llawn, mae angen i Rhiannon nodi sut y gallai'r isotop ddod i mewn i'r corff

Mae Rhiannon yn ennill 4 allan o 8 marc.

Ateb David

(a) Bydd gronynnau α a β yn cael eu gwyro gan faes magnetig ond i gyfeiriadau dirgroes. Nid yw'n effeithio ar belydrau γ. ✓✓ ①

(b) Mae niwclews yn colli electron. ✓ ①

(c) Rhif màs 95, symbol Rh ✗ ②

(ch) 2 g ⟶ 1 g ⟶ 0.5 g ⟶ 0.25 g yw 3 hanner oes. Felly hanner oes yw 84/3 = 28 mlynedd. ✓

(d) Mae Edmund yn gywir. Gan fod hanner oes cesiwm yn 30 mlynedd, byddai unrhyw ymbelydredd a aeth i mewn i'r pridd ac a halogodd y glaswellt yn para am amser hir. ✓ Petai pobl yn bwyta cig defaid a fu'n bwyta'r glaswellt, gallent gael eu halogi. ✓✓

Sylwadau'r arholwr

① Mae hyn yn dderbyniol ond ateb gwell fyddai niwtron yn dadfeilio'n broton gan ryddhau electron.

② Dyma beth sy'n ffurfio yn achos allyriad β.

Mae David yn ennill 7 allan o 8 marc.

Egnïon ïoneiddiad

C ac A

2 Mae'r graff isod yn dangos logarithm egnïon ïoneiddiad olynol ocsigen wedi'u plotio yn erbyn rhif yr electron sy'n cael ei dynnu.

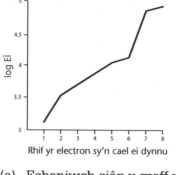

(a) Esboniwch siâp y graff yn nhermau adeiledd electronig ocsigen. [3]

(b) Ysgrifennwch hafaliad i ddangos ail egni ïoneiddiad ocsigen. [1]

(c) Esboniwch pam mae egni ïoneiddiad cyntaf ocsigen:

(i) yn uwch nag egni ïoneiddiad carbon [2]

(ii) yn is nag egni ïoneiddiad nitrogen [2]

(iii) yn uwch nag egni ïoneiddiad sylffwr. [2]

Ateb Rhiannon

(a) Mae naid fawr mewn egni ïoneiddiad yn golygu bod electron wedi'i dynnu o blisgyn newydd. ✓ Mae naid fawr ar ôl i 6 electron gael eu tynnu, ac felly mae 6 electron yn y plisgyn allanol a 2 electron yn y plisgyn mewnol. ✓ ✗ ①

(b) $O^-(n) + e \longrightarrow O^{2-}(n)$ ✗

(c) (i) Mae mwy o brotonau gan ocsigen, ac felly mae'r niwclews yn tynnu electronau'n fwy tynn. ✓ ✗ ②

(ii) Mae gwrthyriad rhwng electronau wedi'u paru mewn ocsigen yn ei gwneud yn haws tynnu un o'r electronau. ✓ ✗ ③

(iii) Mae un plisgyn yn llai gan ocsigen, ac felly mae'r electron allanol yn agosach ac mae llai o gysgodi. ✓ ✓

Sylwadau'r arholwr

① I ennill y trydydd marc, mae angen i Rhiannon sôn am y gwahanol orbitalau yn y plisgyn allanol.

② Mae angen i Rhiannon nodi bod yr electronau allanol yn yr un plisgyn neu nodi nad oes llawer o gysgodi ychwanegol.

③ Nid yw Rhiannon wedi esbonio'n glir mai dim ond electronau heb eu paru sydd yn orbital allanol nitrogen.

Mae Rhiannon yn ennill 6 allan o 10 marc.

Ateb David

(a) Mae naid fawr ar ôl tynnu 6 electron, felly mae 6 electron yn y plisgyn allanol a 2 electron yn y plisgyn mewnol. ✓ ✓ Nid oes llawer o wahaniaeth rhwng electron 5 a 6, ac felly mae'r 2 electron hyn yn yr un orbital yn y plisgyn allanol. ✓

(b) $O^+ - e \longrightarrow O^{2+}$ ✓

(c) (i) Mae gwefr niwclear fwy gan ocsigen a does dim cysgodi ychwanegol. ✓ ✓

(ii) Dim ond electronau heb eu paru sydd gan nitrogen, ond mae pâr o electronau yn orbital 2p gan ocsigen. ✓ Mae'r gwrthyriad rhwng pâr o electronau'n ei gwneud yn haws tynnu un o'r electronau. ✓

(iii) Oherwydd bod ei electron yn agosach at y niwclews a bod llai o gysgodi. ✓ ✗ ①

Sylwadau'r arholwr

① Mae angen i David nodi mai'r electron **allanol** sy'n agosach at y niwclews i ennill y ddau farc.

Mae David yn ennill 9 allan o 10 marc.

Sbectrwm hydrogen atomig

3 (a) Disgrifiwch sbectrwm allyrru gweladwy hydrogen atomig ac esboniwch sut mae ei nodweddion allweddol yn gysylltiedig â lefelau electronig yn yr atom hydrogen. [5]

(b) Esboniwch sut mae'n bosibl cyfrifo egni ïoneiddiad hydrogen o gyfres Lyman yn sbectrwm hydrogen atomig. [3]

(c) O wybod bod egni ïoneiddiad molar hydrogen yn 1310 kJ môl⁻¹, cyfrifwch werth yr amledd ar ddechrau'r continwwm yn sbectrwm allyrru hydrogen. [3]

Ateb Rhiannon

(a) Mae'r sbectrwm yn batrwm o linellau ar wahân. ✓✗ ①
Oherwydd bod y llinellau ar wahân, mae'n dangos bod y lefelau egni yn yr atom yn gwanteiddiedig. ✓✗✗ ②

(b) Mae'r llinellau egni'n cydgyfeirio at derfan wrth iddyn nhw fynd o n = 1 i n = ∞ a thrwy ddefnyddio ΔE = hf mae hyn yn dangos yr egni ïoneiddiad. ✓ ③

(c) ΔE = hf felly f = $\frac{\Delta E}{h}$ = $\frac{1310}{6.63 \times 10^{-34}}$ = 1.98 × 10³⁶ Hz ✓✗✗ ④

Sylwadau'r arholwr

① Mae Rhiannon yn ennill un marc am y disgrifiad. I ennill yr ail farc, mae angen iddi ddisgrifio'r patrwm y mae'r llinellau'n ei ffurfio.

② Mae Rhiannon yn ennill un marc am ddefnyddio'r term 'cwanteiddiedig' yn gywir; ond, nid yw wedi esbonio sut mae'r llinellau'n ffurfio nac wedi esbonio ychwaith pam maen nhw'n dod yn nes at ei gilydd.

③ Mae ateb Rhiannon yn amhendant iawn. Er ei bod wedi nodi'r berthynas rhwng egni ïoneiddiad a chyfres Lyman, nid yw wedi esbonio sut mae'n bosibl cyfrifo'r egni ïoneiddiad.

④ Nid yw Rhiannon wedi sylweddoli bod egni ïoneiddiad molar = egni ïoneiddiad atom × cysonyn Avogadro ac nid yw wedi newid EÏ yn J môl⁻¹.

Mae Rhiannon yn ennill 4 allan o 11 marc.

Ateb David

(a) Mae sbectrwm allyrru gweladwy hydrogen atomig yn gyfres o linellau ✓ sy'n dod yn agosach at ei gilydd wrth i'r egni gynyddu. ✓ Mae'r llinellau'n cael eu hachosi gan electronau cynhyrfol yn disgyn yn ôl i lefel egni is. ✗ ① Felly mae electronau'n bodoli mewn lefelau egni arwahanol. ✓ Wrth i egni gynyddu, mae'r lefelau egni yn dod yn agosach felly mae'r llinellau'n dod yn agosach. ✓

(b) Ar gyfer cyfres Lyman, n = 1, mae'r derfan cydgyfeiriant yn dangos ïoneiddiad yr atom hydrogen. ✓ Mae'n bosibl mesur yr amledd cydgyfeiriant (y gwahaniaeth rhwng n = 1 i n = ∞) ✓ ac mae'n bosibl cyfrifo'r egni ïoneiddiad gan ddefnyddio ΔE = hf. ✓

(c) EÏ = LΔE a ΔE = hf, ac felly EÏ = Lhf
f = $\frac{EÏ}{Lh}$ = $\frac{1\,310\,000}{(6.02 \times 10^{23})(6.63 \times 10^{-34})}$ = 3.28 × 10¹⁵ s⁻¹ ✓✓✓ ②

Sylwadau'r arholwr

① Ond, yn y sbectrwm allyrru gweladwy (cyfres Balmer), mae'r llinellau'n cael eu hachosi gan drosiadau electronig o lefelau egni uwch i lefel egni n = 2.

② Mae David wedi trawsnewid EÏ yn J môl⁻¹, ac mae hynny'n gywir gan mai Js yw'r uned ar gyfer cysonyn Planck.

Mae David yn ennill 10 allan o 11 marc.

Sbectromedr màs

C ac A

4 Mae'r sbectromedr màs yn offeryn dadansoddol pwysig.

(a) Esboniwch sut mae sbectromedr màs yn gweithio. [6]

(b) Mae gan lithiwm ddau isotop sy'n bodoli'n naturiol, sef ^6Li a ^7Li. Esboniwch sut mae'n bosibl defnyddio sbectrwm màs lithiwm i gyfrifo màs atomig cymharol yr elfen. [2]

Ateb Rhiannon

(a) Mae'r sampl yn cael ei daro gan electronau o wn electron gan ffurfio ïonau. ✓ Mae'r ïonau'n mynd drwy hollt ac yn cael eu gwyro gan faes magnetig. ✓ Yr ysgafnaf yw'r ïon, y mwyaf yw'r gwyriad. Mae newid y maes magnetig yn dod ag ïonau o werth màs/gwefr gwahanol i'r canfodydd yn eu tro, lle mae'r signal yn cael ei fwyhau a'i gofnodi. ✓✓ ①

(b) Bydd y sbectrwm màs yn dangos nifer yr isotopau lithiwm a chyflenwad cymharol pob isotop. Gallwn ni ddefnyddio'r rhain i gyfrifo'r màs atomig cymharol. ✓ ✗ ②

Sylwadau'r arholwr

① Er bod esboniad Rhiannon yn gywir, nid yw'n ddigon manwl i ennill rhagor o farciau. Mae angen iddi nodi bod yn rhaid i'r sampl fod yn nwyol wrth fynd i mewn i'r sbectromedr màs, bod ïonau positif yn ffurfio, bod yr ïonau'n cael eu cyflymu cyn cael eu gwyro a bod y sbectromedr màs yn gweithio mewn gwactod uchel.

② I ennill yr ail farc, mae'n rhaid i Rhiannon ddangos sut mae'r wybodaeth hon yn cael ei defnyddio.

Mae Rhiannon yn ennill 5 allan o 8 marc.

Ateb David

(a) Yn gyntaf mae'r sampl yn cael ei anweddu ✓ ac yn mynd i siambr ïoneiddio lle mae'n cael ei beledu gan electronau gan ffurfio ïonau positif. ✓✓ Bydd yr ïonau'n cael eu cyflymu ac yna eu gwyro gan faes magnetig. Mae maint y gwyriad yn dibynnu ar y gymhareb màs/gwefr. ✓ Y lleiaf yw'r gymhareb màs/gwefr, y mwyaf yw'r gwyriad. Mae'r paladr o ïonau'n cael ei ganfod yn electronig lle mae eu nifer, sydd mewn cyfrannedd â'r cerrynt ïonau, yn cael ei fesur. ✓ Mae'r holl broses yn digwydd mewn gwactod uchel er mwyn atal gronynnau aer rhag gwrthdaro â gronynnau'r sampl. ✓ ①

(b) Bydd sbectrwm màs lithiwm yn dangos màs pob isotop a'u cyflenwad canrannol cymharol. ✓✓

Màs atomig cymharol =

$$\frac{(6 \times \text{cyflenwad cymharol}) + (7 \times \text{cyflenwad cymharol})}{100}$$

Sylwadau'r arholwr

① Mae dealltwriaeth ardderchog o'r testun hwn gan David ac mae wedi rhoi ateb llawn. Er nad yw David wedi nodi sut bydd yr ïonau'n cael eu cyflymu, mae wedi gwneud digon i ennill marciau llawn.

Mae David yn ennill 8 allan o 8 marc.

Mewn cwestiwn 6 marc bydd mwy o bwyntiau a all ennill marciau nag uchafswm nifer y marciau yn y cynllun marcio a bydd y marciau mewn tri band. I gael y band uchaf (5–6 marc), mae angen i'r ymgeisydd lunio disgrifiad perthnasol, clir sydd â strwythur rhesymegol ac sy'n cynnwys holl elfennau allweddol yr ateb yn y cynllun marcio. Bydd ymresymiad cyson i'w weld, wedi'i gyfiawnhau, a bydd confensiynau a geirfa wyddonol yn cael eu defnyddio'n gywir drwyddi draw.

Mae'n amlwg bod David wedi cyflawni hyn a'i fod wedi ennill marciau llawn o ganlyniad.

Roedd ateb Rhiannon yn cynnwys y rhan fwyaf o'r elfennau allweddol ac roedd rhywfaint o ymresymiad wrth iddi gysylltu'r pwyntiau allweddol, ac felly mae'n disgyn yn y band nesaf (3–4 marc).

Molau

5 Mae powdr codi'n cynnwys sodiwm hydrogencarbonad yn bennaf.

Mae 4.75 g o bowdr codi mewn 250 cm³ o hydoddiant. Roedd angen 29.9 cm³ o hydoddiant asid hydroclorig dyfrllyd â chrynodiad 0.170 môl dm⁻³ i niwtralu sampl o 25 cm³ o'r hydoddiant dyfrllyd.

Mae sodiwm hydrogencarbonad yn adweithio ag asid hydroclorig dyfrllyd yn ôl yr hafaliad:

$$NaHCO_3 + HCl \longrightarrow NaCl + H_2O + CO_2$$

(a) Cyfrifwch ganran yn ôl màs o sodiwm hydrogencarbonad yn y powdr codi. *[5]*

(b) Mae hydrogen sylffid yn adweithio â bismwth nitrad yn ôl yr hafaliad:

$$3H_2S(n) + 2Bi(NO_3)_3(d) \longrightarrow Bi_2S_3(s) + 6HNO_3(d)$$

(i) Cyfrifwch gyfaint yr H_2S sydd ei angen i adweithio'n llwyr â 20.0 cm³ o hydoddiant bismwth nitrad â chrynodiad 0.0625 môl dm⁻³ ar 25 °C a gwasgedd o 1 atm. *[3]*

(ii) Pa gyfaint y byddai ei angen petai'r tymheredd yn dyblu? *[2]*

(Mae 1 môl o hydrogen sylffid yn llenwi 24 dm³ ar 25 °C.)

Ateb Rhiannon

(a) Môl HCl = 0.17 × 29.9 = 5.08 ✗ ①

Môl $NaHCO_3$ = 5.08 ✓ ②

Môl $NaHCO_3$ yn yr hydoddiant gwreiddiol = 5.08 × 10
= 50.8 ✓

Màs yn yr hydoddiant = 50.8 × 83.01 = 4217 g ✗ ③

% $NaHCO_3$ = $\dfrac{4.75}{4217}$ × 100 = 0.11% ✗

(b) (i) Môl $Bi(NO_3)_3$ = 0.0625 × 0.020 = 0.00125 ✓

Môl H_2S = 0.00125 × 2/3 = 0.000833 ✗ ④

Cyfaint H_2S = 0.000833 × 24 = 0.0200 dm³ ✓ ②

(ii) $\dfrac{V_1}{T_1} = \dfrac{V_2}{T_2}$

$V_2 = \dfrac{V_1 T_2}{T_1} = \dfrac{0.020 \times 50}{25} = 0.040$ dm³ ✓✗ ⑤

Ateb David

(a) Môl HCl = 0.17 × 0.0299 = 5.08 × 10⁻³ ✓

Môl $NaHCO_3$ = 5.08 × 10⁻³ ✓

Môl $NaHCO_3$ yn yr hydoddiant gwreiddiol = 5.08 × 10⁻³ × 10 = 5.08 × 10⁻² ✓

Màs yn yr hydoddiant = 5.08 × 10⁻² × 84.01 = 4.27 g ✓

% $NaHCO_3$ = $\dfrac{4.27 \times 100}{4.75}$ = 89.9% ✓

(b) (i) Môl $Bi(NO_3)_3$ = 0.0625 × 0.020 = 1.25 × 10⁻³ ✓

Môl H_2S = 1.25 × 10⁻³ × 3/2 = 1.875 × 10⁻³ ✓

Cyfaint H_2S = 1.875 × 10⁻³ × 24 = 0.045 dm³ ✓

(ii) $\dfrac{V_1}{T_1} = \dfrac{V_2}{T_2}$

$V_2 = \dfrac{V_1 T_2}{T_1} = \dfrac{0.045 \times 323}{298} = 0.0488$ dm³ ✓✓ ①

Sylwadau'r arholwr

① Mae Rhiannon wedi anghofio rhannu'r cyfaint â mil i newid cm³ yn dm³.

② Mae Rhiannon yn ennill y marc oherwydd marcio ôl-ddilynol.

③ Mae M_r $NaHCO_3$ yn anghywir.

④ Dylai'r gymhareb folar fod yn 3/2.

⑤ Nid yw Rhiannon wedi trawsnewid °C yn K

Mae Rhiannon yn ennill 5 allan o 10 marc.

Sylwadau'r arholwr

① Mae David wedi gwneud yr holl gyfrifiadau'n gywir ac mae wedi defnyddio'r unedau cywir.

Mae David yn ennill 10 allan o 10 marc.

Ecwilibria

6 Mae sylffwr deuocsid ac ocsigen yn cael eu gwresogi ar dymheredd penodol mewn cynhwysydd wedi'i selio nes cyrraedd yr ecwilibriwm canlynol.

$$2SO_2(n) + O_2(n) \rightleftharpoons 2SO_3(n)$$

Cafodd y cymysgedd ecwilibriwm hwn ei ddadansoddi ac roedd yn cynnwys 0.042 môl SO_3, 0.038 môl SO_2 a 0.038 môl O_2. Cyfanswm cyfaint y llestr oedd 2.0 dm³.

(a) Nodwch ystyr y term 'ecwilibriwm dynamig'. [1]

(b) Ysgrifennwch fynegiad ar gyfer y cysonyn ecwilibriwm, K_c, gan roi ei unedau. [2]

(c) Cyfrifwch werth y cysonyn ecwilibriwm, K_c, ar y tymheredd hwn. [2]

(ch) Nodwch ac esboniwch effaith cynyddu'r gwasgedd ar gynnyrch ecwilibriwm SO_3. [2]

(d) Pan fydd y tymheredd yn codi, mae cynnyrch SO_3 yn gostwng. Nodwch, gan roi rheswm dros eich ateb, a yw'r adwaith hwn yn endothermig neu'n ecsothermig. [2]

Ateb Rhiannon

(a) Ecwilibriwm dynamig yw pan fydd y blaenadwaith yn gyfartal â'r ôl-adwaith. ✗

(b) $K_c = \dfrac{(SO_3)^2}{(SO_2)^2(O_2)}$ môl⁻¹ dm³ ✗✓ ①

(c) $K_c = \dfrac{(0.042)^2}{(0.038)^2(0.038)} = 32.1$ môl⁻¹ dm³ ✗✓ ②

(ch) Bydd cynyddu'r gwasgedd yn symud y safle ecwilibriwm i'r ochr lle mae lleiaf o folau, hynny yw i'r ochr dde. ✓✗ ③

(d) Mae'r adwaith yn ecsothermig. I leihau'r cynnydd mewn tymheredd, mae'r ecwilibriwm yn symud i'r chwith, sy'n ffafrio'r cyfeiriad endothermig. ✓✓

Sylwadau'r arholwr

① Mae'n rhaid defnyddio bachau petryal i ddangos crynodiad.

② Cyfanswm y cyfaint yw 2 dm³, ac felly mae angen rhannu nifer y molau â 2 gan fod crynodiad mewn môl dm⁻³.

③ Er bod gosodiad Rhiannon yn gywir, nid yw wedi ateb y cwestiwn yn llawn – nid yw wedi nodi'r effaith ar gyfran y sylffwr triocsid. Felly mae'n ennill un marc yn unig.

Mae Rhiannon yn ennill 5 allan o 9 marc.

Ateb David

(a) Pan fydd cyfradd y blaenadwaith yn gyfartal â chyfradd yr ôl-adwaith. ✓

(b) $K_c = \dfrac{[SO_3]^2}{[SO_2]^2[O_2]}$ môl dm⁻³ ✓✗

(c) $K_c = \dfrac{(0.021)^2}{(0.019)^2(0.019)} = 64.3$ môl dm⁻³ ✓✓ ①

(ch) Byddai'r cynnyrch yn lleihau oherwydd bod llai o folau (o nwy) ar yr ochr dde. ✓✓

(d) Mae'r adwaith yn ecsothermig gan fod yr ecwilibriwm yn symud i'r chwith. ✓✗ ②

Sylwadau'r arholwr

① Er bod yr uned yn anghywir, nid yw'n colli marc oherwydd ei fod wedi'i gosbi'n barod yn rhan (b).

② I ennill y ddau farc, mae angen i David esbonio pam mae'r ecwilibriwm yn symud i'r chwith. Sylwch, mewn cwestiwn fel hwn, nad oes marc am ddweud 'ecsothermig' yn unig. Mae'r marciau ar gyfer y rhesymau.

Mae David yn ennill 7 allan o 9 marc.

Asid–bas

C ac A

7 (a) (i) Ysgrifennwch hafaliad, gan gynnwys symbolau cyflwr, ar gyfer yr adwaith rhwng magnesiwm carbonad ac asid hydroclorig. [1]

(ii) Disgrifiwch beth y byddech chi'n ei weld yn ystod yr adwaith hwn. [2]

(b) Rydym ni'n cyfeirio at asid hydroclorig fel asid cryf. Esboniwch beth mae'r term 'asid cryf' yn ei olygu. [1]

(c) Cyfrifwch pH hydoddiant asid hydroclorig dyfrllyd â chrynodiad 0.425 môl dm^{-3}. [2]

(ch) Mae asid cryf arall, asid nitrig, yn gallu adweithio ag amonia gan gynhyrchu amoniwm nitrad. Gall yr adwaith gael ei ddangos drwy ddefnyddio'r hafaliad:

$$NH_3(d) + HNO_3(d) \longrightarrow NH_4^+(d) + NO_3^-(d)$$

Esboniwch pam rydym ni'n ystyried bod hyn yn adwaith asid–bas. [2]

Ateb Rhiannon

(a) (i) $MgCO_3 + 2HCl \longrightarrow MgCl_2 + H_2O + CO_2$ ✗ ①
(ii) Swigod o CO_2 yn ffurfio. ✓✗ ②

(b) Un sy'n cyfrannu ïonau H^+. ✗

(c) pH = $-\log[H^+]$ = $-\log 0.425$ = 0.37 ✓✓

(ch) Mae'r asid nitrig wedi cyfrannu ïon H^+ ac mae'r amonia wedi derbyn ïon H^+. ✓✗ ③

Sylwadau'r arholwr

① Os yw'r cwestiwn yn gofyn am symbolau cyflwr, mae'n rhaid i chi eu rhoi.

② Mae dau farc ar gyfer y rhan hon, ac felly mae angen rhoi dau sylw.

③ Er bod y gosodiad yn gywir, nid yw Rhiannon wedi ateb y cwestiwn yn llawn. Nid yw wedi esbonio arwyddocâd rhoi neu dderbyn yr ïon H^+.

Mae Rhiannon yn ennill 4 allan o 8 marc.

Ateb David

(a) (i) $MgCO_3(s) + 2HCl(d) \longrightarrow MgCl_2(d) + H_2O(h) + CO_2(n)$ ✓
(ii) Mae solid gwyn yn adweithio gan ffurfio hydoddiant dyfrllyd ac mae eferwad i'w weld. ✓✓ ①

(b) Un sy'n daduno'n llwyr mewn hydoddiant dyfrllyd. ✓

(c) pH = 0.37 ✓✓ ②

(ch) Mae'r asid nitrig wedi cyfrannu ïon H^+, ac felly mae'n asid. ✓ Mae'r amonia wedi derbyn ïon H^+, ac felly mae'n fas. ✓

Sylwadau'r arholwr

① Gan fod y cwestiwn yn gofyn am arsylwadau, does dim angen enwi unrhyw sylweddau i ennill marciau llawn.

② Mae ateb cywir yn ennill marciau llawn; ond, petai'r ateb yn anghywir, byddai David yn derbyn 0 marc. Mae bob amser yn well dangos eich gwaith cyfrifo gan y gall hyn ennill marciau i chi os yw'r ateb terfynol yn anghywir.

Mae David yn ennill 8 allan o 8 marc.

Titradiad

8 Fe wnaeth Elinor ddarganfod crynodiad hydoddiant asid hydroclorig drwy ei ditradu yn erbyn hydoddiant safonol o sodiwm carbonad. Fe rinsiodd y fwred ag asid, ei llenwi uwchben y graddnod sero gan ddefnyddio twndis, agor y tap a gwirio jet y fwred. Tynnodd y twndis a daeth â lefel yr asid i 0.00 cm³ yn union.

Rhoddodd yr hydoddiant sodiwm carbonad mewn fflasg gonigol â dangosydd ac ychwanegodd yr asid gan chwyrlïo'r fflasg. Pan ddechreuodd y dangosydd newid lliw, ychwanegodd yr asid fesul diferyn nes cyrraedd y diweddbwynt.

Darlleniadau ei thitradiadau oedd 20.80, 20.20, 20.05 ac 20.10 cm³.

(a) Nodwch pam cafodd y fwred ei rinsio ag asid cyn ei llenwi. [1]

(b) Nodwch pam edrychodd Elinor ar jet y fwred. [1]

(c) Nodwch pam tynnodd hi'r twndis. [1]

(ch) Nodwch ac esboniwch a oedd angen iddi osod lefel yr asid yn union ar sero. [1]

(d) Nodwch pam chwyrlïodd y fflasg. [1]

(dd) Nodwch pam ychwanegodd yr asid fesul diferyn ar y diwedd. [1]

(e) Nodwch unrhyw ganlyniad afreolaidd a chyfrifwch werth cymedrig ar gyfer ei thitradiad. [1]

Ateb Rhiannon

(a) Rhag ofn ei bod yn frwnt/fudr. ✓

(b) I wneud yn siŵr bod yr asid yn llifo'n rhwydd. ✓

(c) Er diogelwch. ✗

(ch) Oedd, i wneud yn siŵr bod lefel yr asid yr un peth ar ddechrau pob titradiad. ✗

(d) I gymysgu'r holl adweithyddion. ✓

(dd) I wneud yn siŵr na fyddai'n ychwanegu gormod o asid. ✓

(e) Gwerth cymedrig = $\dfrac{20.80 + 20.20 + 20.05 + 20.10}{4}$

    = 20.29 cm³ ✗ ①

Sylwadau'r arholwr

① Mae Rhiannon wedi cynnwys y pedwar canlyniad yn ei chyfrifiad ar gyfer y gwerth cymedrig. Mae'r gwerth cyntaf yn sylweddol uwch na'r gweddill; felly ni ddylai gael ei gynnwys yn y cyfrifiad.

Mae Rhiannon yn ennill 4 allan o 7 marc.

Ateb David

(a) I wneud yn siŵr ei bod yn lân. ✓

(b) I wirio rhag swigod aer. ✓

(c) I atal diferion pellach o asid rhag syrthio i mewn. ✓

(ch) Nac oedd; y canlyniad yw'r gwahaniaeth rhwng y gwerth terfynol a'r gwerth cychwynnol. ✓

(d) I wneud yn siŵr bod yr holl sodiwm carbonad yn adweithio. ✓

(dd) Er mwyn peidio â rhuthro heibio i'r diweddbwynt. ✓

(e) Gwerth cymedrig 20.12 cm³ ✓ ①

Sylwadau'r arholwr

① Er nad yw David wedi nodi'n benodol bod 20.80 cm³ yn ganlyniad afreolaidd, mae ei ateb ar gyfer y titr cymedrig yn dangos ei fod wedi cynnwys tri thitr yn unig yn ei gyfrifiad, ac felly mae'n ennill y marc.

Mae'r cwestiwn wedi cael ei eirio fel hyn i awgrymu i'r myfyrwyr na ddylen nhw ddefnyddio'r holl ganlyniadau yn eu cyfrifiad.

Mae David yn ennill 7 allan o 7 marc.

Bondio

C ac A

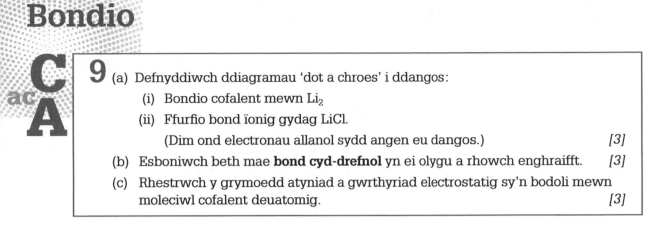

9 (a) Defnyddiwch ddiagramau 'dot a chroes' i ddangos:

    (i) Bondio cofalent mewn Li_2

    (ii) Ffurfio bond ïonig gydag LiCl.

    (Dim ond electronau allanol sydd angen eu dangos.) *[3]*

  (b) Esboniwch beth mae **bond cyd-drefnol** yn ei olygu a rhowch enghraifft. *[3]*

  (c) Rhestrwch y grymoedd atyniad a gwrthyriad electrostatig sy'n bodoli mewn moleciwl cofalent deuatomig. *[3]*

Ateb Rhiannon

(a) (i) Li ° Li ✓ ①
       × (Li ° × Li)

(ii) Li × ° Cl ° ⟶ Li ° Cl ° ✓✗ ②③

(b) Bond lle mae'r ddau electron yn dod o un o'r atomau. ④

H ° N × H ⁺ ✗✓ ⑤

(c) Gwrthyriad electron–electron. ✓ ⑥
Electronau'n cael eu hatynnu at y ddau niwclews. ✓ ⑦⑧✗

Sylwadau'r arholwr
① Cafodd Li_2 ei lunio'n gywir.
② Trosglwyddiad yr electron yn iawn.
③ Mae'n rhaid dangos ïonau lle mae'r gwefrau'n cael eu ffurfio.
④ Disgrifiad yn iawn ond yn gyfyngedig.
⑤ Nid yw'n glir bod y ddau electron yn dod o un atom.
⑥⑦ Iawn.
⑧ Mae gwrthyriad niwclews–niwclews wedi'i adael allan.
Mae Rhiannon yn ennill 5 allan o 9 marc.

Ateb David

(a) (i) Li ° × Li ✓ ①

(ii) Li × ° Cl ° ⟶ Li⁺ × Cl ° ⁻ ✓✓

(b) Bond o'r math cofalent lle mae un o'r atomau'n darparu'r ddau electron yn y pâr bondio. ✓ Bydd bond fel hwn yn bolar i ryw raddau. ✓ ②

H ° N × H ⁺ ✓

(c) Gwrthyriad electron–electron. ✓
Electronau'n cael eu hatynnu at y ddau niwclews. ✓
Gwrthyriad niwclews–niwclews. ✓ ③

Sylwadau'r arholwr
① Cafodd enghraifft gywir ei defnyddio.
② Ateb llawn a diagram cywir.
③ Cywir – mae ymgeiswyr yn aml yn anghofio'r gwrthyriad rhwng y niwclysau positif.
Enillodd David farciau llawn.

Adeileddau solidau

10

(a) Esboniwch beth mae (i) moleciwl enfawr a (ii) adeiledd moleciwlaidd syml yn ei olygu. [2]

(b) Rhowch enghreifftiau o ddau fath o foleciwlau enfawr, heblaw metelau. [2]

(c) Nodwch briodweddau ffisegol cyffredinol y ddau fath o foleciwlau yn nhermau (i) eu tymereddau ymdoddi a (ii) eu hydoddedd mewn dŵr. [4]

Ateb Rhiannon

(a) (i) Moleciwl sy'n cynnwys nifer mawr o atomau wedi'u cysylltu â'i gilydd.

(ii) Moleciwl sy'n cynnwys nifer eithaf bach o atomau wedi bondio â'i gilydd. ✓✓

(b) Diemwnt, polythen ✓✓

(c) (i) Mae tymereddau ymdoddi uchel gan y ddau ✗✗ ①

(ii) Dim ond moleciwlau syml sy'n hydawdd mewn dŵr ✗✗ ②

Sylwadau'r arholwr

Mae Rhiannon yn glir am y cysyniadau sylfaenol ond nid oes ganddi fawr o syniad o ran priodweddau'r solidau hyn.

① Anghywir ar y cyfan

② Mae hydrocarbonau'n anhydawdd mewn dŵr.

Mae Rhiannon yn ennill 4 allan o 8 marc.

Ateb David

(a) (i) Moleciwl sydd â nifer mawr o atomau wedi'u bondio â'i gilydd.

(ii) Moleciwl sydd heb fawr o atomau wedi'u bondio â'i gilydd. ✓✓ ①

(b) Diemwnt, NaCl ✓✓ ②

(c) (i) Mae tymereddau ymdoddi uchel gan foleciwlau enfawr, ond mae tymereddau ymdoddi moleciwlau syml yn isel fel arfer ✓✓ ③

(ii) Mae llawer o foleciwlau enfawr ïonig yn hydawdd, ond mae moleciwlau enfawr cofalent yn anhydawdd ✓✓

Sylwadau'r arholwr

① Yn anodd mewn ychydig o eiriau, ond mae'n iawn.

② Enghreifftiau da.

③ Fel uchod ond wedi'i eirio'n dda.

Mae David yn deall y sefyllfa'n gywir ac yn rhoi enghreifftiau da. Mae'n dangos ei fod yn sylweddoli bod y gosodiadau hyn yn cyffredinoli.

Mae David yn ennill yr 8 marc llawn.

Metelau

C ac A

11 (a) (i) Nodwch **ddwy** briodwedd sy'n nodweddiadol o fetelau. *[2]*

(ii) Cysylltwch y priodweddau hyn â damcaniaeth adeiledd metelau. *[3]*

(b) Awgrymwch pam mae tymereddau ymdoddi elfennau bloc s yn disgyn wrth fynd i lawr y Tabl Cyfnodol; e.e. lithiwm 180 °C, sodiwm 98 °C, cesiwm 29 °C. *[1]*

Ateb Rhiannon

(a) (i) Mae metelau'n ddargludyddion trydan da. ✓✗ ①

(ii) Mae electronau'n rhydd i symud o gwmpas mewn metelau, ac felly mae eu llif yn rhoi cerrynt i gudun. ✓✗ ②

(b) Mae'r atomau'n fwy. ✗ ③

Sylwadau'r arholwr

① Dim ond un briodwedd a roddwyd.

② Unwaith eto, dim ond dargludedd trydanol a nodwyd.

③ Ymgais, ond heb fod yn ddigon penodol.

Mae Rhiannon yn wan yma, gan ennill 2 farc yn unig, er efallai fod y cyfan o'i gwaith yn werth 3 marc.

Ateb David

(a) (i) Dargludedd trydanol a thermol da, hyblyg a hydrin. ✓✓ ①

(ii) Mae adeileddau metelau'n cynnwys dellten o ïonau positif wedi pacio'n dynn sy'n cael eu dal at ei gilydd gan nwy neu fôr o electronau symudol dadleoledig sy'n rhoi dargludedd trydanol da. Mae'r trefniant yn eu gwneud yn hyblyg gan nad oes onglau bond sefydlog. ✓✓✓ ②

(b) Mae'n rhaid bod hyn oherwydd cynnydd yn eu maint wrth fynd i lawr y grŵp gan fod ganddyn nhw i gyd un electron sy'n bondio; gan eu bod yn bellach oddi wrth ei gilydd mae'r ïonau'n cael eu dal at ei gilydd yn llai cryf. ✓ ③

Sylwadau'r arholwr

① Cadarn, gan roi mwy o briodweddau nag oedd disgwyl iddo wneud.

② Ateb da iawn, gan ddangos dealltwriaeth aeddfed.

③ Mae'r awgrym yn gadarn a chywir.

Mae David yn ennill marciau llawn ac yn dangos ei ddealltwriaeth.

Electronegatifedd

C ac A

12 (a) Esboniwch beth mae'r term 'electronegatifedd' yn ei olygu a dangoswch sut mae gwerthoedd electronegatifedd yn ddefnyddiol wrth ystyried polaredd bondiau. [4]

(b) Gan ddefnyddio'r gwerthoedd electronegatifedd isod:

   (i) Trefnwch y bondiau cofalent sy'n cael eu rhoi yn nhrefn polaredd CYNYDDOL: C–Cl; C–H; K–H; O–H. [2]

   (ii) Ysgrifennwch yr arwyddion gwefr δ+ a δ– ar gyfer pob atom yn y bondiau. [2]

   Gwerthoedd *electronegatifedd*: K 0.8, H 2.1, C 2.5, Cl 3.0, O 3.5

Ateb Rhiannon

(a) Mae'n fesur o atyniad atom mewn bond cofalent at y pâr electron yn y bond. ✓✓ ①
Mae'r gwerthoedd yn ddefnyddiol gan y bydd yr elfennau mwyaf electronegatif yn rhoi bondiau mwy polar. ✗ ②

(b) (i) C–H‹ C–Cl‹ O–H‹ H–K ✓✗ ③

   (ii) δ+ δ–   δ+ δ–   δ+ δ–   δ– δ+
        C–Cl   C–H   K–H   O–H ✓✗ ④

Sylwadau'r arholwr
①② Diffiniad yn iawn, ond y gwahaniaeth mewn electronegatifedd sy'n bwysig, nid y gwerth ei hun, er enghraifft, mae F–F yn amholar.
③ Dylai H–K ddod cyn O–H.
④ Dylai'r C fod yn δ– mewn C–H.

Mae Rhiannon yn ennill 4 allan o 8 marc.

Ateb David

(a) Mesur o allu atom mewn bond cofalent i atynnu'r pâr o electronau sy'n bondio. ✓✓ Mae'r gwerthoedd yn ddefnyddiol gan fod y gwahaniaeth rhwng y ddau werth ar gyfer yr atomau yn y bond mewn cyfranedd â pholaredd y bond. ✓✓ ①

(b) (i) C–H‹C–Cl‹H–K‹O–H ✓✓ ②

   (ii) δ+ δ– δ– δ+   δ+ δ–   δ– δ+
        C–Cl C–H   K–H   O–H ✓✓ ③

Sylwadau'r arholwr
① Mae popeth yn gywir yma; dyfarnwyd 4 marc.
② Cywir, felly dyfarnwyd 2 farc.
③ Cywir, felly dyfarnwyd 2 farc arall.

Enillodd David bob un o'r 8 marc.

Bondio van der Waals

13

(a) Nodwch pa **un** o'r bondiau canlynol yw'r gwannaf fel arfer:

cofalent   hydrogen   ïonig   van der Waals   [1]

(b) (i) Disgrifiwch natur grymoedd van der Waals ac esboniwch y gwahaniaeth rhwng y ddau fath o rym van der Waals.   [4]

(ii) Ar gyfer pob un o'r mathau uchod, enwch foleciwl lle mae'r grym dan sylw'n bwysig.   [2]

(c) Nodwch **un** effaith sydd gan rymoedd van der Waals ar briodweddau ffisegol cyfansoddion.   [1]

Ateb Rhiannon

(a) Van der Waals ✓ ①

(b) (i) Grymoedd rhyngfoleciwlaidd gwan ydyn nhw sy'n bodoli rhwng pob moleciwl. Maen nhw'n drydanol eu natur ac yn bodoli ym mhob moleciwl polar. ✓✓✗✗ ②

(ii) Un enghraifft yw fod y grymoedd yn bresennol yn HI hylifol. ✓✗ ③

(c) Y cryfaf yw grym van der Waals, yr uchaf yw tymheredd berwi hylif. ✓ ④

Sylwadau'r arholwr

① Cywir.

② Ateb arwynebol, ond heb sôn am ddeupol anwythol–deupol anwythol.

③ Un enghraifft yn unig.

④ Iawn.

Mae Rhiannon yn ennill 5 allan o 8 marc.

Ateb David

(a) Van der Waals ✓

(b) (i) Grymoedd rhyngfoleciwlaidd gwan sy'n bodoli rhwng pob atom a moleciwl. Maen nhw'n drydanol eu natur ac yn cael eu hachosi gan yr atyniad rhwng gwefrau dirgroes. Mewn un math, mae'r moleciwlau'n bolar ac mae'r gwefrau'n cael eu gwahanu drwy'r amser. Yn yr ail fath, sy'n bresennol ym mhob moleciwl, mae deupolau anwadal, sy'n cael eu hanwytho gan symudiadau electronau, yn dod yn gydwedd ac yn rhoi grym atynnol rhwng y moleciwlau. ✓✓✓✓

(ii) Un enghraifft o'r math cyntaf, sef deupol–deupol, yw HI, ac enghraifft o'r ail fath, sef deupol anwythol–deupol anwythol, yw He. ✓✓

(c) Mae tymheredd berwi hylif yn cael ei reoli gan gryfder grym van der Waals rhwng y moleciwlau. ✓

Sylwadau'r arholwr

Ateb da; rhan (b) yn dangos dealltwriaeth ardderchog.

Mae David yn ennill 8 allan o 8 marc.

Bondio hydrogen

14 Esboniwch natur y bond hydrogen [4] a disgrifiwch ac esboniwch ei effaith ar dymereddau berwi hylifau sy'n cynnwys bondiau hydrogen [2] ac ar hydoddedd cyfansoddion mewn dŵr. [2]

Ateb Rhiannon

Bond rhyngfoleciwlaidd yw'r bond hydrogen lle mae hydrogen sydd wedi'i fondio i elfen electronegatif fel N, O neu F yn bondio i elfen debyg mewn moleciwl arall. ✓✓✓ ①

Mae'n fond cryf iawn. ✗ ②

Mae tymereddau berwi hylifau sydd â bondiau hydrogen yn uwch na'r disgwyl ✓ ③ oherwydd bod y moleciwlau yn yr hylif yn cael eu dal at ei gilydd yn gryfach fel bod angen mwy o egni (hynny yw tymheredd uwch) i'w gwahanu. ✓ ④

Sylwadau'r arholwr

① a ② Cywir, heblaw mai dim ond o'i gymharu â bondiau van der Waals y mae bondio hydrogen yn gymharol gryf. Mae'n llawer gwannach na bondiau cofalent, ïonig a metelig.

③ a ④ Ateb cadarn o ran tymereddau berwi.

✗ Ni soniodd yr ymgeisydd am hydoddedd.

Mae Rhiannon yn ennill 5 allan o 8 marc.

Ateb David

Bond rhyngfoleciwlaidd yw'r bond hydrogen lle mae hydrogen sydd wedi'i fondio ar elfen electronegatif fel N, O neu F yn bondio i elfen debyg mewn moleciwl arall. Mae'n fond cryfach na bond van der Waals, ond mae'n llawer gwannach na bond cofalent arferol. ✓✓✓✓

Mae tymereddau berwi hylifau sydd â bondiau hydrogen yn uwch na'r disgwyl oherwydd bod y moleciwlau yn yr hylif yn cael eu dal at ei gilydd yn gryfach fel bod angen mwy o egni (hynny yw, tymheredd uwch) i'w gwahanu. ✓✓

Bydd cyfansoddion sydd â bondiau O–H, fel yr alcoholau byrrach, yn hydawdd mewn dŵr drwy fondio hydrogen gyda'r dŵr. Mae llawer o solidau ïonig hefyd yn hydawdd mewn dŵr oherwydd rhyngweithiad y catïon gyda'r $O^{\delta-}$ polar a'r anïon gyda'r atomau $H^{\delta+}$ yn y dŵr. ✓✓

Sylwadau'r arholwr

Ateb cynhwysfawr. Yn y rhan ar hydoddedd mae'n synhwyrol sôn am hydoddedd halwynau ïonig, er nad bondio hydrogen yn yr ystyr arferol yw'r rhyngweithiad.

Marciau llawn wedi'u dyfarnu.

Siapiau moleciwlau

15 (a) Cwblhewch y tabl isod drwy roi niferoedd y parau bondio o electronau ac enwi siapiau'r moleciwlau dan sylw. *[4]*

Moleciwl	Nifer o barau bondio	Nifer o barau unig	Siâp
$BeCl_2$		0	Llinol
PCl_3	3	1	
CCl_4		0	

(b) Nodwch ac esboniwch y gwahaniaeth rhwng parau bondio a pharau unig o electronau o ran rheoli siapiau moleciwlau. *[2]*

(c) Yr onglau bond mewn CH_4, NH_3 ac H_2O yw 109.5, 107 a 104.5 gradd yn ôl eu trefn. Esboniwch hyn. *[3]*

Ateb Rhiannon

(a) $BeCl_2$ 2 bâr bondio ✓ ①
PCl$_3$ siâp planar trigonol ✗ ②
CCl_4 4 pâr bondio, siâp tetrahedrol ✓✓ ③

(b) Mae parau unig yn gwrthyrru'n fwy o amgylch yr atom canolog ✓ ④ oherwydd bod ganddyn nhw sbin dirgroes. ✗ ⑤

(c) Does dim parau unig gan fethan, mae gan amonia un ac mae gan ddŵr ddau, ac felly mae'r ongl bond yn cael ei gwasgu i lawr wrth fynd ar hyd y gyfres. ✓✓✗ ⑥

Sylwadau'r arholwr

② Mae ① a ③ yn gywir ond mae pâr unig mewn PCl$_3$, fel sydd mewn amonia, sy'n aflunio'r siâp planar gan ffurfio pyramid trigonol.

④⑤ Mae parau unig yn gwrthyrru'n fwy na pharau bondio, ond nid oherwydd sbin, dim ond oherwydd bod parau unig yn agosach at yr atom canolog.

⑥⑦ Ateb ffeithiol gywir ond cyfyngedig ac mae angen esboniad pam mae'r ongl yn cael ei lleihau.

Mae Rhiannon yn ennill 6 allan o 9 marc.

Ateb David

(a) $BeCl_2$ 2 bâr bondio
PCl$_3$ siâp pyramid trigonol
CCl_4 4 pâr bondio, siâp tetrahedrol ✓✓✓✓ ①

(b) Mae effaith wrthyrru fwy o amgylch yr atom canolog gan barau unig nag sydd gan barau bondio. Mae hyn oherwydd eu bod yn fwy lleoledig o amgylch yr atom hwn, ond mae parau bondio'n cael eu hestyn allan rhwng yr atomau sy'n cael eu bondio. ✓✓ ②

(c) Pedwar pâr bondio yn unig sydd gan fethan, gan roi trefniant tetrahedrol cymesur. Mewn amonia, mae mwy o wrthyriad gan y pâr unig ar y parau bondio sy'n cau'r ongl bond H–N–H ychydig, ac mewn dŵr, sydd â dau bâr unig, mae mwy fyth o wrthyriad ar y parau bondio sy'n rhoi ongl H–O–H lai. ✓✓✓ ③

Sylwadau'r arholwr

① Mae'r atebion i gyd yn gywir.

② Esboniad da sy'n disgrifio'r gwahaniaeth allweddol.

③ Esboniad da unwaith eto.

Mae David wedi dangos dealltwriaeth dda ac yn ennill y 9 marc llawn.

Adeileddau carbon

16 (a) Esboniwch yn nhermau bondio ac adeiledd pam mae tymheredd ymdoddi uchel iawn gan ddiemwnt. [2]

(b) Mae tymheredd ymdoddi uchel gan graffit hefyd, ond mae'n llawer mwy meddal na diemwnt. Esboniwch y gwahaniaeth hwn yn nhermau eu hadeiledd. [2]

(c) Enwch ffurf newydd ar garbon sy'n dod yn bwysig mewn technoleg a nodwch yn fyr beth yw ei adeiledd. [1]

Ateb Rhiannon

(a) Mae'r carbon mewn diemwnt yn gwneud pedwar bond cofalent cryf. ✓✗ ①

(b) Mae gan graffit haenau o hecsagonau â bondiau gwan rhyngddyn nhw. ✓✗ ②

(c) Graffen, tebyg i haen o graffit. ✓ ③

Ateb David

(a) Mae'r pedwar bond cofalent tetrahedrol sy'n cysylltu'r holl atomau carbon yn ffurfio adeiledd cryf trawsgysylltiedig. ✓✓ ①

(b) Mae graffit yn ffurfio moleciwlau enfawr gyda phlanau hecsagonol mewn dau ddimensiwn, ond mae'r rhain yn cael eu dal at ei gilydd yn wan gan rymoedd van der Waals, ac felly mae'n feddal ac mae ganddo briodweddau iro. ✓✓ ②

(c) Mae graffen yn cynnwys haenau unigol o hecsagonau tebyg i graffit, ac mae ganddo gryfder eithriadol a phriodweddau eraill. ✓ ③

Sylwadau'r arholwr

① Cywir ond dim digon ar gyfer 2 farc.

② Mae'r syniad sylfaenol yn iawn ond mae'r esboniad yn wan.

③ Digon ar gyfer beth a ofynnwyd.

Atebion rhesymol ond cyfyngedig, 3/5.

Sylwadau'r arholwr

① Mae'n cynnwys y pwyntiau hanfodol.

② Mae'n cysylltu'r adeiledd â phriodweddau.

③ Rhoddodd fwy nag oedd disgwyl iddo wneud; ffordd effeithiol o greu argraff dda ar yr arholwr.

Da iawn drwyddi draw – marciau llawn.

Y Tabl Cyfnodol

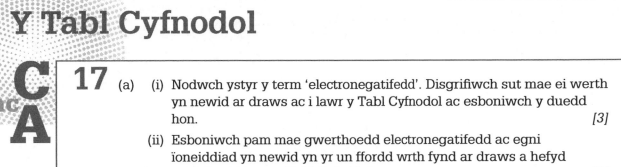

C ac A

17

(a) (i) Nodwch ystyr y term 'electronegatifedd'. Disgrifiwch sut mae ei werth yn newid ar draws ac i lawr y Tabl Cyfnodol ac esboniwch y duedd hon. [3]

(ii) Esboniwch pam mae gwerthoedd electronegatifedd ac egni ïoneiddiad yn newid yn yr un ffordd wrth fynd ar draws a hefyd wrth fynd i lawr y Tabl Cyfnodol. [1]

(iii) Esboniwch pam mae tymheredd ymdoddi'r elfennau halogen yn cynyddu wrth fynd i lawr y grŵp. [2]

Ateb Rhiannon

(a) (i) Mesur o allu atom i atynnu electronau mewn bond cofalent. ✓ Mae ei werth yn cynyddu wrth fynd ar draws y Tabl Cyfnodol ac i lawr grŵp. ✓✗ ①

(ii) Oherwydd bod y ddau'n cynyddu'n lletraws i fyny'r Tabl Cyfnodol. ✗ ②

(iii) Mae'r grymoedd van der Waals yn cynyddu wrth fynd i lawr y grŵp wrth i nifer yr electronau gynyddu. ✓✗ ③

Sylwadau'r arholwr

① Diffiniad cywir ond mae'r electronegatifedd yn cynyddu wrth fynd i lawr grŵp.

② Nid yw hyn yn esboniad.

③ Yn gywir yn rhannol ond yn anghyflawn fel esboniad.

Mae Rhiannon yn ennill 3 allan o 6 marc.

Ateb David

(a) (i) Mesur o allu atom i atynnu electronau mewn bond cofalent. Mae ei werth yn cynyddu wrth fynd ar draws y Tabl Cyfnodol ond yn lleihau wrth fynd i lawr grŵp; gallwn ni ddweud ei fod yn cynyddu'n lletraws tuag i fyny wrth fynd ar draws y Tabl. ✓✓✓ ①

(ii) Mae electronegatifedd yn adlewyrchu atyniad atom ar electron mewn bond. Dyna yn y bôn yw egni ïoneiddiad, ac felly bydd y ddau'n dilyn yr un tueddiadau. Yn wir, mae un ffordd o gyfrifo electronegatifedd yn cynnwys egni ïoneiddiad fel ffactor fawr yn cyfrannu at y gwerth. ✓ ②

(iii) Mae'r halogenau'n cynnwys moleciwlau deuatomig cofalent sy'n cael eu dal at ei gilydd yn y solid gan rymoedd van der Waals. Mae'r grymoedd van der Waals yn cynyddu wrth fynd i lawr y grŵp wrth i nifer yr electronau gynyddu, ac felly mae'r tymereddau ymdoddi'n cynyddu. ✓✓ ③

Sylwadau'r arholwr

① I gyd yn gywir ac wedi'i fynegi'n glir.

② Mae'n rhoi pwynt ychwanegol sydd y tu hwnt i'r fanyleb ac sydd yn help mawr i'r ateb.

③ Ateb llawn a chywir.

Mae David yn rhoi ateb da iawn.

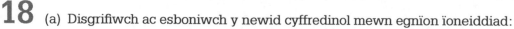

Tueddiadau yn y Tabl Cyfnodol

C ac A 18

(a) Disgrifiwch ac esboniwch y newid cyffredinol mewn egnïon ïoneiddiad:

    (i) Ar draws cyfnod, er enghraifft o Na i Ar

    (ii) I lawr grŵp, er enghraifft o Li i Cs. [4]

(b) (i) Rhowch un enghraifft o (I) ocsid basig, (II) ocsid asidig. [2]

    (ii) Nodwch y rhanbarthau yn y Tabl Cyfnodol lle mae'r elfennau'n ffurfio (I) ocsidau basig, (II) ocsidau asidig. [2]

Ateb Rhiannon

(a) (i) Mae egnïon ïoneiddiad yn cynyddu ar draws cyfnod oherwydd bod cynnydd cyson yn nifer y protonau yn y niwclews. ✓✓ ①

    (ii) Mae egnïon ïoneiddiad yn lleihau wrth fynd i lawr grŵp oherwydd bod yr electron allanol yn bellach o'r niwclews yn yr atomau mwy. ✓✗ ②

(b) (i) (I) MgO, (II) SO_2 ✓✓ ③

    (ii) (I) Yr ochr chwith, (II) yr ochr dde. ✓✗ ④

Sylwadau'r arholwr

① Dylai fod wedi ychwanegu 'heb lawer o gynnydd mewn cysgodi electronol'.

② Mae'r esboniad ei hun braidd yn sigledig (edrychwch ar ateb David am well esboniad) ac mae'r pellter o'r niwclews yn ffactor eilaidd sy'n cael ei reoli gan effaith y wefr niwclear.

③ Mae hyn yn dderbyniol.

④ Anghywir. Dylai fod wedi cyfeirio at ranbarthau ar yr ochr chwith a'r ochr dde.

Sgoriodd Rhiannon 6 allan o 8 marc posibl.

Ateb David

(a) (i) Mae egnïon ïoneiddiad yn cynyddu ar draws cyfnod oherwydd bod cynnydd cyson yn nifer y protonau yn y niwclews ac mae'r electron y mae'n bosibl ei dynnu i ffurfio ïon yn yr un plisg ac nid oes llawer mwy o gysgodi electronol. ✓✓ ①

    (ii) Mae egnïon ïoneiddiad yn lleihau ychydig wrth fynd i lawr grŵp oherwydd bod y cynnydd yn y cysgodi gan yr orbitalau sydd wedi'u llenwi yn drech na'r cynnydd yn y wefr niwclear, ac felly mae effaith y wefr niwclear yn lleihau. ✓✓

(b) (i) (I) CaO, (II) NO_2 ✓✓

    (ii) (I) Yr ochr chwith a gwaelod bloc s yw'r mwyaf basig. ✓

    (II) Yr ochr dde, yn enwedig rhannau uchaf grwpiau 5 a 6. ✓②

Sylwadau'r arholwr

① Atebion da sy'n dangos dealltwriaeth glir o'r ffactorau.

② Mae'n sgorio'r holl farciau ond nid yw gwir gyflyrau ocsidau Grŵp 7 yn y fanyleb ac nid yw nwyon anadweithiol yn ffurfio ocsidau.

Sgoriodd David yr 8 marc llawn.

Rhifau ocsidiad

19 (a) Nodwch bedair o'r rheolau sy'n cael eu defnyddio i bennu rhifau ocsidiad i elfennau mewn cyfansoddion. *[4]*

(b) Enrhifwch rifau ocsidiad yr holl atomau yn y cyfansoddion neu'r ïonau canlynol:

$CaSO_4$, F_2, Na_2CO_3, NH_4^+ *[4]*

Ateb Rhiannon

(a) Sero yw elfennau, –2 yw ocsigen, 1 yw hydrogen. Mewn ïonau, y rhif ocsidiad yw'r wefr ar yr ïon. ✓✓✓✗ ①

(b) Rhif Ca yw 2, O yw –2, S yw 6; F yw 0; Na yw 1, O yw –2, C yw 4; H yw 1, N yw 4 ✓✓✓✗ ②

___

Sylwadau'r arholwr

① Mae tri yn gywir – mae'n bosibl defnyddio 2 neu +2 neu II ar gyfer rhifau positif a –3 neu –III ar gyfer rhifau negatif. Dim ond ar gyfer atomau y mae'r rhif ocsidiad yn hafal i'r wefr ar yr ïon, fel +1 ar gyfer Na^+, ac nid ar gyfer cyfansoddion ïonig. Peidiwch ag ysgrifennu 2+ neu 3– ar gyfer rhifau ocsidiad, dim ond ar gyfer gwefrau ïonig.

② Mae'r rhain i gyd yn gywir heblaw NH_4^+, lle mae'n rhaid i swm y rhifau ocsidiad ar gyfer N a'r holl atomau H fod yn +1; felly N yw –3 ac H_4 yw 4 gwaith +1.

Mae Rhiannon yn ennill 6 allan o 8 marc posibl.

Ateb David

(a) 0 yw elfennau sydd heb ffurfio cyfansoddion, mewn ïonau syml y rhif ocsidiad yw'r wefr ar yr ïon, +1 yw hydrogen, mae swm y rhifau ocsidiad mewn ïon yn hafal i'r wefr ar yr ïon neu mewn cyfansoddyn sydd heb wefr mae'n hafal i 0. ✓✓✓✓ ①

(b) Rhif Ca yw 2, O yw –2, S yw 6; F yw 0; Na yw 1, O yw –2, C yw 4; H yw 1, N yw –3 ✓✓✓✓ ②

___

Sylwadau'r arholwr

① Mae'r rhain i gyd yn gywir, gan gynnwys y pwynt da am symiau'r rhifau ocsidiad.

② Cywir, gan drin yr ïon cyfansawdd yn gywir.

Mae David yn sgorio 8 allan o 8.

Elfennau bloc s

C ac A

20 (a) Ysgrifennwch hafaliad cytbwys ar gyfer adwaith metel calsiwm ag asid hydroclorig. *[1]*

(b) Nodwch sut mae elfennau Grŵp I a Grŵp II yn cymharu o ran

(i) eu hadweithedd â dŵr ac ocsigen

(ii) hydoddedd eu halwynau. *[4]*

(c) Nodwch hefyd sut mae hydoddeddau hydrocsidau a sylffadau Grŵp II yn newid wrth fynd i lawr y grŵp. *[2]*

Ateb Rhiannon

(a) $Ca + HCl = CaCl + H_2$ ✗ ①

(b) (i) Mae'r ddau grŵp yn adweithio â dŵr gan roi hydrocsidau neu ocsidau ac yn adweithio ag ocsigen gan roi ocsidau. ✓ ②

(ii) Mae pob halwyn Grŵp I yn hydawdd mewn dŵr ✓ ac mae pob halwyn Grŵp II yn anhydawdd. ✗ ③

(c) Mae hydrocsidau'n fwy hydawdd wrth fynd i lawr Grŵp II; mae sylffadau'n llai hydawdd wrth fynd i lawr Grŵp II. ✓✓ ④

Sylwadau'r arholwr

① Anghywir; mae camgymeriadau wrth gydbwyso ac o ran falens yn gyffredin iawn ac mae'n rhaid dysgu'r pethau sylfaenol ar y cof.

② Iawn, ond ateb cyfyngedig.

③ Mae rhai halwynau Grŵp II yn hydawdd, fel nitradau a halidau.

④ Mae hyn yn dderbyniol ar y cyfan.

Sgoriodd Rhiannon 4 allan o 7.

Ateb David

(a) $Ca + 2HCl = CaCl_2 + H_2$ ✓ ①

(b) (i) Mae'r ddau grŵp yn adweithio â dŵr gan roi hydrocsidau neu ocsidau ac yn adweithio ag ocsigen gan roi ocsidau. Mae elfennau Grŵp I yn fwy adweithiol nag elfennau Grŵp II ac yn y ddau grŵp mae'r adweithedd yn cynyddu wrth fynd i lawr y grŵp. ✓✓

(ii) Mae pob halwyn Grŵp I yn hydawdd mewn dŵr; yng Ngrŵp II mae'r nitradau a'r halidau'n hydawdd fel arfer, gall y sylffadau a'r hydrocsidau fod yn hydawdd neu'n anhydawdd ac nid yw'r carbonadau'n hydawdd iawn. ✓✓ ②

(c) Mae hydrocsidau'n fwy hydawdd wrth fynd i lawr y grŵp ond mae sylffadau'n llai hydawdd. ✓✓ ③

Sylwadau'r arholwr

① Cywir.

② Atebion clir, da yn y ddwy ran.

③ Cywir.

Mae David yn ennill marciau llawn.

Yr halogenau

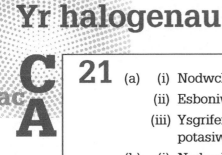

21 (a) (i) Nodwch beth mae **adwaith dadleoli** yn ei olygu yn yr halogenau.

(ii) Esboniwch pam mae adweithiau fel hyn yn digwydd.

(iii) Ysgrifennwch hafaliad cytbwys ar gyfer adwaith clorin â hydoddiant potasiwm ïodid. *[3]*

(b) (i) Nodwch sut byddech chi'n darganfod a yw hydoddiant halid mewn asid nitrig gwanedig yn cynnwys ïonau clorid, bromid neu ïodid a beth y byddech yn ei weld. *[2]*

(ii) Esboniwch pam mae'r prawf hwn yn ddefnyddiol mewn cemeg organig yn ogystal ag mewn cemeg anorganig a disgrifiwch y camau ychwanegol sydd eu hangen yn yr achos organig. *[2]*

Ateb Rhiannon

(a) (i) Adweithiau lle mae un halogen yn cymryd lle halogen arall mewn halid. ✓ ①

(ii) Mae halogenau sy'n uwch yn y Tabl Cyfnodol yn ocsidyddion cryfach. ✓

(iii) $Cl_2 + 2KI = I_2 + 2KCl$ ✓ ②

(b) (i) Ychwanegu hydoddiant arian nitrad pan fyddai gwaddod yn ffurfio. ✓✗ ③

(ii) I adnabod yr halogen yn y cyfansoddyn organig; ✓ byddai angen gwresogi'r halid organig. ✗ ④

Sylwadau'r arholwr

① Cywir ond mae (i) a (ii) braidd yn fyr.

② Iawn.

③ Dim byd am wahaniaethu rhwng yr halogenau.

④ Dim byd defnyddiol yn yr ail ran yma.

Sgoriodd Rhiannon 5 allan o 7.

Ateb David

(a) (i) Adweithiau lle mae un halogen yn cymryd lle halogen is mewn halid.

(ii) Mae halogenau sy'n uwch yn y Tabl Cyfnodol yn ocsidyddion cryfach, ac felly maen nhw'n tynnu electron o'r halid gan ryddhau'r halogen rhydd wrth gael eu rhydwytho i'r halid.

(iii) $Cl_2 + 2KI = I_2 + 2KCl$ ✓✓✓

(b) (i) Ychwanegu hydoddiant arian nitrad pan fydd gwaddod o arian halid yn ffurfio. Dim ond arian clorid sy'n hydoddi mewn amonia gwanedig – sy'n adnabod y clorid. Hefyd mae arian clorid yn wyn, mae arian bromid yn lliw hufen ac mae arian ïodid yn felyn. ✓✓

(ii) Mae'r prawf hwn yn ddefnyddiol ar gyfer adnabod yr halogenau sy'n bresennol mewn halogenoalcanau, ond yn gyntaf mae'n rhaid rhyddhau'r halogen o'r cyfansoddyn organig drwy ei gynhesu gyda hydoddiant NaOH i'w hydrolysu a rhyddhau'r halid ïon. Yna mae'n rhaid asidio'r hydoddiant ag asid nitrig fel mai dim ond yr arian halid sy'n cael ei waddodi pan fydd arian nitrad yn cael ei ychwanegu. ✓✓

Sylwadau'r arholwr

Atebion clir a hyderus iawn yma sy'n cynnwys deunydd ychwanegol i greu argraff dda ar yr arholwr.

Enillodd David farciau llawn.

Enthalpi (theori)

C ac A

22 (a) Nodwch ddeddf Hess. [1]

(b) Diffiniwch y term 'newid enthalpi hylosgiad molar safonol'. [2]

(c) Mae bwtan-1-ol yn llosgi mewn aer yn ôl yr hafaliad:

$$C_4H_9OH(h) + 6O_2(n) \longrightarrow 4CO_2(n) + 5H_2O(h)$$

(i) I Cyfrifwch y newid enthalpi ar gyfer yr adwaith hwn gan ddefnyddio'r newidiadau enthalpi ffurfiant, $\Delta_f H^\theta$, canlynol. [2]

Cyfansoddyn	$C_4H_9OH(h)$	$O_2(n)$	$CO_2(n)$	$H_2O(h)$
$\Delta_f H^\theta$ / kJ môl^{-1}	−327	0	−394	−286

II Nodwch pam mae'r gwerth ar gyfer newid enthalpi ffurfiant safonol $O_2(n)$ yn sero. [1]

(ii) Cyfrifwch y newid enthalpi ar gyfer yr adwaith hwn gan ddefnyddio'r gwerthoedd enthalpi bond cyfartalog, E, canlynol. [3]

Bond	C–C	C–H	C–O	C=O	O–H	O=O
E / kJ môl^{-1}	348	413	360	805	463	496

(iii) Pa gyfrifiad sydd fwyaf cywir? Rhowch resymau dros eich ateb. [1]

Ateb Rhiannon

(a) Mae'r newid enthalpi yn annibynnol ar y llwybr. ✓

(b) Y newid enthalpi pan fydd 1 môl o sylwedd yn cael ei losgi'n llwyr mewn ocsigen. ✓✗ ①

(c) (i) I ΔH = −2679 kJ môl^{-1}. ✓✓

II Oherwydd ei fod yn elfen. ✗ ①

(ii) Bondiau sy'n torri 4(C–C) + 9(C–H) +
(C–O) + (O–H) + 5(O=O) =
8908 kJ môl^{-1} ✗ ②

Bondiau sy'n ffurfio 8(C=O) + 10(O–H) =
−11070 kJ môl^{-1} ✓

ΔH = 8908 − 11070 kJ môl^{-1} = −2182 kJ môl^{-1}. ✓ ③

(iii) Rhan (i) oherwydd mae rhan (ii) yn defnyddio cyfartaleddau, nid yr union werth. ✓

Sylwadau'r arholwr

① I ennill marciau llawn, mae'n rhaid i Rhiannon ychwanegu 'dan amodau safonol'.

② Lluniwch bob moleciwl bob tro er mwyn i chi allu gweld y bondiau sy'n torri a'r bondiau sy'n cael eu ffurfio.

③ Mae Rhiannon yn cael y marc am 'gario gwall ymlaen'.

Mae Rhiannon yn ennill 7 allan o 10 marc.

Ateb David

(a) Mae'r newid enthalpi adwaith yn annibynnol ar y llwybr o'r adweithyddion i'r cynhyrchion. ✓

(b) Y newid enthalpi pan fydd sylwedd yn cael ei losgi'n llwyr mewn ocsigen o dan amodau safonol. ✓✗ ①

(c) (i) I ΔH = 4(−394) + 5(−286) − (−327) = −2679 kJ môl^{-1}. ✓✓

II Mae'n elfen o dan amodau safonol. ✓

(ii)

H H H H
| | | |
H–C–C–C–C–O–H + 6O=O → 4O=C=O + 6H–O–H
| | | |
H H H H

Bondiau sy'n torri 3(C–C) = 1044 9(C–H) = 3177
1(C–O) = 360 1(O–H) = 463
6(O=O) = 2976 Cyfanswm = 8560 ✓

Bondiau sy'n ffurfio 8(C=O) = −6440 12(O–H) = −4630
Cyfanswm = −11070 ✓ ②

ΔH = 8560 − 11070 = −2510 kJ môl^{-1}. ✓

(iii) Y cyfrifiad sy'n defnyddio newid enthalpi ffurfiant oherwydd mai enthalpïau bond cyfartalog sy'n cael eu defnyddio, nid rhai go iawn. ✓

Sylwadau'r arholwr

① Mae angen i David nodi '1 môl o sylwedd'.

② Cofiwch fod bond yn torri'n endothermig (+) a bond yn ffurfio'n ecsothermig (−) bob amser.

Mae David yn ennill 9 allan o 10 marc.

Enthalpi (ymarferol)

23 Disgrifiwch arbrawf o'ch dewis yn y labordy ar gyfer darganfod newid enthalpi adwaith. Dylai eich ateb gynnwys manylion am y cyfarpar sy'n cael ei ddefnyddio, y mesuriadau sy'n cael eu gwneud a'r ffordd y byddech chi'n defnyddio eich canlyniadau i ddarganfod y newid enthalpi. **[6]**

Ateb Rhiannon

I ddarganfod y newid enthalpi ar gyfer yr adwaith niwtralu rhwng magnesiwm ocsid ac asid hydroclorig gwanedig.

Arllwyswch asid hydroclorig i gwpan coffi, mesurwch y tymheredd ac yna ychwanegwch swm wedi'i bwyso o fagnesiwm ocsid. Mesurwch dymheredd yr hydoddiant bob 30 eiliad am y 6 munud nesaf. ✓✓✗✗ ①

I ddarganfod enthalpi'r adwaith, defnyddiwch y mynegiadau q = mcΔT a ΔH = -q/n

lle m yw màs yr hydoddiant, c yw cysonyn a roddir, ΔT yw'r newid tymheredd mwyaf ac n yw nifer y molau o fagnesiwm ocsid. ✓✗ ②

Sylwadau'r arholwr

① Er bod y dull yn gywir, nid yw ateb Rhiannon yn ddigon manwl. Mae angen iddi:

- nodi pa gyfaint o asid hydroclorig y mae'n ei ychwanegu a pha gyfarpar y mae'n ei ddefnyddio i'w ychwanegu
- gwneud yn siŵr bod tymheredd yr asid yn gyson cyn iddi ychwanegu'r magnesiwm ocsid a nodi manwl gywirdeb y thermomedr
- troi'r adweithyddion yn rymus a gwneud yn siŵr bod caead ar y cwpan coffi.

② I gael ΔT, mae angen iddi lunio graff tymheredd yn erbyn amser ac allosod i ddechrau'r arbrawf. Mae angen iddi wneud yn glir hefyd, os yw'n defnyddio nifer y molau o fagnesiwm ocsid, fod yr asid mewn gormodedd.

Mae Rhiannon yn ennill 3 allan o 6 marc.

Ateb David

Byddaf yn darganfod y newid enthalpi ar gyfer yr adwaith dadleoli rhwng sinc a hydoddiant copr(II) sylffad gan ddefnyddio'r dull canlynol.

- Pibedwch 50.0 cm³ o hydoddiant copr(II) sylffad â chrynodiad hysbys i gwpan polystyren.
- Rhowch thermomedr drwy'r twll yn y caead a chofnodwch y tymheredd i'r 0.1 °C agosaf bob hanner munud nes bod y darlleniadau'n gyson. ✓✓
- Pwyswch tua 6g o sinc ac ychwanegwch y powdr at y cwpan. ①
- Trowch yr hydoddiant yn dda a chofnodwch y tymheredd bob hanner munud nes bod y gostyngiad yn y tymheredd yn gyson. ✓✓
- Lluniwch graff tymheredd yn erbyn amser ac allosodwch y gromlin i ddechrau'r arbrawf i ddarganfod y newid tymheredd mwyaf.
- Defnyddiwch q = mcΔT i ddarganfod y newid enthalpi ar gyfer yr arbrawf.
- Graddiwch i 1 môl drwy rannu â nifer y molau o gopr(II) sylffad (y sylwedd sydd ddim mewn gormodedd). ✓✓ ②

Sylwadau'r arholwr

① Nid oedd angen i David bwyso'r sinc yn fanwl gywir oherwydd ei fod mewn gormodedd ac mae'r m yn y mynegiad q = mcΔT yn cyfeirio at fàs yr hydoddiant.

② Mae gan David ddealltwriaeth arddderchog o'r testun hwn ac mae wedi rhoi disgrifiad llawn o'r arbrawf. Gallai fod wedi nodi dros beth y mae m ac c yn sefyll yn y mynegiad ar gyfer q. Er hyn, mewn cwestiwn 6 marc bydd mwy o bwyntiau a all ennill marciau nag uchafswm nifer y marciau yn y cynllun marcio a bydd y marciau mewn tri band. Ar yr amod bod yr holl elfennau allweddol yn y cynllun marcio wedi'u cynnwys, gall ennill marciau llawn.

Mae David yn ennill 6 allan o 6 marc.

Cyfraddau adwaith (theori)

C ac A

24 Trafodwch ac esboniwch y gosodiadau canlynol drwy ystyried symudiad ac egni'r gronynnau dan sylw.

(a) Mae calsiwm carbonad yn adweithio'n gyflymach ag:

    (i) asid hydroclorig crynodedig nag ag asid hydroclorig gwanedig [3]

    (ii) asid hydroclorig gwanedig ar 60 °C nag ar 20 °C. [4]

(b) Mae ethen nwyol a hydrogen yn adweithio'n gyflymach â'i gilydd pan fydd powdr nicel yn bresennol. [3]

Ateb Rhiannon

(a) (i) Pan fydd yr asid hydroclorig yn grynodedig, mae mwy o foleciwlau'n bresennol mewn cyfaint penodol. ✓ Mae hyn yn golygu bod mwy o siawns o wrthdrawiadau mewn uned o amser, ac felly mae'r adwaith yn mynd yn gyflymach. ✓ ✗ ①

    (ii) Mae'r tymereddau gwahanol yn golygu y bydd y gronynnau yn yr asid yn symud ar fuaneddau gwahanol. Y mwyaf yw'r tymheredd, y mwyaf yw'r buanedd ac mae eu hegni'n cynyddu. ✓ Os oes gan y gronynnau fwy o egni, mae hyn yn golygu mwy o wrthdrawiadau llwyddiannus yr eiliad. ✓ Mae cyfradd fwy o wrthdrawiadau'n golygu cyfradd adwaith gyflymach. ✗ ②

(b) Mae nicel yn gweithio fel catalydd, ac felly'n cyflymu'r adwaith. ✓ Mae catalydd yn lleihau'r egni actifadu ✗ ③, ac felly mae gan fwy o ronynnau ddigon o egni i adweithio ac mae'r gyfradd adwaith yn gyflymach. ✓

Sylwadau'r arholwr

① Mae ateb Rhiannon yn rhoi'r argraff bod pob gwrthdrawiad yn achosi adwaith – dim ond moleciwlau sydd â digon o egni sy'n adweithio pan fyddant yn gwrthdaro. Dyma gamgymeriad cyffredin; gwnewch yn siŵr eich bod yn ei osgoi.

② Nid yw syniad Rhiannon bod yr adwaith yn mynd yn gyflymach oherwydd bod mwy o wrthdrawiadau yn ddigon manwl i ennill rhagor o farciau. Yn ei hateb, dylai fod wedi defnyddio'r syniad o egni actifadu – sef yr isafswm egni sydd ei angen ar ronyn i adweithio wrth wrthdaro.

③ Nid yw catalydd yn lleihau egni actifadu; mae'n cynnig llwybr gwahanol sydd ag egni actifadu is.

Mae Rhiannon yn ennill 6 allan o 10 marc.

Ateb David

(a) (i) Mewn asid hydroclorig crynodedig, mae mwy o ronynnau mewn cyfaint sy'n cael ei roi ✓, ac felly bydd mwy o wrthdrawiadau moleciwlaidd yn digwydd, ac felly bydd amlder y gwrthdrawiadau sy'n achosi adwaith ✓ yn fwy. ✓ ① Mae hyn yn peri i'r adwaith fynd yn gyflymach.

    (ii) I adweithio, mae'n rhaid i wrthdrawiadau ddigwydd rhwng gronynnau sydd ag isafswm o leiaf o egni – sef yr egni actifadu. ✓ Pan fydd tymheredd yr asid yn cynyddu, mae egni cinetig ei ronynnau hefyd yn cynyddu. ✓ Mae hynny'n golygu bod gan gyfran fwy o'r gronynnau ddigon o egni i adweithio ✓, ac felly mae amlder y gwrthdrawiadau llwyddiannus yn cynyddu ac mae cyfradd yr adwaith yn cynyddu. ✓ ②

(b) Mae nicel yn gweithio fel catalydd ac nid yw'n cael ei ddisbyddu yn yr adwaith. ✓ Mae'r nicel yn cynnig llwybr amgen ar gyfer yr adwaith, gydag egni actifadu is. ✓ Mae hyn yn golygu bod gan gyfran fwy o'r gronynnau ddigon o egni i adweithio ac mae'r adwaith yn digwydd yn gyflymach. ✓ ③

Sylwadau'r arholwr

① Mae amlder gwrthdrawiadau'n golygu'r un peth â gwrthdrawiadau ym mhob uned amser.

② Mae David wedi rhoi'r esboniad llawn sy'n ddisgwyliedig ar y lefel hon.

③ Dyma ateb llawn ac addas. Gallai David lunio a labelu diagram proffil enthalpi neu gromlin ddosraniad i gael dau farc ond byddai angen esboniad ar gyfer y trydydd marc.

Mae David yn ennill 10 allan o 10 marc.

Cyfraddau adwaith (ymarferol)

25 Mae hydrogen perocsid, H_2O_2, yn dadelfennu gan roi dŵr ac ocsigen.
Cafodd arbrawf ei gynnal i ymchwilio i ddadelfeniad 40 cm³ o hydoddiant H_2O_2 â chrynodiad 0.40 môl dm⁻³ ar dymheredd cyson o 25 °C ym mhresenoldeb 0.5 g o MnO_2, sef catalydd. Dyma'r canlyniadau:

Amser/s	0	10	20	40	80	120	160	200	240
Swm O_2 / môl	0	0.00026	0.00050	0.00094	0.00154	0.00184	0.00196	0.00200	0.00200

(a) Amlinellwch ddull addas, gan gynnwys y cyfarpar angenrheidiol, ar gyfer cynnal arbrawf i gael y canlyniadau hyn. Nodwch sut byddech chi'n cyfrifo nifer y molau o ocsigen o ganlyniadau eich arbrawf. **[6]**

(b) Defnyddiwch y canlyniadau i blotio graff cyfaint ocsigen yn erbyn amser ac o'r graff cyfrifwch gyfradd gychwynnol yr adwaith. **[5]**

(c) Brasluniwch ar eich graff y gromlin y byddech chi'n disgwyl ei chael petai'r adwaith yn cael ei gynnal eto gan ddefnyddio 40 cm³ o hydoddiant H_2O_2 â chrynodiad 0.20 môl dm⁻³. Esboniwch unrhyw wahaniaethau rhwng y cromliniau. **[3]**

Ateb Rhiannon

(a) Gan ddefnyddio silindr mesur, arllwyswch yr hydoddiant H_2O_2 i fflasg gonigol ✓, ychwanegwch yr MnO_2 a mesurwch gyfaint yr ocsigen sy'n cael ei ffurfio bob 10 eiliad ✓ nes i'r adwaith stopio, gan ddefnyddio stopwatsh. ✗ ①
I newid cyfeintiau yn folau, byddwn i'n rhannu pob cyfaint â 22 400 oherwydd mae 1 môl o nwy'n llenwi 22.4 dm³ ar dymheredd a gwasgedd safonol. ✓✗ ②

(b)

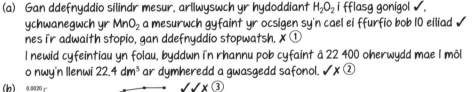

✓✓✗ ③

Cyfradd gychwynnol = $\dfrac{\text{molau}}{\text{amser}}$ = $\dfrac{0.0012}{30}$ = 0.00004 ✓✗ ④

(c)

Mae'r gromlin yn llai serth, ac felly mae hyn yn dangos bod yr adwaith yn arafach ✗✗ ⑤

Sylwadau'r arholwr

① Nid yw gweddill y dull yn ddigon manwl i sgorio unrhyw farciau. Mae'n bosibl ennill marciau drwy ddefnyddio diagram wedi'i labelu i ddangos sut mae'r cyfarpar yn cael ei osod.

② Mae Rhiannon yn ennill 1 marc am wybod ei bod yn bosibl cyfrifo nifer y molau o ocsigen a geir o'r cyfaint. Mae'n methu ennill yr ail farc oherwydd y gwerth 22.4 dm³ yw'r cyfaint sy'n cael ei lenwi ar 0 °C, nid 25 °C.

③ Nid yw Rhiannon wedi labelu'r echelinau, ac felly mae'n colli 1 marc.

④ Nid yw Rhiannon wedi rhoi uned ar gyfer y gyfradd, ac felly mae'n colli 1 marc.

⑤ Mae Rhiannon yn sgorio 1 marc am lunio cromlin lai serth, ond nid yw wedi esbonio pam mae'n llai serth.

Mae Rhiannon yn ennill 7 allan o 14 marc.

Ateb David

(a) Byddai silindr mesur yn cael ei ddefnyddio i arllwys 40 cm³ o'r hydoddiant H_2O_2 i fflasg gonigol. ✓ Byddai 0.5 g o'r MnO_2 yn cael ei bwyso'n fanwl gywir. Mae'r adwaith yn cael ei gynnal ar dymheredd cyson o 25 °C. ✓ Pan fyddai'n barod, byddai'r MnO_2 yn cael ei ychwanegu'n gyflym at yr hydoddiant H_2O_2 a byddai topyn a thiwb cludo sydd ynghlwm wrth chwistrell nwy'n cael eu gosod ar y fflasg ✓ a stopwatsh yn dechrau. Ar amserau priodol, byddai cyfaint yr ocsigen yn y chwistrell yn cael ei recordio. ✓ ①

I gyfrifo nifer y molau o ocsigen, byddwn i'n defnyddio'r hafaliad nwy delfrydol $PV=nRT$. ✓ Mae'n bosibl ei ad-drefnu, sef $n = \dfrac{PV}{RT}$ lle mae P mewn Nm^{-2}, V mewn m^3, T mewn K ac R yw'r cysonyn nwy. ✓ ②

(b)

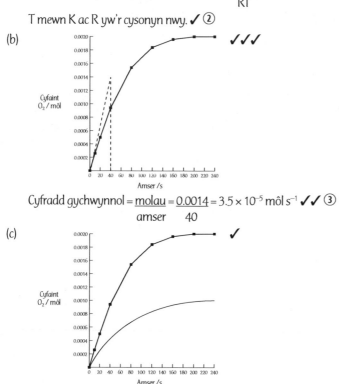

Cyfradd gychwynnol $= \dfrac{molau}{amser} = \dfrac{0.0014}{40} = 3.5 \times 10^{-5}$ môl s^{-1} ✓✓ ③

(c)

Mae'r gromlin yn llai serth oherwydd mae'r crynodiad yn is, ac felly mae llai o wrthdrawiadau llwyddiannus ym mhob uned amser. ✓ Mae swm yr ocsigen wedi haneru gan fod nifer y molau o hydrogen perocsid wedi haneru. ✓

Sylwadau'r arholwr

① Mae David wedi dewis y cyfarpar a'r dull yn dda ac mae hyn yn ennill 4 marc iddo. Gallai fod wedi gwella ei ddull drwy nodi sut y byddai'n cadw'r tymheredd yn 25 °C.

② Mae'n bwysig bod yr unedau cywir yn cael eu defnyddio yn y mynegiad hwn. Nid oes disgwyl i chi wybod y gwerthoedd ar gyfer gwasgedd atmosfferig na'r cysonyn nwy – bydd y rhain yn cael eu rhoi ar bapur arholiad.

③ Er bod y graddiant yn wahanol i ateb Rhiannon, mae arholwyr yn gwybod y bydd amrywiaeth fach i'w gweld wrth lunio graffiau, ac felly maen nhw'n rhoi marc am ateb o fewn ystod synhwyrol.

Mae David yn ennill 14 allan o 14 marc.

Effaith ehangach cemeg

26

Yn ogystal â charbon deuocsid, mae hylosgi tanwyddau fel diesel a cherosin mewn cerbydau ac awyrennau'n cynhyrchu ocsidau nitrogen (NO_x) niweidiol, ac mae'n codi cwestiynau am ba mor fanteisiol yw diesel mewn ceir.

(a) (i) Ysgrifennwch hafaliad i ddangos nifer y molau o CO_2 a dŵr sy'n cael eu cynhyrchu gan un môl o ddiesel (C_8H_{18}). [1]

(ii) Mae ceir diesel yn gallu teithio 60 milltir am bob galwyn o danwydd, ar gyfartaledd, o'i gymharu â 40 milltir ar gyfer ceir â pheiriannau petrol. Mae lefelau CO_2 yn yr atmosffer yn cynyddu nawr o 0.5% y flwyddyn. Petai pob peiriant yn rhedeg ar ddiesel yn lle petrol, ac mai dyna'r unig ffactor oedd yn gyfrifol am y cynnydd, amcangyfrifwch beth fyddai'r gwerth hwn. [1]

(b) (i) Gan ysgrifennu NO_2 yn lle NO_x, ysgrifennwch hafaliad cytbwys ar gyfer adwaith aer yn y peiriant gan ffurfio NO_2. [1]

(ii) Mae'n bosibl lleihau faint o NO_x sy'n cael ei allyrru drwy ychwanegu NH_3 at y bibell wacáu i ailffurfio nitrogen. Ysgrifennwch hafaliad cytbwys ar gyfer yr adwaith hwn. [1]

(iii) Rhowch y cyflyrau ocsidiad ar gyfer pob atom yn yr hafaliad hwn. [2]

(c) Awgrymwch reswm pam mae'r nwy NO_x yn niweidiol. [1]

Ateb Rhiannon

(a) (l) $C_8H_{18} + O_2 = 8CO_2 + 9H_2O$ ✓ ①

(ii) dim ateb ✗ ②

(b) (i) $N_2 + 2O_2 = 2NO_2$ ✓

(ii) $NH_3 + NO_2 = N_2 + 2H_2O$ ✗ ③

(iii) Ochr chwith N yw +3 a +4, O yw −2; ochr dde N yw 0, H yw +l ac O yw −2. ✗

(c) Mae'n ddrwg ei anadlu. ✓ ④

Sylwadau'r arholwr

① Hafaliad yn iawn, dim angen ei gydbwyso.

② Nid oedd yn deall y cwestiwn.

③ Nid oedd yr hafaliadau'n gytbwys.

④ Ateb cyfyngedig, ond yn gywir yn y bôn.

Mae Rhiannon yn ei chael yn anodd cydbwyso hafaliadau a rhifau ocsidiad a deall cwestiwn (a)(ii). Sgoriodd dri marc.

Ateb David

(a) (i) $C_8H_{18} + O_2 = 8CO_2 + 9H_2O$ ✓

(ii) 0.75% y flwyddyn ✗ ① (dylai fod yn 0.33%)

(b) (i) $N_2 + 2O_2 = 2NO_2$ ✓

(ii) $4NH_3 + 3NO_2 = 7/2N_2 + 6H_2O$ ✓

(iii) Ochr chwith N yw −3 a +4, H yw 1, O yw −2; ochr dde N yw 0, H yw 1 ac O yw −2. ✓✓ ②

(c) Mae'r nwy asidig, cyrydol hwn yn beryglus i'r ysgyfaint a'r llwybrau anadlu. ✓ ③

Sylwadau'r arholwr

① (a)(ii) Roedd y cyfrifiad wyneb i waered ond roedd yn deall yr egwyddor.

② Yn gadarn ar bob agwedd ar gydbwyso hafaliadau a chyflyrau ocsidiad.

③ Esboniad llawn sy'n llwyr haeddu'r marc.

Atebion da yma, ond gwall bach mewn cyfrifiad sy'n hawdd ei wneud. Chwe marc.

Hydrocarbonau ac isomeredd *E–Z*

C ac A

27 (a) Mae olew nwy'n ffracsiwn hydrocarbon sy'n dod o betroliwm.

   (i) Nodwch sut rydym ni'n cael olew nwy a ffracsiynau hydrocarbon eraill, gan ddechrau o betroliwm. *[1]*

   (ii) Nodwch pam mae rhywfaint o'r ffracsiwn olew nwy'n cael ei gracio. *[1]*

(b) Mae tridecan, $C_{13}H_{28}$, yn un o'r cyfansoddion sy'n bresennol mewn olew nwy.

Mae un o'r hafaliadau sy'n cael ei ddefnyddio i ddangos cracio tridecan i'w weld isod.

$C_{13}H_{28} \longrightarrow$ Cyfansoddyn Z $+ C_4H_6 + H_2$

   (i) Cyfrifwch fformiwla foleciwlaidd cyfansoddyn Z drwy ddefnyddio'r hafaliad. *[1]*

   (ii) Ysgrifennwch fformiwla foleciwlaidd cyfansoddyn sydd yn yr un gyfres homologaidd â chyfansoddyn Z ond sy'n cynnwys **chwe** atom carbon ym mhob moleciwl. *[1]*

(c) Un arall o'r cynhyrchion sy'n cael ei wneud drwy gracio tridecan yw bwt-1,3-deuen.

$$H_2C = C - C = CH_2$$

Mae bwt-1,3-deuen yn adweithio â bromin gan ffurfio sawl cynnyrch.

   (i) Un o'r cynhyrchion yw 3,4-deubromobwt-1-en, $CH_2=CH–CHBr–CH_2Br$.

   Dyma fecanwaith posibl ar gyfer yr adwaith bromineiddio hwn.

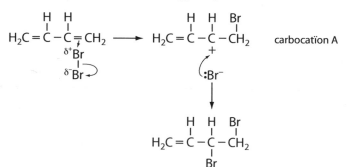

   I Nodwch beth mae'r saeth gyrliog yn ei ddangos. *[1]*

   II Nodwch beth mae'r symbolau δ+ a δ− ar yr atomau bromin yn ei ddangos. *[1]*

   III Mae'r mecanwaith yn dangos carbocatïon **A** yn cael ei ffurfio.

   Esboniwch pam mae'r mecanwaith yn llai tebygol o fynd drwy garbocatïon **B**. *[1]*

$$H_2C = C - C - C^+$$

carbocatïon B

(ii) Cynnyrch arall o adwaith bromineiddio bwt-1,3-deuen yw 1,4-deubromobwt-2-en, $BrCH_2–CH=CH–CH_2Br$.

Mae'n dangos isomeredd $E–Z$.

I Lluniwch adeiledd 1,4-deubromobwt-2-en gan ddangos yr isomer Z. *[1]*

II Esboniwch pam mae 1,4-deubromobwt-2-en yn dangos isomeredd $E–Z$. *[1]*

Ateb Rhiannon

(a) (i) Distylliad. ✗ ①

(ii) Cael ei gracio i wneud hydrocarbonau llai, mwy defnyddiol. ✓ ②

(b) (i) C_9H_{18} ✗ ③

(ii) C_6H_{12} ✓

(c) (i) I Mae saethau cyrliog yn dangos symudiad electronau. ✗ ④

II Mae'r $\delta+$ a'r $\delta-$ yn dangos presenoldeb deupol. ✓

III Mae carbocation A yn fwy sefydlog. ✗ ⑤

(ii) I BrCH₂, H / C=C / CH₂Br, H ✓ ⑥

II Mae gan y cyfansoddyn fond dwbl. ✗ ⑦

Sylwadau'r arholwr

① Nid yw 'distylliad' ar ei ben ei hun byth yn dderbyniol pan fydd angen yr ateb 'distylliad ffracsiynol'.

② Ateb derbyniol. Mae Rhiannon yn nodi bod y moleciwlau'n llai a pham mae hyn yn bwysig.

③ Mae Rhiannon yn gwneud camgymeriad yma wrth gyfrifo fformiwla cyfansoddyn Z. Ond, ar ôl iddi roi fformiwla alcen yn (i), mae'n dilyn y dylai'r fformiwla yn (ii) hefyd fod yn alcen. Dyma enghraifft o 'gario gwall ymlaen', ac felly mae'n ennill y marc ar gyfer (ii).

④ Dyma enghraifft dda o pam mae angen terminoleg drachywir. Mudiant pâr o electronau sy'n cael ei ddangos gan y saeth gyrliog. Nid yw ateb Rhiannon yn anghywir ond nid yw'n ddigon trachywir.

⑤ Fel yn rhan I, diffyg manylder sy'n golygu nad yw ateb Rhiannon yn ennill unrhyw farciau. Pa nodwedd yn perthyn i garbocation A sy'n ei wneud yn fwy sefydlog? Ateb derbyniol arall fyddai nodi ei fod yn garbocation eilaidd.

⑥ Mae Rhiannon yn gywir. Mae'n syniad da meddwl am ryw ffordd o gofio pa un yw pa un!

⑦ Unwaith eto, nid yw ateb Rhiannon yn anghywir ond nid yw'n ennill marciau oherwydd nad yw'n esbonio arwyddocâd y bond dwbl yng nghyd-destun bodolaeth y ddau isomer.

Mae Rhiannon yn sgorio 4 allan o 9 marc.

Ateb David

(a) (i) Distylliad ffracsiynol – mae'n gwahanu yn ôl berwbwyntiau gwahanol y ffracsiynau. ✓ ①

(ii) Mae'n creu moleciwlau llai sy'n gallu cael eu defnyddio, er enghraifft, mewn petrol. ✓ ②

(b) (i) C_9H_{20} ✓

(ii) C_6H_{14} ✓

(c) (i) I Mae saeth gyrliog yn dangos symudiad pâr o electronau. ✓ ③

II Mae $\delta+$ yn dangos bod pen hwnnw'r moleciwl ychydig yn bositif ac mae $\delta-$ yn dangos bod pen hwnnw'r moleciwl ychydig yn negatif. ✓

III Mae carbocation A yn fwy sefydlog oherwydd bod 2 atom C yn gysylltiedig â'r atom C sydd a'r +. ✓

(ii) I H, BrCH₂ / C=C / CH₂Br, H ✗ ④

II Nid oes cylchdro o amgylch bond dwbl carbon i garbon. ✓

Sylwadau'r arholwr

① Wrth ystyried geiriad y cwestiwn, gallai'r ateb 'distylliad ffracsiynol' ar ei ben ei hun fod yn ddigon, ond mae David yn gwneud yn siŵr o'i farc drwy esbonio ystyr y term.

② Er bod David yn dilyn trywydd gwahanol i Rhiannon yma, mae'r ddau ateb yn dderbyniol – mae'r ddau'n tynnu sylw at y ffaith bod y moleciwlau'n llai ac mae'r ddau'n esbonio, mewn ffyrdd gwahanol, arwyddocâd hynny.

③ Mae David yn disgrifio'n gywir y math o symudiad y mae'r saeth gyrliog yn ei ddangos ar gyfer y pâr o electronau.

④ Anghywir – mae David wedi llunio ffurf E.

Mae David yn sgorio 8 allan o 9 marc.

Cyfrifo fformiwlâu a pholymerau

C ac A

28 (a) Mae cyfansoddyn **A** yn cynnwys carbon, hydrogen ac ocsigen yn unig. Ei fàs molar yw 88.2 g môl$_{-1}$. Mae dadansoddiad meintiol o'r cyfansoddyn yn dangos bod ei gyfansoddiad canrannol yn ôl màs yn cynnwys 54.5 % carbon a 9.10% hydrogen.

Cyfrifwch fformiwla empirig a hefyd fformiwla foleciwlaidd cyfansoddyn **A**. [4]

(b) (i) Mae'n bosibl ocsidio propan-1-ol yn llwyr gan ffurfio cyfansoddyn **B**.

Enwch gyfansoddyn **B** ac ysgrifennwch yr hafaliad i ddangos yr ocsidiad hwn. Cewch ddefnyddio [O] i ddangos yr ocsidydd. [3]

(ii) Mae propan-1-ol hefyd yn gallu ffurfio propen drwy adwaith dadhydradu. Enwch adweithydd addas ar gyfer yr adwaith hwn. [1]

(c) Mae'n bosibl polymeru propen gan ffurfio poly(propen). Rhowch fformiwla'r uned sy'n ailadrodd mewn poly(propen). [1]

(ch) Mae'n bosibl polymeru alcenau a amnewidiwyd hefyd gan roi polymerau defnyddiol. Enwch bolymer pwysig sy'n cael ei ffurfio o alcen a amnewidiwyd. [1]

Ateb Rhiannon

(a) % ocsigen = 36.4 ✓

C	:	H	:	O
= $\frac{54.5}{12}$	:	$\frac{9.10}{1}$	:	$\frac{36.4}{16}$	
= 4.54	:	9.01	:	2.28 ✓
= 5	:	9	:	2

Fformiwla empirig = $C_5H_9O_2$ ✗

M_r empirig = 101

Fformiwla foleciwlaidd = ✗ ①

(b) (i) Asid propanöig ✓

$C_3H_7OH + [O] \longrightarrow C_3H_7COOH$ ✗ ✗ ②

(ii) asid sylffwrig ✓ ③

(c) CH$_3$ H ✗ ④

—C—C—H
H H

(ch) PVC ✓⑤

Sylwadau'r arholwr

① Mae Rhiannon yn defnyddio'r canrannau i gyfrifo nifer y molau o bob elfen, ond wedyn mae'n brasamcanu'r rhain yn rhifau cyfan. Mewn cwestiynau arholiad, bydd y niferoedd bob amser yn cynhyrchu cyfanrifau amlwg yn y cam hwn, a ddylech chi byth frasamcanu. Gallai Rhiannon fod wedi sylweddoli ei bod wedi gwneud camgymeriad, a mynd yn ôl i'w gywiro, pan nad oedd perthynas uniongyrchol rhwng M_r ei fformiwla empirig a'r gwerth sy'n cael ei roi yn y cwestiwn.

② Enwodd Rhiannon yr asid yn gywir, ond ni sylweddolodd fod angen un o'r atomau carbon yn y grŵp C_3H_7 i ffurfio'r COOH yn yr asid.

③ Mae amrywiaeth o ddadhydradyddion derbyniol ar gael. Cafodd ateb Rhiannon ei dderbyn, sef asid sylffwrig, er y byddai wedi bod yn well dweud asid sylffwrig crynodedig.

④ Wrth lunio fformiwla'r uned sy'n ailadrodd mewn polymer, mae'n rhaid i'r bondiau ar bob pen ddangos bod y gadwyn yn parhau, hynny yw rhaid iddyn nhw fod heb ddim byd ynghlwm wrthynt.

⑤ Fel arfer, mae llawer o wahanol atebion posibl i gwestiynau sy'n gofyn am enwau grwpiau arbennig o gyfansoddion neu sut maen nhw'n cael eu defnyddio. Mae'n bwysig nodi'r defnydd **pwysig** a pheidio ag enwi cyfansoddion sy'n cael eu defnyddio yn y labordy neu ar raddfa fach yn unig.

Mae Rhiannon yn sgorio 5 allan o 10.

Ateb David

(a) % ocsigen = 36.4 ✓

$$\begin{array}{ccccc}
C & : & H & : & O \\
= \dfrac{54.5}{12} & : & \dfrac{9.10}{1.01} & : & \dfrac{36.4}{16} \\
= 4.54 & : & 9.01 & : & 2.28 \quad ✓ \\
= 1.99 & : & 3.95 & : & 1
\end{array}$$

Fformiwla empirig = C_4H_4O ✓

Fformiwla foleciwlaidd = $C_4H_8O_2$ ✓ ①

(b) (i) Asid propanöig ✓

$C_3H_7OH + [O] \longrightarrow C_2H_5COOH + H_2O$ ✓ ✗ ②

(ii) Alwminiwm ocsid ✓

(c)
$$\left[\begin{array}{cc}
CH_3 & H \\
| & | \\
C & - C \\
| & | \\
H & H
\end{array} \right]$$
✓ ③

(ch) PTFE ✓ ④

Sylwadau'r arholwr

① Mae David yn defnyddio'r canrannau i gyfrifo'n gywir nifer y molau o bob elfen ac yna mae'n rhannu â'r nifer lleiaf i gael cymhareb rhif cyfan. Er iddo sgorio marciau llawn, byddai wedi bod yn fwy diogel petai wedi dangos ei waith cyfrifo M_r ar gyfer ei fformiwla empirig.

② Enwodd David yr asid yn gywir ac roedd yn gwybod bod angen un o'r atomau carbon yn y grŵp C_3H_7 i ffurfio'r COOH yn yr asid. Er iddo sgorio'r marc ar gyfer hyn a sylweddoli mai dŵr oedd y cynnyrch arall, ni lwyddodd i gydbwyso'r hafaliad.

③ Mae'r bond ar y pen yn dangos bod y gadwyn yn parhau, hynny yw nad oes dim byd ynghlwm wrtho.

④ Un o amrywiaeth eang o atebion derbyniol.

Mae David yn sgorio 9 allan o 10.

Halogenoalcanau

29 (a) Mae methan yn adweithio â chlorin nwyol gan roi cloromethan a hydrogen clorid.

$$CH_4(n) + Cl_2(n) \longrightarrow CH_3Cl(n) + HCl(n)$$

Wrth ddarllen adroddiad ar yr adwaith hwn, daeth myfyriwr ar draws nifer o dermau.

Gan enghreifftio eich ateb â hafaliad ym **mhob** achos, nodwch ystyr:

(i) ymholltiad homolytig [2]

(ii) cam lledaenu. [2]

(b) Un o gynhyrchion yr adwaith rhwng ethan a chlorin yw 1,1,1-tricloroethan.

Mae cyfyngiadau nawr ar gynhyrchu a defnyddio 1,1,1-tricloroethan oherwydd ei effeithiau andwyol ar yr haen oson. Ond, nid yw'r cyfansoddyn fflworo cyfatebol 1,1,1-trifflworoethan yn achosi problemau amgylcheddol yn yr haen oson.

(i) Esboniwch pam mai'r cyfansoddyn cloro'n unig sydd â'r effeithiau andwyol hyn. [2]

(ii) Mae sampl o 1,1,1-tricloroethan yn adweithio â gormodedd o hydoddiant sodiwm hydrocsid ac yna'n cael ei asidio.

I Un o gynhyrchion yr adwaith hwn yw hylif R; mae ei sbectrwm màs yn dangos ïon moleciwlaidd ar m/z 60.

Mae sbectrwm isgoch R yn dangos amleddau amsugno nodweddiadol ar 1750 cm⁻¹ a 2500–3500 cm⁻¹.

Defnyddiwch y wybodaeth hon, gan ddangos eich gwaith cyfrifo, i awgrymu fformiwla adeileddol ar gyfer hylif R. [4]

II Bydd ïonau clorid yn cael eu cynhyrchu hefyd pan fydd 1,1,1-tricloroethan yn adweithio â sodiwm hydrocsid dyfrllyd. Yna bydd cynhyrchion yr adwaith hwn yn cael eu hasidio gydag asid nitrig a bydd y cymysgedd yn cael ei brofi ar gyfer presenoldeb ïonau clorid.

Nodwch yr adweithydd(ion) sy'n cael eu defnyddio a'r arsylwadau pan gafodd y cymysgedd ei brofi ar gyfer presenoldeb ïonau clorid. [2]

Ateb Rhiannon

(a) (i) Ymholltiad homolytig yw pan fydd bond yn torri a phob atom yn derbyn electron. ✗ ①
$Cl-Cl \longrightarrow 2Cl^\bullet$ ✓

(ii) Mae radical yn adweithio ac mae un arall yn cael ei ffurfio i barhau â'r adwaith. ✓
$Cl^\bullet + CH_4 \longrightarrow CH_3^\bullet + HCl$ ✓

(b) (i) Mae'r bond C-F yn gryf ✗
ac nid yw'n cael ei dorri yn yr haen oson. ✗ ②

(ii) I $M_r = 60$ ✓
Mae'r brigau isgoch yn dangos C=O ✗ O-H. ✗
Asid ethanöig yw hylif R. ✗ ③

II Yr adweithydd sy'n cael ei ddefnyddio yw arian nitrad dyfrllyd ✓, ac yn ystod yr adwaith mae lliw gwyn i'w weld. ✗ ④

Sylwadau'r arholwr

① Nid yw Rhiannon yn sgorio'r marc cyntaf gan fod angen dau bwynt. Mae'n rhaid i'r bond sy'n cael ei dorri fod yn gofalent ac mae'n rhaid i bob un o'r atomau sy'n cael eu cysylltu dderbyn un o'r electronau.

② Pan fydd cwestiwn yn cynnwys geiriau fel 'dim ond'/'cymharwch'/'gwahaniaeth rhwng', mae angen rhyw fath o gymhariaeth. Yn yr achos hwn, roedd angen esbonio'r gwahaniaeth yn nhermau cryfderau'r bondiau carbon a halogen.

Nid yw ateb Rhiannon yn cynnwys beth sy'n peri i'r bond dorri.

③ Bron bob tro, mae sbectrwm màs yn cael ei ddefnyddio i roi'r M_r a sbectrwm isgoch i ddangos y bondiau, ac felly'r grwpiau gweithredol, sy'n bresennol. Mae Rhiannon yn sylweddoli hyn, ond mae'n rhaid nodi pa amleddau amsugno sy'n nodi bond penodol. Mae Rhiannon yn sylweddoli mai asid ethanöig yw R, ond mae'r cwestiwn yn nodi bod yn rhaid iddi roi fformiwla.

④ Mae'n rhaid i'r arsylwadau gynnwys y lliw a nodi hefyd a oes gwaddod solet yn cael ei ffurfio.

Mae Rhiannon yn sgorio 5 allan o 12.

Ateb David

(a) (i) Ymholltiad homolytig yw lle mae bond cofalent yn torri mewn moleciwl organig. ✗ ①
$Cl-Cl \longrightarrow Cl^\bullet + Cl^\bullet$ ✓

(ii) Mewn cam lledaenu, mae radical yn cymryd rhan ac yn atffurfio un arall. ✓
$CH_3^\bullet + Cl_2 \longrightarrow Cl^\bullet + CH_3Cl$ ✓ ②

(b) (i) Dim ond y cyfansoddyn cloro sy'n cael effeithiau andwyol oherwydd bod y bond C–F yn gryfach na'r bond C–Cl ✓, ac felly nid yw'n cael ei dorri gan belydriad uwchfioled. ✓

(ii) I Mae'r brig m/z sy'n cael ei nodi'n dangos bod M_r yn 60. ✓
Yn y sbectrwm isgoch, mae'r brig ar 1750 cm^{-1} yn dangos presenoldeb C=O ac mae'r un ar 2500 i 3500 cm^{-1} yn dangos O–H. ✓
Mae hyn yn golygu mai asid ethanöig, CH_3COOH, yw R. ✓

II Mae $AgNO_3$ yn cael ei ddefnyddio ✓ ac mae'n rhoi gwaddod gwyn. ✓ ③

Sylwadau'r arholwr

① Nid yw ateb David yn ennill y marc cyntaf chwaith a hynny am yr un rhesymau â Rhiannon. Sylwch fod David wedi dangos hafaliad gwahanol i Rhiannon, ond mae'r ddau'n dderbyniol i ddangos ymholltiad homolytig.

② Er bod hyn yn wahanol i ateb Rhiannon, mae'r ddau hafaliad a'r ddau ddiffiniad yn dderbyniol.

③ Gan fod y cwestiwn yn dweud 'nodwch yr adweithyddion', mae enwau neu fformiwlâu'n dderbyniol. Pan fydd cwestiwn yn gofyn am arsylw ac mae solid yn ffurfio, mae'n rhaid i'r atebion nodi'r ffaith hon a lliw'r solid.

Mae David yn sgorio 11 allan o 12.

Alcenau

C ac A

30 Mae'n bosibl trawsnewid cyfansoddyn A yn 2-bromobwt-2-en mewn dau gam:

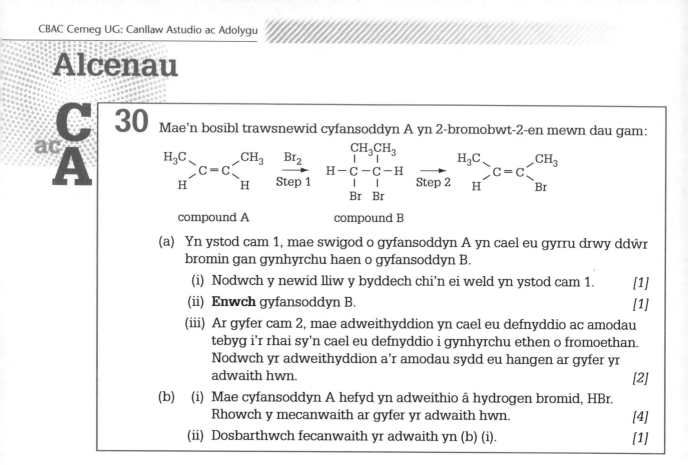

compound A   compound B

(a) Yn ystod cam 1, mae swigod o gyfansoddyn A yn cael eu gyrru drwy ddŵr bromin gan gynhyrchu haen o gyfansoddyn B.

   (i) Nodwch y newid lliw y byddech chi'n ei weld yn ystod cam 1.   *[1]*

   (ii) **Enwch** gyfansoddyn B.   *[1]*

   (iii) Ar gyfer cam 2, mae adweithyddion yn cael eu defnyddio ac amodau tebyg i'r rhai sy'n cael eu defnyddio i gynhyrchu ethen o fromoethan. Nodwch yr adweithyddion a'r amodau sydd eu hangen ar gyfer yr adwaith hwn.   *[2]*

(b) (i) Mae cyfansoddyn A hefyd yn adweithio â hydrogen bromid, HBr. Rhowch y mecanwaith ar gyfer yr adwaith hwn.   *[4]*

   (ii) Dosbarthwch fecanwaith yr adwaith yn (b) (i).   *[1]*

Ateb Rhiannon

(a) (i) Mae'n troi'n ddi-liw. ✗ ①

   (ii) 2-deubromobwtan ✗ ②

   (iii) Sodiwm hydrocsid ✓, wedi'i hydoddi mewn ethanol ✗ ③

(b) (i)

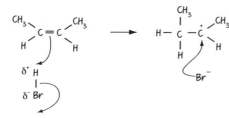

deupolau ✓ saethau ✗ adeiledd y carbocation ✓ saeth o Br⁻ ✗ ④

   (ii) Adiad ✗ ⑤

Sylwadau'r arholwr

① Pan fydd cwestiwn yn gofyn am y newid lliw, neu arsylwadau, rhaid cynnwys y lliw ar ddechrau ac ar ddiwedd yr adwaith.

② Yn enw cyfansoddyn deuamnewidiedig, mae'n rhaid nodi safle'r ddau grŵp sydd wedi amnewid.

③ Mae llawer o gwestiynau'n gofyn am adweithyddion a'r amodau sydd eu hangen ar gyfer adwaith. Mae Rhiannon yn nodi adweithydd cywir, sef alcali, ac yn sylweddoli bod yn rhaid ei hydoddi mewn ethanol. Ond mae gwresogi/adlifo yn amod hanfodol. Mae hyn yn wir mewn llawer o adweithiau mewn cemeg organig!

④ Mae'r deupolau a'r saeth gyntaf yn gywir.

Ond, mae'r ail saeth yn dechrau o'r bond, sy'n gywir, ond nid yw'n mynd i'r bromin.

Mae adeiledd y carbocation yn dderbyniol – mae'n glir bod y + ar y carbon cywir.

Mae saeth gyrliog mewn mecanwaith yn dangos symudiad pâr o electronau. Nid yw saeth olaf Rhiannon yn dechrau o bâr unig.

⑤ Nid yw 'adiad' yn anghywir, ond wrth ddosbarthu adwaith, dylai natur yr ymosodiad cychwynnol (ac effaith yr adwaith cyfan hefyd) gael ei nodi.

Mae Rhiannon yn sgorio 3 allan o 9.

Ateb David

(a) (i) Y newid lliw yw brown i ddi-liw. ✓ ①

(ii) 2,3-deubromobwtan ✓

(iii) Sodiwm hydrocsid ✓ wedi'i hydoddi mewn ethanol ac yna ei adlifo gyda chyfansoddyn B. ✓

(b) (i)

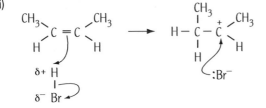

deupolau ✓ saethau ✓ adeiledd y carbocation ✓ saeth o bâr unig ✓ ②

(ii) Adiad electroffilig ✓ ③

Sylwadau'r arholwr

① Mae'n nodi'r lliw gwreiddiol a'r lliw terfynol.

② Mae'n bwysig iawn bod y saethau'n dechrau ac yn gorffen yn y lleoedd cywir. Fel arfer, byddan nhw'n dechrau ar fond neu bâr unig.

③ Y mathau o ymosodiad cychwynnol y byddwch chi'n eu gweld yn yr uned hon yw radical, electroffilig a niwclioffilig.

Mae David yn ennill pob un o'r 9 marc sydd ar gael.

Atebion i'r cwestiynau cyflym

1.1

1 (a) HCl (b) H_2SO_4 (c) NH_3 (ch) CH_4

2 Carbon 4 atom, hydrogen 8 atom, ocsigen 4 atom

3 6 atom

4 (a) Na_2CO_3 (b) $BaSO_4$ (c) $(NH_4)_2SO_4$

5 (a) −4 (b) +5 (c) +3

6 (a) $Na_2CO_3 + 2HCl \rightarrow 2NaCl + H_2O + CO_2$

(b) $3NO_2 + H_2O \rightarrow NO + 2HNO_3$

7 (a) $Mg(s) + 2H^+(d) \rightarrow Mg^{2+}(d) + H_2(n)$

(b) $Pb^{2+}(d) + 2I^-(d) \rightarrow PbI_2(s)$

1.2

Ychwanegol 1

a) Zn-64: 30p, 34n, 30e

Zn-66: 30p, 36n, 30e

b) (i) 8p, 10e (ii) 82p, 80e

c) Dim gwahaniaeth gan fod ganddyn nhw'r un nifer o electronau yn y plisgyn allanol.

1 Mae sgrin blwm yn rhwystro allyriadau ymbelydrol, ac felly'n atal yr ymbelydredd rhag dianc.

2 ^{18}O.

3 21.2 mlynedd

Ychwanegol 2

a) Mae ymbelydredd yn ïoneiddio/rhyddhau egni uchel/achosi mwtaniad celloedd.

Mae hyn yn achosi llosgiadau pelydriad/salwch ymbelydredd/canser.

b) All gronynnau α ddim treiddio'n bell a gall ychydig gentimedrau o aer, neu'r croen, eu rhwystro, ac felly allan nhw ddim mynd i mewn i'r corff o'r tu allan. Ond, os byddan nhw'n cael eu hamlyncu, allan nhw ddim gadael y corff ac oherwydd eu bod yn ïoneiddio'n gryf mae'n hawdd iddyn nhw niweidio DNA cell yn y corff ac achosi niwed biolegol.

4 Er enghraifft, defnyddio carbon-14 mewn dyddio ymbelydrol/potasiwm-40 i amcangyfrif oed daearegol creigiau.

5 Bydd peth o'r pelydriad β yn cael ei amsugno wrth fynd drwy'r cynnyrch. Os bydd y cynnyrch yn rhy drwchus neu'n rhy denau, bydd swm gwahanol o belydriad yn cael ei amsugno.

6 (a) $1s^2 2s^2 2p^6 3s^2 3p^6 3d^{10} 4s^1$

(b) (i)

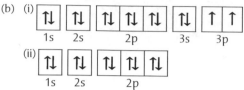

(ii)

7 (a) Cynyddu, oherwydd bod gwefr y niwclews yn cynyddu'n gyson, ond nid oes llawer o newid yn y cysgodi.

(b) Lleihau, oherwydd bod mwy o electronau mewnol yn cysgodi'r electron allanol ac mae'n bellach o'r niwclews.

8 $Mg^+(n) \rightarrow Mg^{2+}(n) + e^-$

9 Grŵp 2 oherwydd bod naid fawr rhwng yr 2il egni ïoneiddiad a'r 3ydd, ac felly mae'r trydydd electron wedi cael ei dynnu o blisgyn newydd.

10 (a) Neon sydd â'r amledd uchaf gan fod $f \propto 1/\lambda$.

(b) Neon sydd â'r egni uchaf gan fod $E \propto f$.

11 Mewn sbectra amsugno, mae egni'n cael ei amsugno o olau gan beri i electronau symud o lefel egni is i lefel uwch. Rydym ni'n gweld llinellau tywyll yn erbyn cefndir llachar.

Mewn sbectra allyrru, mae egni'n cael ei allyrru wrth i electronau ddisgyn yn ôl o lefel egni uwch i lefel is. Rydym ni'n gweld llinellau lliw yn erbyn cefndir du.

12 Mae mesur amledd cydgyfeiriant cyfres Lyman (sef y gwahaniaeth o n = 1 i n = ∞) a defnyddio $\Delta E = hf$ yn ein galluogi i gyfrifo'r egni ïoneiddiad. Rydym ni'n lluosi gwerth ΔE gan gysonyn Avogadro i roi'r egni ïoneiddiad cyntaf ar gyfer môl o atomau.

13 519 kJ.

1.3

1 (a) 331 (b) 246.5

Ychwanegol 1

a) I atal yr ïonau sy'n cael eu cynhyrchu yn y sbectromedr rhag gwrthdaro â moleciwlau aer.

b) 87.7

c) $35.5 = \dfrac{(35 \times 75) + (x \times 25)}{100}$ felly $3550 = 2625 + 25x$

$25x = 925$ $x = 37$

2 Mae'r ïon moleciwlaidd yn rhannu gan roi ïonau Cl⁻.

3 (a) 0.0465 (b) 74

4 VCl_2

5 37.3 cm³

6 20.7 cm³

7 15.7 dm³

8 10.6 g

9 6.15 môl dm⁻³

Ychwanegol 2

a) 0.200 môl dm⁻³

b) 37.0%

c) 85.1 %

10 52.6%

11 (a) 3 (b) 4 (c) 4

1.4

1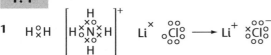

2 Cl–Cl< I–Cl < H–Cl <Be–O

3 Grymoedd van der Waals gwan o fath deupol anwythol–deupol anwythol yw'r bondiau rhwng yr unedau N_2, er bod y bondiau rhwng yr atomau yn y moleciwl yn gryf.

4 Van der Waals < hydrogen < cofalent

5 H–S⁻ ··S⁺·H H–S⁻ ··S⁺·H
    H–N ······· H–N ······· H–N
    H   H   H

6
    lpu
    O O
    S
    O + O
    H   H
    pb

7 Tetrahedrol, tetrahedrol, deubyramid trigonol a llinol yn ôl eu trefn.

1.6

1 B^{3+} a C^{4+}. Mae egnïon ïoneiddiad yn cynyddu ar draws y cyfnod ac nid yw'n ffafriol o ran egni i dynnu tri neu bedwar electron yn olynol.

2 Ar draws cyfnod, er enghraifft rhwng Li ac F, mae electronau'n cael eu hychwanegu yn yr un prif blisgyn, ac felly nid oes llawer o gysgodi electron ychwanegol i wrthsefyll y cynnydd mewn gwefr niwclear. Ond, mae'r electron Na sydd am gael ei golli'n cael ei gysgodi gan yr holl blisgyn mewnol yn y rhes sy'n dechrau â Li; mae hyn yn gwrthsefyll y protonau ychwanegol yn y niwclews.

3 (a) Na (0), Cl_2 (0), Na^+(+1) Cl^- (-1)

(b) -1

(c) Na (+1), O(−2), S (+6); N (+5), F (−1); O(0); C (−3), H (+1)

Ychwanegol

a) 0

c) +2, +2.5

b) +6, +6

ch) 0, +4

4 (a) Melyn Na, coch lliw bricsen Ca, gwyrdd lliw afal Ba a lelog K.

(b) (i) yr hydrocsidau, (ii) y sylffadau.

5 ½ Cl_2 (0) + K(+1)Br(-1) → ½ Br_2(0) + K(+1)Cl(-1)

1.7

1 Mae ecwilibriwm dynamig yn digwydd pan fydd y blaenadwaith a'r ôl-adwaith yn digwydd ar yr un gyfradd.

2 (a) Bydd y lliw'n dod yn oleuach. Bydd y safle ecwilibriwm yn symud i'r dde oherwydd bod llai o foleciwlau nwyol ar yr ochr dde.

(b) Bydd y lliw'n dod yn fwy tywyll. Gan fod y blaenadwaith yn ecsothermig, bydd y safle ecwilibriwm yn symud i'r chwith, sef i'r cyfeiriad endothermig.

3 $K_c = \dfrac{[NH_3]^2}{[N_2][H_2]^3}$ dm⁶ môl⁻²

4 0.0243 môl dm⁻³

5 (a) $MgO + H_2SO_4 \rightarrow MgSO_4 + H_2O$

(b) $CaCO_3 + 2HNO_3 \rightarrow Ca(NO_3)_2 + H_2O + CO_2$

6 Asid gwan yw asid sy'n daduno'n rhannol mewn hydoddiant dyfrllyd.

Asid gwanedig yw asid sy'n cynnwys llawer o ddŵr.

7 (a) 2.3 (b) 0.050 môl dm⁻³

8 Mae'n adweithio â charbon deuocsid atmosfferig ac mae ganddo fàs molar isel.

2.1

Ychwanegol 1

a) (i) Mae'n elfen yn ei chyflwr safonol. (ii) −1172 kJ môl⁻¹

b) −157 kJ môl⁻¹

1 −316 kJ môl⁻¹

2 −126 kJ môl⁻¹

3 −1251 kJ môl⁻¹

4 −52.7 kJ môl⁻¹

5 (−4.1 °C)

2.2

1 (a) 3.16×10^{-3} môl dm^{-3} s^{-1}

   (b) Byddai'r gyfradd adwaith gychwynnol yn fwy oherwydd ar ddechrau'r adwaith mae crynodiadau'r adweithyddion yn fwy, ac felly mae tebygolrwydd mwy y bydd mwy o wrthdrawiadau effeithiol.

2 (a)   (b) 238 kJ môl^{-1}

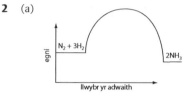

3 Mae dirywiad bwyd yn cael ei achosi gan facteria. Mae tymheredd isel mewn oergell yn lleihau actifedd bacteria ac yn eu hatal rhag tyfu'n rhydd.

4 Gallwn ni ddefnyddio tymereddau a gwasgeddau is, ac felly gynhyrchu llai o CO_2 wrth gynhyrchu egni.

   Maen nhw'n fioddiraddadwy, ac felly mae'n hawdd eu gwaredu.

5 Cynyddu crynodiad, tymheredd neu pH yr hydoddiant hydrogen perocsid, ychwanegu catalydd fel manganîs(IV) ocsid.

6 Mesur y newid mewn gwasgedd ar wahanol amserau gan ddefnyddio manomedr.

   Mesur y newid yn lliw'r NO_2 sy'n cael ei ffurfio dros amser, gan ddefnyddio colorimedr.

7 Mae haen o $CaSO_4$ anhydawdd yn ffurfio, sy'n atal yr asid rhag adweithio â'r carbonad.

2.3

1 Ecwilibriwm cemegol

   Thermocemeg – egni ac enthalpi

   Cineteg – cyfraddau adweithiau cemegol

2 Màs y cynnyrch sydd ei angen fel canran o gyfanswm màs yr adweithyddion.

   Neu byddai'n bosibl defnyddio fformiwlâu, a mynegi hyn fel cymhareb màs yr atomau sy'n cael eu defnyddio yn y cynnyrch i gyfanswm yr holl atomau yn yr adweithyddion fel canran.

Ychwanegol

a) + Dim carbon deuocsid yn cael ei ffurfio; – nid yw'n bresennol yn naturiol ar y Ddaear/nwy ffrwydrol.

b) + Dim hydoddydd organig (anweddol) yn cael ei ddefnyddio; – digwydd o dan wasgedd.

c) (i) + Tymheredd gweithio isel, dim angen gwresogi, dim hydoddydd yn cael ei ychwanegu na sgil gynnyrch i'w ddileu.

   (ii) – Angen tymheredd a gwasgedd uwch, angen dileu sgil gynnyrch, sef dŵr.

   Sylwch: mae atebion eraill yn bosibl.

2.4

1 Mae 6 atom carbon mewn cadwyn ddi-dor, ac felly mae'r enw'n seiliedig ar hecs.

2 (a)
   (b)

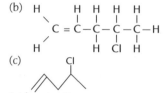

3 (a) 3-methyl pent-1-en

   (b) 2-bromobwtan-2,3-deuol

4 (a) C_5H_9Cl

   (b)

   (c)

5 Asid pentanöig

6 C_nH_{2n}

7 $C_{72}H_{146}$

8 Cymhareb C : H : Br =

   $$\frac{12.78}{12} : \frac{2.15}{1} : \frac{85.07}{80} =$$

   1.07 : 2.15 : 1.06

   Rhannu â'r lleiaf = 1 : 2 : 1

   Fformiwla empirig = CH_2Br

   Màs fformiwla empirig = 94 a'r gwir fàs moleciwlaidd yw tua 188

   Fformiwla foleciwlaidd = $C_2H_4Br_2$

9 Unrhyw dri o blith

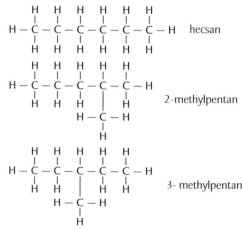

hecsan

2-methylpentan

3- methylpentan

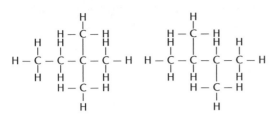

2,2-deumethylbwtan   2,3-deumethylbwtan

10 Unrhyw ddau o blith

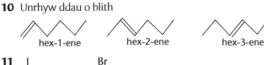

hex-1-ene   hex-2-ene   hex-3-ene

11

12 Yr isomer *E*. Ar C1 mae gan Br A_r uwch nag H ac ar C2 mae gan Cl A_r uwch nag C.

13 Unrhyw werth yn yr ystod 80 °C i 120 °C.

14

Y mwyaf o ganghennu sy'n bresennol, lleiaf yw'r arwynebedd arwyneb ar gyfer grymoedd van der Waals. Mae hyn yn golygu bod y tymheredd berwi yn llai.

2.5

1 (a) Sylffwr deuocsid a nitrogen deuocsid

    (b) Sylffwr deuocsid drwy losgi tanwyddau ffosil ac o actifedd folcanig.
        Nitrogen deuocsid o beiriannau tanio mewnol ac o fellt.

2 Y mwg du yw carbon. Mae'n cael ei ffurfio os nad yw'r peiriant wedi'i addasu'n gywir ac mae hylosgiad anghyflawn yn digwydd. Mae'r math hwn o adwaith yn llai ecsothermig na hylosgiad cyflawn.

3 $C_{90}H_{182}$

4 Nid oes bondiau dwbl, h.y. ardaloedd o ddwysedd electron uchel, ac nid oes deupolau.

5 Mae radicalau'n adweithiol oherwydd bod ganddyn nhw electron heb ei baru, ac felly maen nhw am ennill un arall.

6 Adwaith cychwynnol $Cl_2 \rightarrow 2Cl^\bullet$
Lledaeniad $CH_4 + Cl^\bullet \rightarrow CH_3^\bullet + HCl$ Terfynu $2CH_3^\bullet \rightarrow C_2H_6$

7 $CH_4 + 3Cl_2 \rightarrow CHCl_3 + 3HCl$

8 Mae'r bond yn ymhollti'n heterolytig oherwydd, pan fydd yr electroffil yn ymosod a'r bond yn torri, mae'r ddau electron yn y bond yn mynd i un o atomau'r electroffil.

9 Mae'n cynyddu'r tymheredd ymdoddi, ac felly maen nhw'n fwy tebygol o fod yn solidau ar dymheredd ystafell.

10 $(CH_3)_2C{=}CH_2 + HBr \rightarrow (CH_3)_2CBrCH_3$

11 Poly(1-cloro, 2-cyanoethen)

12
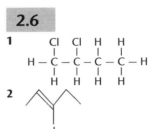

13 Y fformiwla empirig yw CH_2

14 Cl   OH
      \   /
       C = C
      /   \
    H   H

15 Byddai'r tymheredd ymdoddi'n is petai hyd y cadwynau yng nghadwyn y polymer yn fyrrach a phetai'r polymer yn cynnwys cadwynau canghennog.

2.6

1

2

3 Nid yw'n ddull boddhaol oherwydd bod ganddo fecanwaith radical ac nid yw'n hawdd ei reoli. Gall polyamnewid ddigwydd.

4 Gwresogi gyda sodiwm hydrocsid dyfrllyd.
Niwtralu'r gormodedd o sodiwm hydrocsid gydag asid nitrig gwanedig.
Ychwanegu arian nitrad dyfrllyd.
Y canlyniad rydym ni'n ei ddisgwyl yw gwaddod melyn sy'n anhydawdd mewn amonia dyfrllyd.

5 $Ag^+(d) + Cl^-(d) \rightarrow AgCl(s)$

6 Gall 2-clorobwtan golli'r Cl a'r H ar y naill ochr neu'r llall i'r Cl gan ffurfio bwt-1-en a bwt-2-en. Mewn 3-cloropentan, mae'r Cl yn y canol, ac felly pa un bynnag yw'r H sy'n cael ei golli, yr unig ganlyniad posibl yw pent-2-en.

7 Mae halogenoalcanau'n cynnwys rhan amholar yn eu hadeiledd. Mae saim hefyd yn eithaf amholar, ac felly mae saim yn hydoddi yn yr halogenoalcan.

8 Mae'n bosibl hylifo CFCau drwy eu rhoi o dan wasgedd.

9 Mewn cam lledaenu mae radical yn bresennol cyn yr adwaith ac mae radical yn bresennol ar ôl yr adwaith.

10 $2O_3 \rightarrow 3O_2$

11 Mae mwy o HFCau'n cael eu defnyddio oherwydd bod y bond C–F yn gryfach na'r bond C–Cl. Mae hyn yn golygu nad yw radicalau $F^\bullet$ yn cael eu ffurfio fel arfer.

2.7

1 Mae'r adwaith yn ecsothermig, ac felly mae tymheredd uchel yn anfon yr ecwilibriwm i'r chwith ac yn lleihau cynnyrch yr ethanol.

2 Adwaith sy'n cael ei gatalyddu gan ensymau yw eplesiad. Bydd ensymau'n cael eu dadnatureiddio/dinistrio os yw'r tymheredd yn rhy uchel – mae tymheredd tua thymheredd arferol y corff dynol yn cael ei ddefnyddio fel arfer.

3 Mae'n bosibl tynnu ethanol drwy ddistylliad ffracsiynol.

4 Y gred yw fod carbon deuocsid yn achosi cynhesu byd-eang. Mae hylosgi biodanwyddau'n cynhyrchu carbon deuocsid, ond mae biodanwyddau'n dod o blanhigion a gymerodd garbon deuocsid i mewn pan oedden nhw'n tyfu. Oherwydd hyn, maen nhw'n niwtral o ran carbon.

5 (a) Cynradd

(b) Trydyddol

(c) Eilaidd

(ch) Cynradd

6 (a)

$$H-\overset{\overset{\displaystyle H}{|}}{\underset{\underset{\displaystyle H}{|}}{C}}-\overset{\overset{\displaystyle H}{|}}{\underset{\underset{\displaystyle H}{|}}{C}}-\overset{\overset{\displaystyle H}{|}}{\underset{\underset{\displaystyle H}{|}}{C}}-OH \longrightarrow \quad C=C-\overset{\overset{\displaystyle H}{|}}{\underset{\underset{\displaystyle H}{|}}{C}}-H + H_2O$$

(b)

$$H-\overset{\overset{\displaystyle H}{|}}{\underset{\underset{\displaystyle H}{|}}{C}}-\overset{\overset{\displaystyle H}{|}}{\underset{\underset{\displaystyle H}{|}}{C}}-\overset{\overset{\displaystyle H}{|}}{\underset{\underset{\displaystyle H}{|}}{C}}-OH + 2\,[O] \longrightarrow H-\overset{\overset{\displaystyle H}{|}}{\underset{\underset{\displaystyle H}{|}}{C}}-\overset{\overset{\displaystyle H}{|}}{\underset{\underset{\displaystyle H}{|}}{C}}-C\overset{\displaystyle O}{\underset{\displaystyle OH}{}} + H_2O$$

7 Nid yw alcoholau trydyddol yn cael eu hocsidio fel arfer oherwydd nad oes ganddyn nhw atom H addas y mae modd ei golli.

8

$$-C\overset{\displaystyle O}{\underset{\displaystyle H}{}}$$

9 Mae'r lliw'n newid o oren i wyrdd.

10 (a) CH_3COONa

(b) $(CH_3CH_2COO)_2Zn$

11

$$H-\overset{\overset{\displaystyle CH_3}{|}}{\underset{\underset{\displaystyle CH_3}{|}}{\underset{\displaystyle H-C-H}{C}}}-O-\overset{\displaystyle O}{\overset{\|}{C}}-CH_3$$

12 **Asidau gwan** yw asidau carbocsilig oherwydd maen nhw'n ïoneiddio'n **rhannol**. Maen nhw'n adweithio ag alcalïau gan ffurfio **halwynau**.

2.8

1 Mae angen llai o sampl ar gyfer technegau sbectrosgopig.

2 Mae'r echelin-y yn rhoi cyflenwad y darnau. Nid yw hyn yn ddefnyddiol iawn fel arfer ar gyfer darganfod adeiledd y moleciwl.

3 m/z ar 46 – dyma M_r ethanol.

4 (a) Mae'r brig ar 78 yn cael ei achosi gan $C_3H_7{}^{35}Cl$ a'r brig ar 80 gan $C_3H_7{}^{37}Cl$.

(b) Byddai'r brig ar 78 dair gwaith maint y brig ar 80 gan fod tair gwaith cymaint o ^{35}Cl ag sydd o ^{37}Cl.

5 Ar m/z 74

CH_3 sydd wedi'i golli o fwtan-1-ol gan roi'r brig ar 59.

6 Mae'r bond C–H yn achosi amsugniadau yn yr ystod hon ac oherwydd ei fod yn bresennol ym mhob cyfansoddyn organig bron, nid yw brigau'n rhoi gwybodaeth ddefnyddiol yma.

7

$$CH_3C\overset{\displaystyle O}{\underset{\displaystyle OCH_3}{}}$$

Mae'r amsugniad hwn yn dangos presenoldeb C=O. Mae'r bond hwn yn bresennol mewn cyfansoddion carbonyl, asidau carbocsilig ac esterau.

8 (a) Nid yw uchder y brigau mewn sbectra NMR ^{13}C yn ddefnyddiol fel arfer.

(b) Mae uchder y brigau mewn sbectrwm NMR ^1H yn dweud faint o atomau hydrogen sy'n bresennol ym mhob amgylchedd.

Mynegai